Waldemar Łysiak

„Czwórka” czyli Operacja „Sandbox”

Wydawnictwo Nobilis

Warszawa 2009

Waldemar Łysiak

Wydanie I
Warszawa 2009

Opracowanie typograficzne i graficzne: Waldemar Łysiak i Adam Wojtasik

Redakcja techniczna: Adam Wojtasik

Na str. 144 wykorzystano obraz Joanny Wiszniewskiej–Domańskiej.

WYDAWNICTWO NOBILIS — Krzysztof Sobieraj
ul. Królowej Marysieńki 19/95, 02-954 Warszawa,
tel./fax: 0-22 632-83-74, e-mail: nobilis_1@wp.pl

ISBN 978-83-60297-33-9

Skład i łamanie: Wydawnictwo Key Text, Warszawa

Druk i oprawa: Drukarnia Naukowo–Techniczna, oddział PAP S.A.

Operacja „*Sandbox*"

Część I
Preludium

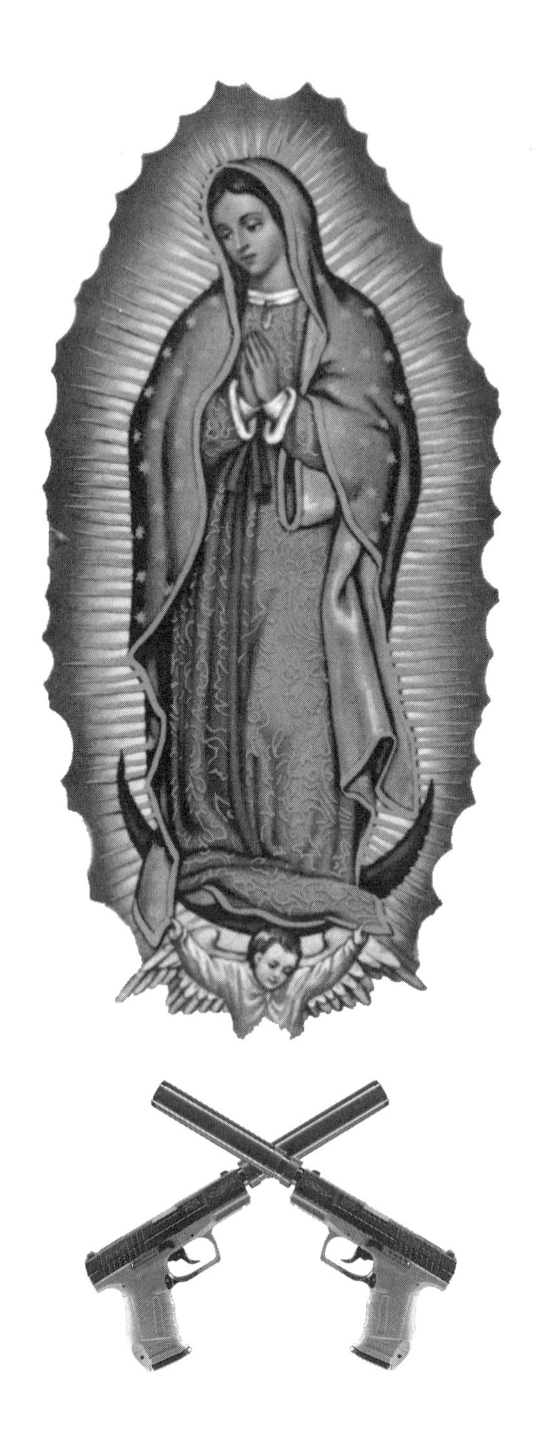

— Od czego zaczniemy? — spytał Hank. — Od czegoś trzeba zacząć...

— Od piwa — mruknął Larry. — Zaschło mi w gardle.

— Z piwa powstałeś i w szczyny się obrócisz — wygłosił filozoficznie John.

— Pierwszą rzeczą, którą musimy zrobić, jest przejęcie całej garderoby i puli peruk z demobilu TO — zadecydował Clint. — Ruszamy na bal maskowy, panowie, będziemy się tam ciągle przebierać.

Bez przebierania też różnili się bardzo. Zwłaszcza kolorem i gęstością włosów (Larry miał naturalną łysinę). Kapitan Hank Forman był snajperem, killerem i bokserem, zwano go *„Husky"*. Major Larry Gracewood był snajperem, killerem i bokserem, zwano go *„Woody"*. Major John Nowik był snajperem, killerem i bokserem, zwano go *„Pole"*. Pułkownik Clint Farloon był snajperem, killerem i bokserem, zwano go *„Don"* (niegdyś nosił ksywkę *„Amber"*). Wszyscy czterej byli członkami najtajniejszej i najbardziej elitarnej spośród jankeskich służb specjalnych, zwanej TO (Team One), a kierowanej przez wiceprezydenta Dicka Cheneya. Ten trzydziestoosobowy zespół specjalistów od *„missions impossible"* — fachowców, przy których James Bond miałby status wyższej klasy amatora — utracił nie tyle rację bytu, ile pozaprawną rację stanu 4 listopada 2008. Tego dnia Ameryka wybrała czarnoskórego Mulata do roli prezydenta imperium, co oznaczało, że Republikanie muszą pakować manatki. Zwłaszcza półlegalne manatki. Wiceprezydent Cheney rozwiązał TO, proponując *„żołnierzom"* (wszyscy mieli stopnie oficerskie) lukratywną pracę ochroniarzy w swojej firmie naftowej i w firmach swoich biznesowych partnerów. Większość *„TOmenów"* przyjęła te etaty.

Nie przyjęła *„Czwórka"* (*„4"*). Tę nazwę nosiło komando majora Farloona (od grudnia roku 2007 podpułkownika, od listopada 2008 pułkownika), stanowiące *„team one of Team One"*, vulgo: elitę elity. Mieli inny pomysł na życie, a dokładniej cztery zupełnie różne pomysły na życie. Smakosz Forman proponował otworzyć luksusową knajpę, lecz koledzy uznali, że to *„kanał"*, bo *„Husky"* sam zeżre wszystko. Hazardzista Gracewood był pomysłodawcą założenia kasyna w Limie (cały ostatni rok przepracowali w Peru, znali realia), wszelako kumple bali się deficytu takiej firmy pewni, iż *„Woody"* sam *„puści"* przy jej stołach wszystko. Koniarz Nowik chciał prowadzić stadninę rozpłodową sprzedającą rasowe rumaki, jednak koledzy powiedzieli mu, że syryjskie chomiki reprodukują się szybciej. Romantyk Farloon pragnął natomiast, by wszyscy się od niego odpieprzyli, bo marzył mu się tzw. święty spokój. Ale spokój zakłócił im Julio Ramírez, *„Chico"*.

Ramírez był najmłodszym *„TOmanem"* Cheneya, został przyjęty w 2007. Jako jedyny Latynos. Kiedy zespół rozwiązano, nie musiał szukać nowej roboty u Jankesów, gdyż miał w Meksyku bogatego stryja. Wyjechał tam na początku grudnia 2008 i wrócił do Waszyngtonu niczym oparzony. 5 grudnia „upolował" Farloona, i dwa dni później zobaczył całą *„Czwórkę"* w dawnym domku myśliwskim koło Rocksville. Z okien widać było szary nurt rzeki Potomac, z kufli ciekły złociste strugi piwa Schlitz, z ust Ramíreza tryskały błyszczące kropelki śliny, efekt furii, rozpaczy i gniewu. Pułkownik Farloon wyhamował ten wrzask:

— *„Chico"*, stul pysk!

Meksykanin usłuchał, milknąc, jednak nie mógł domknąć ciała, które wciąż drżało.

— Weź głęboki oddech i reaguj na pytania krótko, bez przymiotników — rzekł pułkownik. — Miesiąc temu porwano dziecko twego stryja, pięcioletniego Pablito...

— Pablito nie jest synem, tylko wnukiem stryja Ramona.

— Tydzień temu stryj zapłacił cały okup i dziecko zostało zwrócone...

— Tak. Pięć dni temu.

— Czy wiadomo kim byli porywacze?

— Nie, Ramon nie zna tych bydlaków.

— Więc szukając zemsty, chce nas wynająć nie tylko jako egzekutorów, lecz i jako detektywów?

— Tak — skinął głową Meksykanin.

— Kto mu doradził, żeby właśnie nam to zaproponować, ty, Julio?

— Tak.

— Kto ci zezwolił dekonspirować *„TOmenów”*, przyjacielu?... Chociaż Team już nie istnieje, ciebie dalej obowiązuje klauzula tajności i przysięga...

— Nie powiedziałem mu kim jesteście, nic nie mówiłem o Team One. Powiedziałem tylko, że znam kilku byłych pracowników służb specjalnych, asiorów tajnych operacji, żywych Bondów, panie pułkowniku.

— To miło z twojej strony, gnoju, bo ten Craig mniej mi się podoba niż Connery, Brosnan, Moore, a nawet Dalton, więc przymierzam się do zagrania głównej roli w kolejnym **„Bondzie”**, będę rżnął Miss World, Miss International, Miss Universum i Miss Globe, będę jeździł odlotowymi furami, które kosztują pół miliona dolców, zaś w wolnych chwilach będę naparzał Marsjan nowym zegarkiem od *„Q”* — sapnął Forman, wycierając spod nosa i z kącików ust pianę nektaru chmielowego.

— Będziesz rżnął, ale deski do budowy eleganckiego wybiegu dla Miss World, bo nie wiem czy nawet ta starucha *„M”* dałaby ci dupala, *„Husky”*! — parsknął Gracewood. — W **„Bondzie”** dadzą ci dniówkę za mycie samochodu Craiga.

— To trochę mniej niż chce wam dać stryj Ramon! — krzyknął Meksykanin. — Da wam tyle milionów, że...

— Dolców? — spytał *„Pole”*.

— Pesos.

— To placki kukurydziane, czy sztony ruletowe? — zainteresował się *„Woody”*.

— Przestańcie! — skarcił ich Farloon. — Kim jest twój stryj?

— Ma fabrykę metalurgiczną, ogromną. Wytwarza rury do rurociągów, elementy konstrukcji wiertniczych, kratownice i pale platform morskich, beczki również, wszystko co służy eksploatowaniu ropy naftowej.

— Złoty interes, mimo obecnego spadku cen ropy, ciągły wzrost popytu — westchnął Nowik. — Też bym chciał. Mógłbym zasponsorować film z Hankiem jako Bondem.

— Tytuł: **„Husky 007"** — podsunął *„Woody"* Gracewood.

Co zezłościło Formana:

— Znalazł się ekspert filmowy, pierniczony Woody Allen! Walcie się, dupki!

— Nie panikuj, amigo... — szepnął Nowik, nachylając się ku Meksykaninowi, żeby klepnąć go po ramieniu. — I nie dziw się. Większość rekrutowanych do Teamu to były świry, Cheney wypożyczał ich z wariatkowa w kanadyjskim Ontario.

Forman i Gracewood popatrzyli na siebie rozszerzonym wzrokiem. Ten drugi jęknął:

— Słyszałeś, kurka wodna?!

— Od dziecka nie bardzo lubiłem Polaków! — zgrzytnął *„Husky"*. — Zwłaszcza Chopina, tego producenta gorzały metylowej!

— Dlatego wziąłeś udział w rzymskim zamachu przed bazyliką Piotrową? Podejrzewałem, że to nie Turek strzelał!

— Wpieprzymy mu?

— Turkowi?

— Nie, Polaczkowi.

— Obowiązkowo!

Zerwali się, by capnąć Nowika, ale ten był szybszy i wyskoczył za drzwi z impetem. Jednak schody były lodowate, więc runął, i wkrótce cała trójka tarzała się w śniegu, miotała pigułami i wrzeszczała radośnie.

— Stare koniska, a całkiem jak małe dzieci! — westchnął pułkownik. — Odreagowują rozwiązanie zespołu. Sam bym się też pobawił, ale mnie nie bardzo wypada. Czy twój stryj współpracował z policją?

— Tak. Bez sensu.

— Dlaczego bez sensu?

— Bo bez skutku. Policja piekielnie się skorumpowała, nigdy nie wiadomo czy oficer to uczciwy funkcjonariusz, czy naciągacz, łotrów jest zdecydowana większość. Stryj nie ma zaufania do glin.

— Mogło być gorzej. W kilka tygodni odzyskał dzieciaka...

— Gdyby nie zawiadomił gliniarzy, odzyskałby już po tygodniu. A tak odzyskał po miesiącu, bez ucha i palca środkowego lewej dłoni. Kidnaperzy wkurwili się, że uruchomił gliniarnię, więc najpierw przysłali ucho dziecka, później palec dziecka. Ramon miał skruszeć, no to skruszał, takie małe ucho i mały palec robią straszne wrażenie, pułkowniku.

Farloon pokiwał głową:

— Wiem, chłopie.

— Za przeproszeniem, panie pułkowniku: nic pan nie wie, panu nie porwano wnuka!

Drzwi skrzypnęły i wesoła trójka wbiegła do wnętrza, otrzepując się ze śniegu.

— Czas ugotować kiełbachę! — krzyknął Nowik. — Polska, bezkonkurencyjna, hit polskiego sklepu w Chicago! Hank, dawaj rondel i przyprawy, ja pokroję, a ty, Larry, zobacz czy mamy wystarczającą ilość sztućców!

— Trudno mi zrozumieć, Julio, że tak bogaty człowiek nie mógł zapewnić rodzinie solidnej ochrony — rzekł *„Don"*. — Przecież znał sytuację, u was często porywa się dzieci dla okupu...

— Co dwa tygodnie, co miesiąc, to już robota taśmowa.

— A ja myślałem, że u was głównym przemysłem jest przemysł turystyczny! — ryknął z kuchni Gracewood.

— Cała rodzina ma kilkunastu zawodowych goryli — kontynuował *„Chico"*. — Ale porywacze zawsze znajdą jakiś sposób, by wyeliminować ochronę.

— Czego użyto?

— Gazu. Kilka granatów, gaz paraliżujący, każda żywa istota w sekundę mdleje.

— Pieniądze przelane na karaibskie konto, czy do ręki porywacza?

— Do ręki.

— Ile?

— Dwie walizki pełne banknotów.

— Kto był kurierem?

— Ja. Zawiozłem okup gdzie kazali i przywiozłem dziecko.

— Widziałeś twarze?

— Widziałem kominiarki, pułkowniku.

Długą chwilę panowała cisza. Farloon spoglądał w okno, a Meksykanin w jego fizjonomię. Wreszcie *„Don”* przemówił:

— Nigdy nie rozwalałem dla zysku. Nie podejmę się tego, ale może chłopcy będą mieli mniej skrupułów, trzeba ich zapytać...

— Ja mam ich zapytać?

— Ja to zrobię, lecz najpierw zjedzmy tę kiełbasę słowiańską.

Po obiedzie Farloon wyłożył kolegom istotę problemu:

— Duża kasa, duże ryzyko, duża szansa na drewnianą jesionkę, chłopaki. Mimo wszystko łatwiej wygrać milion niż w telewizyjnych „Milionerach”, a nawet kilka milionów. Drugiej takiej okazji wielgachnego zarobku można się nie doczekać nigdy. Ale ja w to nie wchodzę.

— Dlaczego? — spytali równocześnie Nowik i Forman.

— Bo nie jestem płatnym zabójcą.

— A co robiliśmy przez te kilka lat? — spytał Gracewood.

— Wypełnialiśmy rozkazy rządu — odparł pułkownik.

— Chyba nie całego, a może nawet nie połowy czy ćwierci rządu — zauważył złośliwie Forman. — Byliśmy tajni do bólu, utajnieni przed Kongresem, przed Senatem, przed Pentagonem, chyba tylko Cheney, Gates oraz Rumsfeld wiedzą jaka była granica między tą tajnością a prywatnością daleką od służby dla kraju. Nie mam racji?

— Nie masz, Gates był off — skrzywił się Gracewood.

— Pytam dowódcę czy nie mam racji!

— Nie wiem czy masz rację, czy nie masz racji, wiem tylko, że ja nie mam chęci o tym dyskutować — rzekł Farloon. — Podjąłem decyzję, nie wchodzę.

— No to trudno, nie wchodzimy — wzruszył ramionami Forman.

— A kto wam tego zabrania, muchachos? — zdziwił się pułkownik. — Nasz zespół został rozwiązany, przestaliście być podwładnymi, ja już wami nie dowodzę, komando nie istnieje, każdy musi decydować sam.

— I bardzo dobrze, bo przez te kilka lat nie uzbierałem z żołdu nic, a teraz wyrzucono mnie na bruk i jestem bezrobotny, więc gdybym zakosił parę łatwych milionów, mógłbym się ustawić elegancko — burknął Polak.

— No, i wtedy kupowałbyś lepszą kiełbasę — bąknął „*Husky*”.

— A co, ta była zła?!

— Nie, dlaczego, całkiem klawa... U nas w Montanie karmimy tym delikatesem koty i mają sierść bardzo puszystą.

Gracewood i Forman zanosili się od śmiechu, a „*Pole*” rzekł do Ramíreza:

— Mówiłem ci, czuby kliniczne, sam widzisz!... Ja w to wchodzę, amigo.

— Obawiam się, że bez udziału pana pułkownika stryj nie będzie zainteresowany kontraktem — wyjaśnił Meksykanin. — Ale spytam go. Dziękuję, że poświęciliście mi swój czas.

Wstał, lecz nim otworzył wyjściowe drzwi, sięgnął za pazuchę, dobył z portfela zdjęcie i rzucił na blat stołu, mówiąc:

— Przemyślcie to jeszcze, panowie, i przedyskutujcie. Są do łyknięcia grube miliony, stryj nie będzie skąpił dinero, pała żądzą rewanżu. Forsa to główny argument, fotografia to wspomaganie emocjonalne, tego mnie i was uczono na zajęciach z psychologii werbunku. Może ta fotka ułatwi wam podjęcie decyzji. Adios!

— Cześć. Przepraszamy za tę kiełbasę, Julio! — wyseplenił komicznie Gracewood.

— Daruj, to się nie powtórzy! — dodał Hank.

— Barany! — prychnął kiełbasiany fundator.

— Mój świętej pamięci dziadek, który był hazardzistą, szmuglerem, krupierem, pastorem i bardzo ostrym zawodnikiem, nigdy mi nie przebaczy, jeśli nie nakopię kilku Polaczków! — warknął *„Woody"*.

— Więc jak już wylądujesz w piekle, nie mów mu o tym — doradził *„Pole"*.

Gdy Ramírez zamknął drzwi, spojrzeli na zdjęcie. Ukazywało malca z okaleczoną dłonią i ze strzępem rany miast ucha. Chłopczyk patrzył w obiektyw wzrokiem pełnym bólu, łzy brudziły mu policzki i ciekły ku wargom zaciśniętym konwulsyjnie.

— Groza! — szepnął *„Husky"*.

— Dobrze, iż *„Chico"* już się zmył, bo wygadałbym się przy nim, że mogę to zrobić za darmo! — oznajmił chrapliwie *„Woody"*.

— Ja też, kurwa! — zgodził się *„Pole"*. — Za darmo, i jeszcze wdzięczny, że mi umożliwiono. Panie pułkowniku?...

* * *

Niewielu mieszkańców globu ma świadomość, że w mocarstwie nr 1 od dawien dawna funkcjonują pewne ukryte siły, które wywierają decydujący wpływ na władzę, jakąkolwiek by wybrał elektorat. Kiedyś była to lożowa masoneria, tak potężna tudzież pyszna, iż swoimi symbolami ozdobiła gęsto banknoty amerykańskie; dzisiaj jest to raczej wolnomularstwo służb specjalnych i kapitału. Podejmuje ono czasami, gdy uważa za konieczne, decyzje szokujące światową sferę medialną i opinię publiczną (jak choćby eliminacja braci Kennedych), częściej jednak „tylko" rozstawia kukiełki na scenie wyborczej i na estradzie rządowej USA. Dlatego pewne reguły etniczne są tam constans (jak koszerny monopol dyrygentury finansowej: Madoffy, Wolfowitze, Pritzkery, Volckery, Rubiny, Greenspany, Lehmany, Goldmany, Paulsony, Sachsy, Bernankesy, e tutti banki), a inne tryby rasowe bądź dynastyczne bywają modernizowane, exemplum czarnoskóry prezydent Obama, lecz wówczas dochodzi do dziwadeł zatrudnieniowych bulwersujących komentatorów i głupców: szefem sztabu Mulata zostaje niedawny obywatel Izraela (Rahm Emanuel), sekretarzem obrony były republikański szef CIA i Pentagonu, dygnitarz obu Bushów (Robert Gates), doradcą do spraw bezpieczeństwa republikański generał (James Jones), a sekretarzem stanu żona ekspreyzdenta Clintona (Hillary), dopiero co walcząca z Mulatem na śmierć i życie. Takie autentycznie decydenckie, ponadrządowe *„państwa w państwie"* Anglosasi zwą: *„deep state"* (*„głębokim państwem"*, *„głęboką władzą"*), a efekty ich działań noszą nazwę *„głębokiego przechwycenia"* (*„deep capture"*). Członkiem tych elitarnych zakulisowych struktur, które kręcą jarmarkiem cudów politycznych i kadrowych USA, był od roku 2003 Lowa Abelman, kolega Clinta Farloona z ławy szkolnej*.

Mecenas Abelman przez pierwsze lata swej kariery uprawiał wyuczony zawód, inkasując duże sumy jako pracownik kancelarii adwokackiej, gdzie dla wymogów *„political correctness"* zatrudniono jednego Teksańczyka goja, jednego Murzyna i jednego Latynosa, a reszta pracowników była (nie licząc sekretarek) jednorodna rasowo i sama zwała się *„kibucem"*, gwoli humoru. *„Kibucem"* zresztą była i jest cała klasa prawnicza Północnej Ameryki, przyjęto tam bowiem za normę, że każdy niestarozakonny w tej branży to *„wyjątek potwierdzający regułę"* korporacyjną, *„and it's good"*. Lowie jednak znudziło się użeranie z klientami, sędziami, ławami przysięgłych i psiarnią dziennikarską, więc gdy tylko zarobił dosyć milionów — czmychnął ku sferze bardziej podniecającej cynika: ku bagnu polityki i finansjery, a później ku tajemnym mokradłom służb specjalnych, ku autentycznemu jądru ciemności, gdzie sam prezydent państwa i ministrowie nie wściubiają nosa, traktowani są bowiem przez demony półmroku użytkowo–estradowo, nie zaś walorowo. Tu dopiero zrozumiał Clausewitza (*„wojna, będąc funkcją polityki, jest niczym kameleon, wraca do nas przybierając formy bardzo różne"*), i coś więcej: że prawda oraz sprawiedliwość mają w grach drapieżników taką samą wartość, jaką przed trybunałem jurysdykcyjnym ma niewinność lub kryminalność, czyli zerową, wszystko bowiem zależy od brutalnej siły,

* Patrz W. Łysiak, **„Najlepszy"**.

pieniędzy i wirtuozerii (demagogicznej, technicznej, iluzjonistycznej, korupcyjnej etc.) rozgrywających starcie szulerów.

Clint Farloon do CIA trafił sam, via brytyjska operacja *„Czarne tango"* w Namibii (1987)*, a wcześniej (1984–1985) baza szkoleniowa 10. Grupy Oddziałów Specjalnych USA w niemieckim Bad Toelz**. Uznany za superkomandosa, został członkiem ekipy CIA realizującej w Polsce operację *„Zielone jabłko"* (1990)**, której triumf otworzył mu wrota karierologiczne na łonie służb specjalnych USA. Figurą arcyelitarnego Team One uczynił go Lowa, mający już bardzo głębinowe *„chody"*. I to Lowa Abelman musiał w Moskwie łagodzić gniew Rosjan, gdy Clint *„wyeliminował"* nad Wisłą kilku ludzi GRU (1995)***. Ich wzajemne stosunki nigdy nie były szczególnie serdeczną przyjaźnią (jedyny serdeczny przyjaciel Farloona, Polak Krzysztofeczko, zginął w afrykańskim Matabele)*, lecz zawsze były intymną komitywą podczas spraw *„firmowych"*, które musieli omówić. Tak właśnie znowu omawiali (dwa tygodnie przed Bożym Narodzeniem) u Abelmana, co nie znaczy, że w domu mecenasa, tylko w jego *„lokalu operacyjnym"* vel *„kontaktowym"* przy skraju waszyngtońskiego Wheaton.

— Jak leci? — zapytał gospodarz.

— Jak panience podczas deszczu — odparł gość. — A wam jak leci?

— Jak panience podczas ciepłej nocy księżycowej, nie narzekamy. Dzięki runięciu cen ropy o 66 procencików, ruskie neomocarstwo pierdyknęło tuż za linią startową, zupełna klapa — imperialna Putiniada to dziś gruzy. Cegóż chcieć więcej, robota odwaliła się sama, siłami wolnego rynku. Tutaj, na naszym podwórku, również — siłą kryzysu bankowego.

— I siłą wolnego elektoratu...

— Owszem, ale nie płaczemy.

---

* Patrz W. Łysiak, **„Konkwista"**.

** Patrz W. Łysiak, **„Najlepszy"**.

*** Patrz W. Łysiak, **„Najgorszy"**.

— Chcieliście Mulata?

— To kukła. Nolens volens musi promować przeciwników politycznych, miast własnych przydupasów. Mój koleś Rahm został jego prawą ręką.

— Ładny duet! — zadrwił Farloon. — Boss nosi drugie imię Hussein i wyszedł ze szkoły koranicznej w Indonezji, a tamten ma na drugie Israel i jeszcze nie tak dawno był cudzoziemcem, oficerem w Izraelu. Pyszności!

— Czerwone i czarne, mój drogi, ruleta! — roześmiał się Lowa, dolewając sobie i gościowi koniaku. — Tylko że nasza ruleta jest sterowana, przypadki nie są mile widziane, bo nie lubimy wpadek.

— Na przykład afgańskich...

— Afganistan i Pakistan to nie moja działka, Clint, to zmartwienie kilku moich kolegów, ja im się nie wtrącam do roboty.

— Wolny rynek *„koksowniczy"* też jakoś nie chce im pomóc...

— Nie twój łeb, myśl o sobie, dlatego cię wezwałem, żeby tobie pomóc.

— Chcesz się znowu wtrącić do moich robót, Lowa? Nie ma do czego, jestem bezrobotny aktualnie.

— Nie musisz, Farloon, ciebie wszędzie wezmą. Możesz wrócić do Operacyjnego w CIA, możesz wejść do każdej innej agencji, załatwię to bez problemu.

— Tak jak oba moje awanse pułkownikowskie?

— Wiceprezydent decydował, ja tylko poparłem wnioski. Zasłużyliście, ty i cała *„Czwórka"*, wykonaliście dla naszych peruwiańskich interesów robotę bezbłędną. Możesz teraz odcinać kupony, każda agencja da ci etat, możesz przebierać wśród *„służb"*. Zezwolono mi proponować ci każdą opcję w ramach zdrowego rozsądku, Clint.

— W ramach zdrowego rozsądku to ja mogę teraz brać grube miliony, od pewnego bonzy meksykańskiego.

— Od kogo?... — nadstawił uszu Abelman.

— Od Ramona Ramíreza, rurociągi, platformy i te pe.

— Słyszałem. Tam go przezywają *„RR"*, więc dawniej żartowaliśmy, iż to meksykański Ronald Reagan. Chce cię wynająć jako goryla, szefa ochrony?

— Jako hrabiego Monte Christo.

— Czemu?

— Kidnaperzy amputowali ucho i palec jego wnuka.

— Rozumiem. Latynosi są mściwi niczym GRU i KGB. Weźmiesz ten kontrakt, pułkowniku?

Pierwszy raz Lowa użył wobec kumpla zwrotu nomenklaturowego, rangi wojskowej, co było sugestią, że nie wypada wysokiemu oficerowi służb jankeskich bawić się w terminatora na prywatne zlecenie cudzoziemca. Farloon pojął aluzję i odwinął:

— Robiłem już gorsze rzeczy, panie mecenasie, chociaż wątpię czy były gorsze niż te, które szefostwo robi dla *„racji stanu"*.

— Nie filozofuj, tylko mów! — wycedził gospodarz. — Pytam jeszcze raz: weźmiesz ten kontrakt meksykański?

— Nie wezmę. Lecz nie przez mundurowe skrupuły, tylko zwyczajnie nie mam ochoty wziąć.

— A twoi ludzie?

— Już nie są moi, to wolni ludzie.

— Prosiłem: nie pieprz, tylko mów!

— Palą się do tego.

— Do tych milionów?

— Tak.

Abelman zastanawiał się przez chwilę, po czym rzekł:

— Wiesz co, może to nie byłoby głupie... taka wycieczka turystyczna, kultura Majów i inne cuda Meksyku... Byłeś w Meksyku?

— Kilka razy.

— I chyba tęsknisz?

— Nie.

— Dziwak! Mimo to porozmawiaj z narkotykowymi, może wykombinujecie jakiś wspólny projekt, panie turysto. Umówię randkę między tobą a szefem operacyjnym DEA, okay?

„Randka" miała miejsce w kolejnym tygodniu. Zwalisty Murzyn o siwiejącym kędzierzawym łbie i ciemnych szkłach zasłaniających wzrok spytał Farloona:

— Czy wie pan dlaczego señor Ramírez zwrócił się do was, do *„Czwórki"*?

— Bo usłyszał od krewnego, że *„Czwórka"* to skuteczny zespół.

— Nie, pułkowniku, skutecznych zabójców tam nie brakuje. Tylko że gdyby *„RR"* próbował montować lub najmować odwetowy zespół lokalny, wówczas gang, który porwał mu wnuka, szybko by się o tym dowiedział i wszcząłby kontrakcję, wybuchnęłaby mała wojna domowa, jeszcze jedna, bo dużą, międzykartelową, już tam mają od ponad roku. W tej małej, antyramírezowskiej, trup z obu stron również padałby gęsto. Ramírez tego nie chce. To mądry człowiek — nie chce narażać rodziny. Chce mieć komando z zewnątrz, asiorów zupełnie nieznanych na obszarze Meksyku, działających sekretnie, bez żadnych lokalnych powiązań, tak by jego wrogowie dowiadywali się, że są zwierzyną, w momencie egzekucji — w chwili umierania.

— To ma sens — kiwnął głową Farloon.

— Dla Drug Enforcement Administration *„Czwórka"* ma taki sam walor. Bez ludzi znikąd, bez zupełnych anonimów, nie zrobimy tam już nic, nasze możliwości wyczerpały się kompletnie. Zechce pan posłuchać jaka tam jest sytuacja, pułkowniku?

— Nie spieszę się do biura ani do domu, proszę mówić.

— W Meksyku działają duże kartele narkotykowe, jak Pacífico, Los Zetas, Sinaloa czy Familia Michoacána, plus kilkanaście średnich i kilkadziesiąt mniejszych narkotykowych gangów. Ich roczny zarobek dzięki amerykańskiemu rynkowi zbytu sięga 40 miliardów dolarów, to superbiznes. Niektóre gangi współpracują z kartelami kolumbijskimi jako pasy transmisyjne, kokaina zalewa Stany via Meksyk. Szmugiel ma różne oblicza — różne trasy i sposoby. Gdy po latach walki odcięliśmy rozmaite kanały transportu, szmuglerzy wymyślili łodzie parapodwodne. Prymitywne, ale bardzo solidne, szkielet drewniany, długość 17 metrów, szerokość 5 metrów, ładowność 12 ton, a obudowa ze szklanego włókna. Gram kokainy to dziś średnio na amerykańskim rynku 120–130 dolców, niech pan sobie pomnoży przez 12 ton.

— Miliard dolarów z hakiem — rzekł Clint.

— Otóż to! A takich łodzi kursuje wiele, panie pułkowniku. Są napędzane nowoczesnym, 250-konnym silnikiem Diesla, rozwijają prędkość 14 węzłów, płyną pod wodą, tylko wierzch lekko wystaje, żeby kapitan mógł obserwować linię horyzontu, ale wystaje zbyt mało, dlatego radary nie łapią tych łodzi, a sonary mylą z delfinami bądź wielorybami. Port załadunku znajduje się w dziewiczej kolumbijskiej dżungli tropikalnej Parku Narodowego Sanquianga. Łodzie wyruszają stąd ku brzegom Ekwadoru, brzegom bezpiecznym, gdyż Ekwador i Stany nie mają układu antynarkotykowego. Później skręcają na zachód i przemierzają Pacyfik aż do wysp Galapagos. Tutaj skręcają na północny wschód i płyną do zatoki Tehuantepec w Meksyku. Nie dobijają do brzegu, towar jest odbierany przez superszybkie łodzie motorowe. Ich port to nasz wyśniony cel, marzenie DEA. Trudne w realizacji, bo dziewiczy brzeg zatoki Tehuantepec liczy ponad 200 mil, pułkowniku.

— I ja mam być tą tresowaną świnią, która wywącha wam trufle? — domyślił się Clint.

— Ojczyzna byłaby panu bardzo wdzięczna... — zapewnił Murzyn, wycierając sobie mokre czoło jedwabną chustką. — Nasza agencja straciła ostatnio w Meksyku parunastu ludzi, przez co nasze możliwości manewrowe zostały tam uszczuplone drastycznie, jesteśmy bezradni, zupełny klops. Korupcyjność służb specjalnych i policji meksykańskiej uniemożliwia odbudowę siatki, bo meksykańscy mundurowi współpracują z mafią, ręka rękę myje.

— A wojsko?

— Tak samo.

— Nie chce mi się wierzyć... — mruknął Farloon.

— W co pan nie wierzy? — spytał tamten.

— Że nie można odbudować siatki. Zawsze można. Trzeba wysłać nowych ludzi, pod perfekcyjnym przykryciem...

— Nie dostaliśmy zgody, pułkowniku! Szesnastu agentów odstrzelonych w ciągu dwóch lat i Wuj Sam powiedział: stop! Przyczyna urzędowa: wysyłanie tam kolejnych pracowników DEA jest skazywaniem ich na pewną śmierć. Zablokowano fundusze dla tajnej działalności DEA w Meksyku.

— Czy to koniec waszego biura w Mexico City?

— Ta placówka jest oficjalna, musi zostać, chodzi o formalny teatr antynarkotykowego współdziałania dwóch rządów, lecz jej pracownicy to biuraliści i archiwiści, urzędasy, nie operują w terenie. Przystawiają pieczątki i biją pianę propagandową. Kupa gówna! Tylko ktoś z zewnątrz, ktoś zupełnie nieznany w Meksyku, działający na wariackich papierach, mógłby spróbować gry skutecznej. Przyjmując propozycję Ramíreza, połączyłby pan obie misje, prywatną i służbową...

Zapadła cisza tego rodzaju, jaką lubią sadyści dręczący aresztantów i wróżbici naciągający klientów — wibrująca czyjąś słabością i czyjąś skłonnością lub niechęcią do wielkoduszności. Po chwili Farloon przedłożył konkluzję:

— Ucięto wam fundusze operacji tajnych i ucięto jaja oficjalnej placówce w Meksyku, więc rozumiem, że nie dacie mi ani gotówki, ani sprzętu, ani transportu, ani lokali czy kontaktów tam, słowem: zero!

— Nie dostanie pan z innego powodu, przez elementarną ostrożność, bo wystarczy, że wewnątrz DEA jest *„kret”* jakiegoś gangu, a każde wsparcie urzędowe, każde księgowanie sum i fantów, zdekonspiruje was tam nim miną 24 godziny. Lowa Abelman sugerował...

— Mnie też sugerował, ale nie powiedział, że niczego od was nie dostanę! — syknął Clint. — Nawet kontaktów! I pan to nazywa *„misją służbową”*?!

— Jeden kontakt, właściwie prywatny, zachowałem... — wybąkał Murzyn, spuszczając wzrok ku czubkom obuwia.

— Jeden prywatny?! Miał pan rację, dyrektorze, kupa gówna meksykańskiego!

— Myśleliśmy, że przy okazji załapiemy się na miliony Ramíreza, pułkowniku...

Z ich ławki parkowej widać było, po drugiej stronie klombu, staruszka, który rzucał ziarno gołębiom. Clint nie bez zdumienia dostrzegł, iż gołębie są cztery.

* * *

Zimą Detroit jest bardzo szare, brudne i zupełnie nieatrakcyjne, chyba że pada suchy śnieg, wtedy jest białe. Clint Farloon nie słuchał prognoz pogody w przeddzień wylotu z Waszyngtonu, więc ubrał się zbyt ciepło, trafił bowiem na odwilżowe Detroit. Wszędzie było pełno błota — brązowa breja paćkała wszystkie ulice zdewastowanego, gruzowiskowego centrum, zamieszkanego przez Murzynów, jak i uliczki obrzeżnych *„kwartałów białasa"*, które od *„downtownowego"* śmietniska *„Afroamerykanów"* dzieliła legendarna *„8 mila Detroit"*. Świat rozbłysnął dopiero w nędznym barze dla niższej kadry przemysłu samochodowego, dzięki złotym sygnetom, spinkom, bransoletom, długopisowi i zegarkowi Ramíreza. Nie wchodzili od frontu, lecz od tyłu, i nie do sali głównej, lecz do komnatki, gdzie za sprawą Lowy Abelmana panowała intymność. Ramírez przyjechał z Meksyku nie kryjąc się, jako figura kongresu urządzonego przez Stanową Izbę Żelaza, ale na zapleczu baru proletariuszy zjawił się otulony płaszczem zimowym. Dopiero kiedy tę płachtę zdjął, jego biżuteryjne walory eksplodowały dumą właściwą kruszcom szlachetnym i garniturom brylantów. Uścisnął dłoń Farloona:

— Witam, panie pułkowniku, i bardzo dziękuję, że zechciał pan przybyć.

— Lubię podróżować, señor Ramírez, a w Detroit nie byłem już dawno.

— Podróże do Meksyku przynoszą więcej atrakcji i pieniędzy, señor Farloon...

— Czyżby Meksyk został ominięty przez macki kryzysu finansowego, panie Ramírez?

— Nikt tego nie uniknie, recesja pożre jeszcze dużo ofiar, pułkowniku, ale nasze banki były mniej głupie niż wasze, nie pożyczały menelom.

— Jest pan wśród tych, którzy stracili na bessie, czy wśród tych, którzy zarobili?

— Wśród tych pierwszych, pułkowniku. Cena ropy ogromnie spadła, przemysł naftowy się teraz zwija, mniej rur, mniej platform, mniej tankowców, mniej Ramíreza, wszystkiego mniej. Tylko wobec jednej inwestycji mogę wykazać rozrzutność — wobec *„Czwórki"*, pułkowniku.

— Nikt panu nie powiedział, że to cyfra pechowa, señor?

— Według kogo pechowa?

— Według Chińczyków, panie Ramírez.

— Eee tam! Ja liczę właśnie na Chińczyków! Chińska gospodarka stanowi teraz jedyną nadzieję przemysłu metalurgicznego, a już głównie przemysłu żelaza, bez dalszego rozwoju chińskich inwestycji może być bardzo źle. Mam z nimi trzy duże umowy...

— Czwartej nie będzie, señor — wszedł mu w słowo Farloon.

— Skąd pan to wie, pułkowniku?

— Kolejna będzie miała numer 5. W kulturze chińskiej numer 4, cyfra 4, jest symbolem klęski, zguby, zgonu, więc chińskie mieszkania i domy nie mają numeru 4, hotele nie mają pokojów z numerem 4, pociągi i samoloty nie mają siedzeń z numerem 4, i tak dalej. Chińczycy boją się tej cyfry, eliminują 4 bez pardonu.

Ramírez skrzywił wargi uśmiechem psa pragnącego przegryźć komuś gardło:

— Bez pardonu, mówi pan? Bez pardonu... To moja dewiza, pułkowniku, jak w tym waszym filmie **„Unforgiven"**. Chcę, by *„4"* była zgubą — zgubą ludzi, którzy męczyli Pablita! Bez litości. Venganza me gusta mucho, comandante Farloon*.

— Comprendido, señor Ramírez**.

---

* ... Zemsta ma być moją rozkoszą, dowódco Farloon.

** — Rozumiem, panie Ramírez.

— Być może pan rozumie, a być może nie, to bez znaczenia, Farloon. Bóg rzekł: „ — *Zemsta jest moja".* Lecz kiedy to mówił, ja byłem nieobecny, musiałem wyjść za potrzebą, więc nie usłyszałem. Zemsta będzie moja, a dopiero później Boża, pułkowniku!

— Będzie lub nie będzie, nikt nie zagwarantuje panu sukcesu operacji, wszystko jedno kogo pan najmie jako matadora*. Czy raczej matachína**.

Teraz Meksykanin wyszczerzył zęby nie w drapieżny sposób, ale uśmiechem człowieka rozbawionego:

— Zna pan mój język dostatecznie, lecz czy doskonale? *„Matachín"* to po naszemu nie tylko rzeźnik, oprawca, jest i znaczenie przenośne, mniej pejoratywne, zna je pan?

— Nie bardzo.

— *„Matachín"* to zabijaka, zawadiaka, słowem: niesforny zuch. Tak mówią o panu.

Ramírez przemilczał trzecie znaczenie wyrazu *„matachín"* (pajac, błazen), jednak spoglądając w chłodne, bezemocyjne źrenice oficera nie był pewny czy Farloon jest tego nieświadom. Zainicjował więc merytoryczną część dialogu:

— Weźmie pan ten kontrakt?

— Jeśli się dogadamy.

— Ile?

— Dziesięć milionów na przygotowania. Dolarów, nie pesos. Co zostanie z tych dziesięciu milionów, pójdzie na realizację, a kiedy wydam całą tę sumę, zażądam kolejnej transzy. To może być dużo lub mało, wszystko zależy od szczęścia, od kaprysów losu. Proszę być pewnym, że nie będę kradł, nie sprzeniewierzę ani centa, mam opinię nie tylko rewolwerowca, lecz i człowieka sumiennego.

— Wiem, panie Farloon — przytaknął Ramírez.

---

* ... zabójcę.
** ... oprawcę.

— Płacił pan będzie osobowe honoraria.

— To znaczy?

— To znaczy, że za każdego, kogo zdemaskujemy jako sprawcę lub współsprawcę traumy pańskiego wnuka, płaci pan pół miliona dolarów.

— Za każdego odszukanego i zabitego! — poprawił Ramon Ramírez. — Chcę głów!

— Tak, chce pan głów, *„Czwórka"* wie o co panu chodzi. Jako najęci przez pana łowcy głów będziemy eliminowali winowajców, señor. I nie będziemy ich mnożyć dla zysku, zginą tylko autentyczni sprawcy i współsprawcy.

— To już ustaliliśmy, pułkowniku, wierzę w pańską uczciwość, nie musimy ciągle do tego wracać.

— Więc wróćmy do zapłaty. Każdy członek zespołu, który zginie wykonując robotę dla pana, otrzyma dwa miliony płatne bezzwłocznie.

— Mam je kłaść na trumnie, pułkowniku?

— Na koncie rodziny, które ktoś panu wskaże, señor.

— Ktoś z was?

— Nie, mecenas Abelman, lub jego pełnomocnik.

— Abelmana też będę opłacał?

— Nie.

— Jego rola...

— Jego rola nie jest pańską sprawą, señor. Mówimy wyłącznie o *„Czwórce"*, płatny jest tylko mój zespół.

— Czy pański zespół będzie chciał otrzymać w Meksyku jakąś pomoc z mojej strony, myślę o ludziach, lokalach, samochodach, sprzęcie...

— Nic!

— To dobrze, bo...

— Bo pół słowa do kogoś z pańskiego otoczenia równałoby się pańskiemu rychłemu zgonowi, señor Ramírez.

— Wiem, pułkowniku.

— Istnieje tylko jeden problem, pański bratanek Julio.

— Julio polecił mi *„Czwórkę"*, to wasz wojskowy kolega...

— Ale nie członek *„Czwórki"* i, co jest decydujące, to członek pańskiej familii, señor. Wiem, że bardzo chciałby z nami współdziałać, ale musi być całkowicie odsunięty. To problem bezpieczeństwa, señor... Zostanie wysłany z misją do Europy, do którejś placówki dyplomatycznej, a panu nie wolno nawet informować go, że zawarliśmy kontrakt. Niech pan lepiej skłamie, że się panu nie podobamy, więc szuka pan innych realizatorów.

— Bueno, coronel*.

— Nie może pan nikomu mówić, że chce pan zemsty, nawet z bliską rodziną nie wolno panu o tym gadać.

— Bueno.

— To kwestia przeżycia. Milczenie, kompletne milczenie, señor Ramírez!

— Tak, aż wybijecie wszystkich, aż rozwalicie ostatniego z kidnaperów. Później zacznę mówić, zacznę się chwalić.

— Po co to panu, señor?

— To też kwestia przeżycia.

— Nie rozumiem... — zdumiał się Clint.

— Chodzi o miejsce i o zmianę warty w stadzie, pułkowniku. Świat zwierzęcy celebruje to ciągle, taki jest u zwierząt biologiczny rytuał, ale ludzie mogą się przed tym bronić.

— Przed czym?

— Przed degradacją hierarchiczną, eliminacją z drabiny, wykopaniem z tronu lub piedestału. Liderzy hordy zwierzęcej, gdy się starzeją, muszą ustąpić młodemu rywalowi, który ma większą siłę. Ten młody lew, bawół lub szympans wygania starucha. Gdybym nic nie zrobił dla pomszczenia Pablita, w moim stadzie uznano by, że można mnie nękać bezkarnie, że nie mam już jaj, nie mam woli, nie mam siły. Muszę pokazać, że kto ze mną zaczyna, ten ginie, inaczej młode samce wykopią mnie z interesów. Dlatego, kiedy tylko ukończy pan operację, świat się o tym dowie, puł-

* — Dobrze, pułkowniku.

kowniku, mój biznesowy świat. Summa summarum: to jest reagowanie na bodźce zewnętrzne, moja synowa, Clara, mówi, że to się zwie: behawioryzm.

„W razie przegranej, a ta jest zawsze możliwa, tutaj wręcz prawdopodobna, to się zwie: kretynizm" — pomyślał Farloon. Nie odmienił wszakże wyrazu twarzy i powiedział chłodno:

— Gdy tylko dostaniemy pieniądze, rozpoczynam przygotowania. Operację chciałbym zacząć wiosną lub wczesnym latem, nie później niż blisko połowy lipca, wiem, że się panu spieszy.

— Dlaczego tak późno?! — jęknął Ramírez.

— Im później, tym lepiej, najmądrzej byłoby chyba uderzyć nie w przyszłym, lecz w kolejnym roku, jednak pan chciałby wczoraj, a nawet przedwczoraj. Proszę zrozumieć, że jeśli miesiąc za miesiącem nic się nie będzie działo, porywacze stracą czujność, uwierzą, iż nie szuka pan odwetu.

Przerwało im pukanie do wewnętrznych drzwi. Szef baru przyniósł steki z jarzynami i piwo. Jedząc, Meksykanin spytał:

— O czym się u was rozmawia podczas lunchu? Pewnie o babach, co?

— Nie lubię rozmawiać o seksie — burknął Clint, gryząc twardy kawałek mięsa.

— Lub o sporcie... — drążył dalej Meksykanin.

— Ze sportu lubię tylko seks.

— Zostaje wyłącznie polityka — zakonkludował gość. — Przeniewierstwo waszego nowego wodza wkurza Meksyk. Meksykańscy imigranci głosowali na Obamę, a on, kiedy wygrał, mianował sekretarzem bezpieczeństwa wewnętrznego Janet Napolitano, która nienawidzi Latynosów. Gdy sprawowała urząd gubernatora Arizony, rzuciła Gwardię Narodową do uszczelnienia granicy z Meksykiem. Suka!

— Słyszałem, że Obama lubi Meksyk, bo kocha kuchnię meksykańską! — zakpił Farloon. — Chilli i sopa azteca to jego ulubione potrawy, a pewna meksykańska restauracja w Chicago to jego ulubiona knajpa.

— Szkoda, że jego ulubiona stajnia polityczna tak bardzo cuchnie żandarmskim antylatynizmem, pułkowniku! — odparł Meksykanin. — Ksenofobiczni twardziele pokroju tego arizońskiego babsztyla...

Clinta korciło, by warknąć, że ma to w dupie, i całą politykę również, nie wyłączając latynoskich imigrantów, rozumiał jednak, że zepsułby tym wzajemne stosunki i dałby kolejny dowód bezbrzeżnego chamstwa Jankesów, tak drażniącego subtelnych Latynosów, mruknął więc wymijająco:

— Prezydent–elekt lubi otaczać się twardzielami, to ma być czytelny sygnał dla całego społeczeństwa, że *„w mieście nastał nowy szeryf"*, stąd te wszystkie twardzielskie nominacje. Nie bez przyczyny pani Clinton ma ksywę *„Lady Dragon"*, a szef personelu Białego Domu, Rahm Emanuel, zwany jest *„Rahmbo"*. Obama ich wybrał, gdyż...

— Obama?! — zgrzytnął Meksykanin. — Nawet małe dzieci wiedzą, że ten pieprzony Mulat nie miał żadnego wyboru! Robi co musi robić, jest marionetką zaplecza kadrowego *„gangu Clintonów"*, bo własnego zaplecza politycznego nie dorobił się nigdy, otaczali go tylko estradowcy kreujący świetny show kampanii wyborczej! I taki golas, taki neptek, taki żółtodziób będzie teraz władał formalnie Ameryką kiedy Ziemię pustoszy globalna zawierucha ekonomiczna! Jeden z mądrych komentatorów napisał niedawno, że tańcząc jak gra kapela Clintonów i Republikanów, Obama jest *„biednym chłopczykiem z patykiem pośrodku wielkiej bitwy czołgowej"*. Święte słowa! A pan mi mówi, że mieszaniec dokonał wyboru! On może sobie wybierać kolor papieru toaletowego! Rządzić będą, jak zawsze, Żydzi i ivyligowcy ze Wschodniego Wybrzeża, pan dobrze wie o tym.

— Niech pan to wszystko powie mecenasowi Abelmanowi, señor Ramírez. On się zna na tym, ja jestem laik, mało interesuję się polityką. Znam się na innym rodzaju bandytyzmu, czysto fizycznym — na eliminowaniu ludzi, którzy mają pecha. Tylko na tym, señor.

— Lecz przez wiele lat robił pan to w imię polityki, pułkowniku... — uśmiechnął się złośliwie Ramírez. — Był pan terminatorem realizującym plany polityczne zgodnie z decyzjami polityków, mam słuszność?

— Płacący zawsze ma całkowitą słuszność, señor, *„klient nasz pan”* — wzruszył barkami Amerykanin. — Ludzie mojego rodzaju przepisowo eliminują skurwysynów na rozkaz sukinsynów, lub odwrotnie.

Tym razem Meksykanina porwał nie śmiech, lecz rechot:

— Cha, cha, cha, cha, cha, cha, cha, cha, cha! Felicidades, coronel!* Ale ja się nie obrażam, lubię celne żarty.

— Tylko Gringolandu pan nie lubi.

— Tak pan sądzi?

— Tak przypuszczam.

— Bardzo dobrze pan przypuszcza, ale nie nazwę pana jasnowidzem, pułkowniku, bo wszyscy wiedzą, iż każdy Meksykanin nie lubi gringos.

— To norma psychobiologiczna, obiboki i biedacy definicyjnie nie lubią pracowitych i majętnych, wszyscy o tym wiedzą — wycedził Clint.

— Znowu się nie obrażę, pułkowniku. Obraziliśmy się za coś innego — za to, że półtora wieku temu Stany zbrojnie ukradły Meksykowi połowę terytorium. Więcej niż połowę: Kalifornię, Arizonę, Nowy Meksyk i Teksas. Nasze dzieci uczą się o tym.

— Nasze wkuwają Alamo.

— Tak, wy ciągle odgrzewacie uczniom kotlet Alamo, bo Santa Anna rozwalił tam bandę buntowników. Jaka tu jest proporcja?

— A jaka będzie proporcja gringos i Latynosów, gdy już całkiem skolonizujecie Stany metodą potopu imigracyjnego, señor? — zapytał pułkownik.

— Potopu imigracyjnego?! — żachnął się Ramírez. — Bzdury pan gada!

---

* ... Gratulacje, pułkowniku!

Wstał, otarł usta papierową serwetką, i wyciągnął pożegnalną dłoń, mówiąc:

— Pieniądze zostaną przekazane za dwa dni. Do widzenia, mister Farloon.

— Do widzenia, señor Ramírez.

— Tanto gusto en haberle conocido*.

— A mi también**.

* * *

Tego samego dnia gdy w Detroit gawędzili señor Ramírez i mister Farloon — w dzielnicy Santa Cruz stołecznego Miasta Meksyk (Ciudad de México) umarł Julio *„Chico"* Ramírez. Od kuli rewolwerowej, którą wystrzelił Juan Miranda, agent DGI, wywiadu kubańskiego.

Julio popełnił duży błąd. Kiedy jego nowa dziewczyna, leżąc z nim w łóżku, szepnęła czule o penisie: *„chico"****** — roześmiał się i rzekł:

— Taką miałem ksywkę wśród chłopaków.

— W pueblu, w szkole? — zapytała *„muchacha"*****.

— Nie, w *„firmie"*.

— W jakiej firmie?

— W amerykańskiej instytucji, w której niedawno pracowałem, jeszcze miesiąc temu.

— Co, wyrzucili cię?

— Nie, *„firmę"* rozwiązano.

Dziewczyna, będąca sekretarką w firmie spedycyjnej, wyraziła zaciekawienie:

— Jak to rozwiązano? Tak po prostu?

— No.

— Zbankrutowali?

---

* — Bardzo miło było poznać pana.
** — Mnie pana również.
*** mały.
**** dziewczyna.

— Niezupełnie, moja droga... To była... pewna agenda służb specjalnych, którą musiano rozwiązać.

— Więc byłeś komandosem! A może szpiegiem, Jamesem Bondem, powiedz, Julio!

— Nie warto o tym rozmawiać...

— Kumam, tajemnica, top secret, tajne przez poufne, ale ja lubię komandosów, i w ogóle twardych chłopców!

— No to weź sobie *„bramkarza"* z dyskoteki.

— Oni wcale nie są dobrzy, to napakowane eunuchy, sterydy ich wykańczają.

— Mnie wykańcza seks — westchnął Julio, robiąc minę męczennika.

— Właśnie widzę, twardzielu!

— Nie bój nic, pięć minut i znowu będę twardy, mała, tylko wypalę, daj się jeszcze parę razy zaciągnąć.

— Szukasz teraz nowej pracy tutaj?

— Chwilowo nie szukam, bo muszę jeszcze coś zrobić, wykonać tutaj pewną robótkę z dawnymi kumplami, to nam zajmie trochę czasu.

— Z tymi kumplami, którzy przezwali cię *„Chico"*?

— Przezwał mnie tak John, bo jest chyba o głowę wyższy ode mnie, bardzo wysoki, nigdy nie widziałem drugiego równie wysokiego Polaka. A inni to kupili...

— Więc w tej firmie pracowali też Polacy?

— A jak, większość to byli Polacy — zakpił Ramírez. — Gaszę szluga i koniec ględzenia, do boju!

Przyjaciółką dziewczyny była inna *„muchacha"*, Kubanka, sekretarka w tej samej firmie spedycyjnej, i tak Juan Miranda usłyszał o *„Chico"*. Rosjanie ze stołecznej ambasady szybko się domyślili, iż *„Chico"* służył w Team One, czyli w *„firmie"*, o której, mimo dużych wysiłków, wiedzieli bardzo mało*, sądzili zatem, iż jest okazja, żeby łyknąć trochę TO–sekretów. Alternatywa była

* Patrz W. Łysiak, **„Najgorszy"**.

wąska: kupno lub porwanie. Młodemu Ramírezowi chciano dać sowite *„dinero”**, a gdy grubiańsko burknął, żeby mu dano spokój, chciano go obezwładnić paralizatorem, wrzucić do furgonetki i później użyć tortur, lecz stał się techniczny cud, który czasami się zdarza. Nie zadziałał elektryczny paralizator, podobnie jak zacinają się pistolety. Wywiązała się szamotanina, Julio dobył *„spluwy”*, zdążył nacisnąć spust trzykrotnie (dwa trupy, rosyjski tudzież kubański) i sam zainkasował kulę, która dała bezzwłoczne objawy *„zejścia śmiertelnego”*. Co bardzo zmartwiło generała Igora Tiomkina, kierownika *„rezydentury”* (sekcji wywiadu) w rosyjskiej ambasadzie, czyli placówce stanowiącej przestrzeń eksterytorialną na terytorium stolicy Meksyku.

Pułkownik Tiomkin był kilka lat rosyjskim *„rezydentem”* (szefem) w Kanadzie, skąd go przeniesiono, już jako generała, do Dubaju (listopad 2007), lecz w Dubaju nie ma terenów łowieckich, a Tiomkin pasjami uprawiał myślistwo. Mając dobre *„plecy”* moskiewskie, bez trudności załatwił sobie kolejną zmianę adresu — Meksyk (kwiecień 2008). Z raczej osobliwym zadaniem towarzyszącym zadaniom rytualnym, czyli szpiegostwu: kazano mu wspierać Kubańczyków, którzy kierowali meksykańską emigracyjną, rzekomo studencką, organizacją separatystyczną Aztlán (MEChA — Movimento Estudiantil Chicano de Aztlán). Dyrektywę ogłosił sam Fidel Castro, mówiąc (1997), że USA winny *„zwrócić Meksykowi rozległe ziemie, bezprawnie anektowane nie tak dawno temu”*. Więc MEChA chciała, żeby USA oddały Kalifornię, Nowy Meksyk tudzież pół Arizony. Meksykanie i Chicanos** zaczęli wierzyć, iż jest to możliwe, kiedy Stany, Meksyk i Kanada powołały (marzec 2005) sojusz Partnerstwo dla Rozwoju i Bezpieczeństwa Ameryki Północnej (SPP), co ówczesny prezydent Meksyku, Vincente Fox, zinterpretował jako pierwszy krok ku wymazaniu granic, a komentatorzy jako pierwszy krok ku północnoamerykańs-

---

* pieniądze.

** Meksykańscy imigranci w USA.

kiej wspólnocie politycznej na wzór Unii Europejskiej. Tiomkin w duchu śmiał się z tego. Uważał, iż propagandowa SPP plus praktyczna NAFTA (umowa o wolnym handlu między trzema partnerami) to kres politycznych bonusów, które Meksyk może wydębić od administracji waszyngtońskiej, zaś wszelkie rojenia separatystyczne (wyrywanie Stanom stanów) to czysty idiotyzm. Ale kazano mu wspierać MEChA, więc wspierał, rozumiejąc, iż takie *„wyrzucanie pieniędzy"* ma przynajmniej ten plus, że krzepi grupę latynoskich sabotażystów–dywersantów wewnątrz Stanów Zjednoczonych Ameryki Północnej.

Opłacanie moskiewskich agentów na terenie wroga było specjalnością Tiomkina; jego głównym sukcesem była tu Polska, numer 1 wśród europejskich wrogów Moskwy. Chodziło o usytuowanie na polskiej scenie politycznej partii złożonej z samych patriotów–konserwatystów, której sztandarem byłby czysty patriotyzm–konserwatyzm, i która pracowałaby dla Kremla. Start miał nastąpić w 2008 roku, a wiodącą figurą–kukiełką FSB kontynuującej tradycje KGB miał być „wychowanek" Tiomkina, Jan Serenicki (John Seren)* — ów proces wychowawczy stanowił osiągnięcie godne medalu (generał Tiomkin istotnie dostał za ten perfekcyjny „wychów" medal). Cel dalekosiężny stanowiło uczynienie Polski *„gubernią Gazpromu"*. Każdy z tych celów (usytuowanie nowej partii na scenie politycznej i opanowanie energetyczne czyli finansowo–przemysłowe *„kraju priwiślińskiego"*) wymagał funduszy astronomicznych. Za prezydentury Władimira Putina (2000–2008) Rosja — zrządzeniem losu i *„wolnego rynku"* — miała takie himalaje gotówki, gdyż boom naftowo–gazowy (sześciokrotny wzrost cen ropy i gazu) dał jej megamajątek (600 mld $ rezerwy finansowej latem roku 2008!). Wszystko więc mogło się udać. Ale się nie udało.

Nie udało się, bo los bywa kapryśny (fortuna to *„bladź"*, mówiąc po rosyjsku): jesienią 2008 cena ropy niespodziewanie runęła (ze 150 do 35 $ za baryłkę) i Kreml obudził się z ręką w noc-

---

* Patrz W. Łysiak, **„Lider"**.

niku. Plany warszawskie (nowelizacja sceny politycznej), plany moskiewskie (państwowotwórczy prymat Gazpromu) i plany globalne (neomocarstwowość Rosji) dostały *„galopujących suchot"* (jak mówili lekarze wieku XIX); sam *„neocar"*, Władimir Władimirowicz, westchnął publicznie: *„ — Ambicje topnieją wraz z pieniędzmi"*. Pierwsza odczuła tę biedę armia. Miała być hordą imperialną, sama jej liczba miała przerażać świat. Tymczasem kryzys zmusił ministra obrony FR, Anatolija Sierdiukowa, do drastycznej *„kompresji"* szeregów (jednostki tyłowe uległy prawie całkowitej redukcji) i do błyskawicznego cięcia kadry oficerskiej — tysiące wyższych oficerów (generałów, pułkowników, podpułkowników i majorów) bezlitośnie zwolniono. Korpus oficerski wpadł w furię, ale co miał robić — podnieść bunt? Ruszyła też gwałtowna likwidacja baz militarnych i uczelni wojskowych, a zamówienia na nowy sprzęt cofnięto. Góry używanego sprzętu przysypały składnice złomu. *„Redukcja"* zyskała status logo. Także w dalekim Meksyku: Tiomkin musiał bronić personelu ambasady przed oszczędnościową czystką (czterech ludzi nie uchronił), i wiedział, że jeśli w 2009 kryzys się pogłębi — z obsadą może być jeszcze gorzej.

30 grudnia 2008 *„rezydent"* i ambasador dokonali roszady: wywalili zastępcę attaché kulturalnego, a z Warszawy ściągnęli na jego miejsce Johna Serena, który się marnował wśród Lachów. Informacja etniczna od dziewczyny Ramíreza juniora (że większość komadosów Team One stanowili Polacy) była bulwersująca, a informacja strategiczna (że chcą wykonać w Meksyku jakąś *„robótkę"*) była mobilizująca — Tiomkin uznał, że Polak świetnie znający język Meksykanów przyda mu się tutaj bardzo.

Lądowanie samolotu miało miejsce blisko północy. Niespełna godzinę później szyfrant generała Tiomkina zawiózł Jana S. do ambasady, właśnie wówczas, gdy elitarne grono wywiadowcze (ambasador, generał Tiomkin, pułkownik Fedoruk, dwóch Kubańczyków i bezpaństwowy Metys) rozpijało kolejną flaszkę z wodą ognistą, były bowiem urodziny ambasadora i damy zostały już odesłane *„w cziortu"*.

— Przedstawiam panom naszego nowego kolegę, asa sekcji środkowoeuropejskiej FSB, świetnego poliglotę, czyli gościa uprawiającego multijęzykowość — zaprezentował Serenickiego *„rezydent”*.

Podawali przybyszowi ręce drygiem wojskowym, a ostatni, Fedoruk, spytał:

— Przyjeżdża pan tu jako wciąż głodny językożerca, wyuczyć się dodatkowo hiszpańskiego?

— Nie, meksykańskiego, hiszpański już znam, pułkowniku.

Pułkownik wydął dolną wargę:

— Meksykańskiego? To ciekawostka. Nie wiedziałem, że istnieje taki język...

— Wiedziałby pan, gdyby pan czytał pracę angielskiego psychologa Michaela Argyle'a o języku gestów. W Europie rekordowo gestykulują podczas gadania Włosi, 80 ruchów dłońmi i palcami na minutę, ale rekordzistami światowymi są Meksykanie, 180 na minutę! Przyjechałem, bo chcę to zobaczyć. Jako poliglota.

— Mądrala! — sapnął ambasador.

— Mówiłem! — uśmiechnął się Tiomkin. — Poliglota i szekspirolog, swego czasu lubił używać kryptonimu *„Szekspir”*, proszę panów.

— A obecny kryptonim? — spytał Miranda.

— Obecny kryptonim jest tajemnicą wesołych kumoszek z Windsoru! — palnął Tiomkin. — Szekspirowskich kumoszek, gdyby ktoś nie wiedział... Rozgość się, Poliak, i dajcie mu karniaka, bo jest trzeźwy jak świnia nad ranem. Wolisz tequilę, tutejsze gówno, czy Walkera, tamtejsze gówno.

— Wolę Żubrówkę — odparł Serenicki. — A jak nie ma, to może być Jack Daniels.

— Jack Daniels jest tylko dla najlepszych! — krzyknął drugi Kubańczyk, kapitan Gorito. — Musisz się wpierw znaleźć wśród najlepszych!

— On jest wśród najlepszych — rzekł serio *„rezydent”*.

— Najlepszym polskim agentem za sowieckiej Matuszki Rossiji był ten pułkownik... no ten, pamiętacie, ten łobuz Kolonsky... Kilensky... Kulinsky... — zmagał się z nieoptymalnością swej erudycji Gorito.

— Kukliński, parszywy zdrajca! — poprawił Kubańczyka Fedoruk.

— A kto był najlepszym ruskim wywiadowcą, waszym zdaniem, Igorze Pietrowiczu? — zainteresował się ambasador. — Lecz nie cudzoziemcem, jak Ames czy Philby, tylko naszym rodakiem, jak Sorge czy Sokołow. No, który?

Nim Tiomkin pomyślał, Jan S. mruknął, odstawiając kieliszek:

— Stirlitz, panie ambasadorze... Lub Stierlitz. Jedni piszą tak, drudzy tak.

Wszyscy wybuchnęli śmiechem.

— Mówiłem ci, że to niezły dowcipniś — szepnął Tiomkin do ambasadora. — Jajcarz. Robienie sobie *„jaj"* to jego druga specjalność.

— A pierwsza? — spytał Fedoruk.

— Szekspirologia, facet marzy o tym, by jego czaszka zagrała w **„Hamlecie"**.

— To się da zrobić... — wykrzywił złośliwe usta Fedoruk.

— Nie tak łatwo, mógłbyś się zdziwić, Fedoruk! — ostrzegł podwładnego Tiomkin. — Jajcarze mają syndrom Stirlitza.

— Czyli?

— Trudno ich skasować, pacanie.

— Tak, Stirlitz wiecznie żywy! — przytaknął Gorito. — U nas wyświetlają ten serial co pół roku.

— U nas kto chce, wyświetla sobie sam, bo ciągle tłoczą płyty DVD ze Stirlitzem — rzekł Serenicki, biorąc zakąskę kawiorową *„bieługa"*. — Ale oglądają to tylko dorośli, głównie starsze pokolenie, młodzież woli co innego.

— Młodzież woli buszować po atrakcjach internetu — przytaknął Metys.

— To prawda — rzekł Polak. — I później małe dziewczynki się modlą: „ — *Kochana Boziu, ześlij ubranka tym wszystkim biednym paniom w taty komputerze"*.

Rechotali chóralnie i Gorito zapytał generała:

— On sam wymyśla te dowcipy?

— Nie sądzę. W Polsce jest piekielnie dużo rozmaitych dowcipów, zwłaszcza o gołych babach u lekarza, o śmiesznych lub wrednych Żydkach, o głupich blondynkach i o jeszcze głupszych milicjantach.

— O milicjantach to było bardzo dawno temu! — machnął ręką Serenicki. — Dzisiaj jest policja, wszystko się zmieniło. Wszystko prócz nostalgii za hitlerowskimi mundurami noszonymi przez Polaka i Rosjanina, czyli przez porucznika Hansa Klossa i Standartenführera Stirlitza.

— I pewnie ciągle mnożą się dowcipy o Stirlitzu — zgadł ambasador.

— A u was się nie mnożą? — skwitował Polak, szukając czystej serwetki.

— U nas też! — włączył się Miranda. — Raul jest w tym dobry, jest mistrzem. Raul, opowiedz towarzyszom jakiś nowy kawał o Stirlitzu!

— Zróbmy mały konkurs, panowie! — zaproponował ambasador. — Najnowszy rosyjski dowcip o Stirlitzu, najnowszy polski i najnowszy kubański. Kto pierwszy?

Pierwszy wystąpił kapitan Raul Gorito:

— Gestapowcy obstawili wszystkie wyjścia, ale Stirlitz ich przechytrzył. Uciekł wejściem.

Gromki śmiech i brawa skwitowały kubański żart. Żart rosyjski opowiedział Tiomkin:

— Stirlitz budzi się w celi więziennej i nie pamięta jak trafił do tego karceru. „Jeśli wejdzie gestapowiec, powiem, że jestem Standartenführer Stirlitz, a jeśli enkawudzista, że pułkownik Isajew" — myśli. Wchodzi radziecki milicjant, mówiąc: „ — *Aleście się wczoraj uchlali, towarzyszu Tichonow!*".

Śmiech był eksplozyjny, brawa długie. Reprezentant Polski odczekał aż ucichną, i zaczął deklamować:

— Stirlitz...

Przerwał mu Fedoruk:

— To będzie coś o panu Szekspirze, głośnym autorze dramatu **„Stirlitz”**?

— Ten wzruszający komediodramat napisał pan Rosjanin, niejaki Lermontow, którego wielbicielem jest pan generał — odbił piłeczkę Serenicki. — Prawda, generale?

— Prawda, lubię Lermontowa jak ty Szekspira — kiwnął głową Tiomkin. — Dawaj już ten polski żart o Stirlitzu.

— Proszę bardzo. Stirlitz idzie do okna, by wysmarkać nos w zasłonę. Nie był to żaden znak umowny, tylko Stirlitz chciał się jeszcze raz poczuć pułkownikiem Isajewem.

Zachichotał wyłącznie Metys, ale śmiech sczezł mu na wardze, bo reszta milczała ponuro. Przerwał milczenie ambasador, wbijając widelec w blat stolika:

— Zawsze, kurwa, lubiłem Polaków tak, jak oni nas lubią od stuleci! Żegnam panów, czas kimać. We własnym wyrze, by mi nikt rano nie truł, iż się wczoraj schlałem jak Tichonow.

* * *

Trzy dni później, w zacisznym grajdołku przy stajniach między Forestville a Bazą Lotniczą Andrews (kilka mil od Waszyngtonu), mecenas Lowa Abelman poinformował pułkownika Clinta Farloona, że Rosjanie coś już wiedzą.

— Są nieźli w dowiadywaniu się — skomentował to pułkownik.

— My także, inaczej nie wiedzielibyśmy, że Ruscy już wiedzą. Masz pozdrowienia od *„Szekspira”*.

— Jest w Meksyku?

— Tiomkin ściągnął go z Warszawy.

— Po co?

— Dla wyniuchania was.

— To wyniucha łatwo, obaj wyczuwamy Jacka Danielsa na sto jardów. Co wiedzą Rosjanie? Czy wiedzą, że to *„Czwórka”* jedzie do Meksyku?

— Tego chyba nie wiedzą, wiedzą tylko o amerykańskich komandosach. A czy Ramírez wie o *„Czwórce"*?

— Wie, mówiłem mu nawet, że 4 to według różnych kultur cyfra pechowa.

— Dla innych to cyfra szczęśliwa. W Kabale żydowskiej 4 to cyfra słońca, zaś u starożytnych Egipcjan i u greckich Pitagorejczyków cyfra święta. Według nich kwadrat symbolizuje sprawiedliwość.

— Skąd to wiesz? — zdumiał się Farloon.

— Moja siostra para się kabałą, Clint.

— Co jeszcze wiedzą Rosjanie?

— Że *„Chico"* był komandosem Team One.

— Dowiedzieli się od niego?

— Od jego panienki.

— Czyli od niego!... — zgrzytnął Farloon. — Cholerny idiota! Wyszkolono gówniarza, wpajając mu obowiązek tajemnicy bezwzględnej, a ten kretyn... Jak go dorwę, wyrwę mu nogi z dupy, szczyl mnie zapamięta po grób!

— To będzie trudno, stary, bo on już ma grób.

— Co ty gadasz?!

— Julio Ramírez nie żyje. Jego stryj myśli, iż to ma związek z tamtą kidnaperską sprawą, bo Julio przekazywał okup, więc porywacze mogli się bać, że mimo kominiarek rozpozna ich. Dlatego dodał nam 5 milionów, razem wyłożył 15 milionów, chce zemsty również za bratanka.

— Jak umarł Julio?

— Próbowali go zwinąć Ruscy oraz Kubańczycy, ale coś im nie wyszło, rozpętała się strzelanina, i dostał. Dzięki Bogu.

— Dzięki któremu Bogu, Lowa?! Ty się cieszysz?!...

— Ty też się cieszysz. Gdyby go capnęli, wydusiliby z chłopaka wszystko, i o Team One, i o waszej przejażdżce do Meksyku. A tak wiedzą jedynie, że Team One, chociaż rozwiązany, szykuje jakąś operację w Meksyku, nawet nie wiedzą czy *„firmową"*, czy półprywatną, czy całkiem prywatną, nie wiedzą gdzie, nie wiedzą właściwie nic. Prócz tego, że Team One składa się głównie z Polaków, no to będą szukać Polaków.

— Co?! — wybałuszył oczy Clint.

— Dobrze słyszałeś, w Team One zatrudniano samych Polaków, wyłącznie Polaków.

— Więc dlatego ściągnęli *„Szekspira"* do Mexico...

— Dlatego. Nasz drogi *„Szekspir"*, czyli *„Wieża"*, ma tropić rodaków.

— Kto sprzedał Ruskim tę bzdurę?

— Kubańczycy, a im gadatliwa panienka nieboszczyka.

— Przecież Julio nie mógł jej powiedzieć takiego idiotyzmu!

Abelman wzruszył ramionami:

— Nie wiem, nie znam szczegółów, nie leżałem pod ich łóżkiem. W ogóle fakt, iż *„Chico"* cokolwiek jej plótł, mógł być spowodowany tą okolicznością, że uważał już Team One za prehistorię, i że się schlał. Człowiek narąbany gada mnóstwo głupot. Rosjanie jednak uwierzyli w tych Polaków, co sprawia, że będą błądzić. Wiedzą mało, dlatego nie ma jeszcze dużego niebezpieczeństwa, lecz z drugiej strony fakt, iż w ogóle o waszej wycieczce wiedzą, każe być bardzo ostrożnym. Będą węszyć zaciekle, uruchomią wszystkie swoje szakale w meksykańskim półświatku, konieczny jest wam superkamuflaż, czapka niewidka.

— Coś już wykombinowałeś? — domyślił się Clint.

— Tak, czapkę kryjącą pół twarzy, mnisi kaptur.

— Będziemy udawać braciszków zakonnych, pięknie!... Czy ci odbiło?!

— Nie, jestem zdrowy, bracie kapucynie.

— Kapucynie?

— Tak.

— A czemu nie jezuito, franciszkaninie lub dominikaninie?

— Bo w Meksyku rozpowszechnione jest *„ordo"* kapucynów. Ci mnisi noszą brązowe habity z dużym szpiczastym kapturem, można nim zakryć prawie całą twarz. Noszą również długie pelerynki owijające suknię habitu, a pod taką peleryną i w wielkich rękawach habitu można ukryć broń, nawet ciężki karabin maszynowy.

— Tylko gdzie ukryć siebie? Czterech samotnych mężczyzn wynajmujących wspólne lokum w Mexico City będzie zwracać uwagę każdego, a już czterech mnichów...

— Wiesz gdzie najlepiej posadzić cztery sosny, żeby nie kłuły niczyich oczu? — spytał Abelman.

— Wiem, w lesie. Czyli w klasztorze?...

— Tak. Słyszałeś może o cudownej Matce Boskiej z Guadalupe, Clint?

— Słyszałem. To w Meksyku jak w Polsce Matka Boska Częstochowska, też patronka kraju, *„Pole"* nosi jej ryngraf i modli się do niej często.

— Rzeczywiście. I jak w Portugalii Matka Boska Fatimska, i jak we Francji Matka Boska z Lourdes, i jak Matka Boska z Medjugorje na Bałkanach. Ale ta meksykańska jest rekordowo cudowna, bo najbardziej zdumiewa uczonych, nie mniej niż Całun Turyński, chłopie. I ma idealne dla was centrum kultu, zarządzane przez kapucynów. Bo przynajmniej początkowo musicie operować w samej stolicy, tam się krzyżują wszelkie nitki narkobiznesu, świata przestępczego i świata służb specjalnych. Tylko tam możecie złapać jeden i drugi trop, ten dla DEA i ten dla Ramíreza. A centrum kultu Matki Boskiej z Guadalupe mieści się w Mexico City, w dzielnicy Villa de Guadalupe Hidalgo. Idealna lokalizacja, czegóż chcieć więcej?

— Może czegoś mniej — podsunął Farloon.

— Jak to mniej? — zdziwił się Abelman.

— Mniej cyrku, mniej teatru, mniej Disneylandu. Te habity! Peruki, okulary, sztuczne wąsy i sztuczne brody nie wystarczą?

— Będziecie ich używać dla kamuflażu, gdy będziecie zrzucać habity, ale klasztor w Guadalupe ma być waszym centrum operacyjnym, tak zadecydowano.

— Ktoś tam już czeka?

— Ktoś. Nasze *„służby"* wszędzie mają przyjaciół.

Pułkownik chwilę milczał, a gdy ta chwila ubiegła, podjął ostatnią próbę sekularyzacyjną (dla niekumających: próbę zrzucenia habitu):

— Przecież sam habit nie czyni zakonnika...

— Ładnie to ująłeś — pochwalił go Lowa Abelman. — Brat zakonny musi znać i Biblię, i liturgię, i namaszczenia, i sakramenty, oraz, gdy jest kapucynem w Guadalupe, musi perfekcyjnie znać swoje miejsce kultu, jego topografię, historię i teraźniejszość. Dlatego przejdziecie kurs religijny. Umówiłem wam już randkę z ojcem Hilarionem, braciszku, kapucynem, rzecz prosta.

Na spotkanie z *„Czwórką"* mnich przyszedł w świeckim ubraniu — miał źle leżący garnitur i źle dobrany krawat. Wyglądał jak młody robotnik, który idąc do urzędu lub do gabinetu szefa, zakłada tandetne ciuchy według modelu wyższej klasy i czuje się w nich niezgrabnie niczym pies w zimowym ubraniu dla psów. Kiedy się przywitał, usłyszał pytanie rzucone przez szefa grupy:

— Ojciec nie boso?

Roześmiał się:

— Zimą nie chodzimy boso, bracie.

— Nawet po wodzie? — zaciekawił się Forman. — Po jakiejś małej *„golfo"*?

— Ucz się, bracie Jankesie, hiszpańskiego, bez tego w Meksyku ani rusz! — skarcił żartownisia mnich. — *„Golfo"* to duża zatoka, a mała zatoka, zatoczka, to *„bahia"*.

— Więc zimą nie chodzicie boso, lecz pieszo chodzicie przez cały rok... — kontynuował indagację Farloon.

— Wielu spośród nas tak, choć nie zawsze jest to możliwe. Nie przydreptałbym do Waszyngtonu kilkuset mil, musiałem przyjechać.

— Co on gada?! — zapytał *„Woody"*. — Te mnichy mają wymóg poruszania się tylko pieszo?!

— Zgadłeś, bracie Gracewood — wygłosił kpiąco Clint.

— To ja to chrzanię, lubię jeździć gablotą, panowie bracia!

— A czy lubisz żebrać?... — spytał pułkownik tym samym tonem. — Zakon Braci Mniejszych Kapucynów ma surową żebraczą regułę wydestylowaną z reguły franciszkanów w XVI wieku, chociaż odrębnym zakonem stał się dopiero w roku 1619.

— Brawo! — ucieszył się Hilarion. — Tak obkuć temat mógł tylko pilny uczeń, a ja potrzebuję pilnych uczniów. Wszelako niekoniecznie stosujących terminologię destylacyjną, bo destylowanie służy zaspokajaniu grzesznego ciała, gdy ryt kapucynów karmi ludzkiego ducha. Co jeszcze wiecie o kapucynach, moi mili?

— Że nazwa wzięła się ze słów *„capuce"*, *„cappuccio"*, czyli *„kaptur"* — dodał Farloon. — Tyle wiemy, braciszku Hilarionie.

— A ile wiecie na temat Matki Boskiej z Guadalupe, bracia?

Tym razem odpowiedział Nowik:

— Że jest patronką kraju.

— Jest patronką całej Ameryki Łacińskiej — poprawił go Hilarion. — Objawiła się w 1531 roku Aztekowi Juanowi Diego Cuauhtlatoatzinowi, a gdy ten oznajmił to biskupowi Zumárradze i gdy biskup wyraził wątpliwość, kazała Indianinowi zerwać róże, które cudownie rosły na zaśnieżonym szczycie wzgórza Tepeyac. Juan układał stos tych róż do swej tilmy, peleryny indiańskiej. Kiedy tilmę rozwinięto — zobaczono wizerunek stojącej Morenity.

— *„Moreno"* to po hiszpańsku smagły, ciemnoskóry lub czarnoskóry... — zauważył Farloon.

— Tak, bracie, Ona jest smagła, ma karnację brązową — rzekł Hilarion.

— Polska Dziewica Jasnogórska też! — krzyknął Nowik.

— Wiem, przyjacielu. Obie wywodzą się bowiem typograficznie ze Wschodu, polska Święta Panienka nosi szaty bizantyńskie, to ikona, a Panienka meksykańska nosi suknię bliskowschodnią, chyba palestyńską, równie często ukazywaną przez bizantyńskie ikony. We wschodniej tradycji chrześcijańskiej takie cudowne wizerunki jak Tilma z Guadalupe, Chusta świętej Weroniki czy Całun Turyński są określane mianem: *„dar Niebios"*. Bizantyńczycy zwali te obiekty o nadprzyrodzonym pochodzeniu: *„archeiropoietos"* — *„nie ręką ludzką uczyniony"*. Współczesna nauka to potwierdza, lub raczej: nie jest zdolna zaprzeczyć laboratoryjnie.

— Czyli co, prawdziwy cud? — spytał *„Husky"*.

— Cud pod wieloma względami, bracia. Absolutna cudowność i absolutna enigma dla sceptyków, którzy próbowali wykluczyć nadprzyrodzoność. Starają się od wieków, lecz bez skutku. Samo płótno tej tilmy to już dziw nie do wytłumaczenia. Takie tilmy robiono bowiem z włókien agawy, których trwałość nie przekracza 20 lat, później pękają, psują się, rozsypują, a Tilma Guadalupe ma już prawie 500 lat i wciąż jest niczym nowa, chociaż jej włókna dawno powinny obrócić się w proch. Uczeni nie rozumieją też jak powstał wielobarwny wizerunek na tilmie. Nie jest malowany, włókna są kolorowe same z siebie, wszelako, mimo wielu badań przy użyciu nowoczesnych metod, nie stwierdzono, by zostały nasycone pigmentami.

— Czym? — spytał Gracewood.

— Barwnikami, farbkami, jakąkolwiek substancją pochodzenia zwierzęcego, roślinnego czy mineralnego, bracie — wyjaśnił mnich.

— A syntetycznego? — drążył Forman.

— Też nie. Badania podczerwienią i innymi metodami nie dały nic, werdykt: *„Z naukowego punktu widzenia materializacja wizerunku jest niewytłumaczalna"*.

— To lubię! — klasnął zachwycony Nowik.

— Ja też lubię filmy o Marsjanach — zgodził się Gracewood.

— Sam jesteś Marsjanin, bezbożniku! — wrzasnął Polak.

— Nie wierzysz w Pana Boga, bracie? — spytał Gracewooda Hilarion.

— Nie wierzę w czary, w duchy, w kosmitów i cudotwórców.

— A w naukę wierzysz?

— Jasne, że tak.

— Fizycy, biofizycy, astrofizycy, chemicy, materiałoznawcy, różni uczeni z Europy i ze Stanów, badali Tilmę Guadalupe, i chociaż pełni byli sceptycyzmu naukowego, po badaniach rozkładali z rezygnacją ręce lub klękali składając ręce.

— Astrofizycy? — zdziwił się Farloon. — Co ma do tego niebo astronomiczne?

— Gwiazdy dekorujące płaszcz Morenity przedstawiają gwiezdne konstelacje nieba nad Miastem Meksyk 12 grudnia 1531 roku, to dzień objawienia się Jej Juanowi Diego. W niezwykle precyzyjny sposób. Przy użyciu dużych powiększeń fotograficznych i przy zastosowaniu oftalmoskopu dostrzeżono też, iż źrenica oka Madonny odbija kilka ludzkich twarzy i sylwetek stojących przed Nią. Rozpoznano między innym Azteka Juana, biskupa Fuenleala, biskupa Zumárragę, oraz jego tłumacza, Gonzalesa. Powiększenie broszki spinającej suknię Morenity ujawniło miniaturę greckiego różańca, zupełnie nieznanego w Meksyku. Nie chcę was zanudzać przytaczaniem dalszych dziwności czy *„cudów"*, istotne jest tylko, że nauka nie znalazła dla nich dotąd żadnych racjonalnych wytłumaczeń... Podyktuję wam teraz, bracia, rozkład zajęć, choć z ciężkim sercem, bo widzę, że nie wszyscy spośród was wielbią Pana, stąd będą bluźnić klepiąc formułki liturgiczne.

— Możemy każde zdanie faszerować językiem biblijnym, klepiąc: *„duch święty"*, *„azaliż"*, *„zaprawdę"*, *„niewiasto"*, i takie tam, to powinno całkowicie wystarczyć, na cholerę te lekcje liturgiczne! — jęknął Gracewood.

— Bracie, mamy obowiązek przećwiczyć dużo reguł, mimo iż ludziom twego typu daleko do Nieba — zasmucił się Hilarion.

— Jest takie powiedzonko wśród glin, szanowny kapucynie: *„Dobrzy gliniarze nie idą do Nieba"* — wtrącił *„Husky"*. — My jesteśmy nieźli w naszym fachu.

— Czy w waszym fachu nigdy nie odmawia się ***„Pater noster"***? — spytał Hilarion.

— Znamy tylko: *„I odpuść nam nasze winy, kiedy dopierdzielamy naszym winowajcom"*, braciszku. Jakem Gracewood!

— *„Woody"* jest antychrystem! — machnął ręką Forman.

— A *„Husky"* jest buddystą! — odwinął Gracewood. — Wyznaje reinkarnację. W kolejnym życiu ma być Britney Spears.

— Nie, teraz woli być Paris Hilton — uaktualnił Nowik. — Ja znam ***„Ojcze nasz"***, proszę księdza.

— Również po hiszpańsku?

— Nie, tylko po polsku i po angielsku.

— Tam trzeba znać po hiszpańsku. Wygłoszę wam, a później odmówimy razem, będziecie powtarzać każde słowo.

I zaczął mówić:

— Padre nuestro, que estás en el Cielo, santificado sea Tu Nombre, venga Tu reino; hágase Tu voluntad en la Tierra como en el Cielo...

* * *

Ogród przy ambasadzie nie był szczególnie rozległy, jednak wystarczająco gęsty, by dwóch gawędziarzy mogło uciąć sobie na ławeczce wśród krzewów dyskretny dialog.

— Jak tam małżonka? — zapytał kulturalnie generał Tiomkin.

— Czyja? — odparł dowcipnie agent *„Y"*, dawniej *„Szekspir"*.

— Trzeba ci było zmienić pseudo na *„Jajcarz"*, a nie na *„Y"*, gospodin Serenicki. I nie chrzań mi, że obracasz cudze żony, bo nie uwierzę.

— Dlaczego, wodzu?

— Dlatego, że gdybyś to robił, szybko przestałbyś być jajcarzem, gospodin Serenicki.

— Nie panimaju, wasze błagorodie...

— Señora Klara ucięłaby ci jaja, amigo, i byłoby po jajcarzu.

— Dobre! — skomplementował tę grę słów *„Y"*, odchylając głowę, by śledzić przelatujące ptactwo. — Co to za ptaki?

— A chuj znajet! — burknął generał. — Nie jestem tu dla badań ornitologicznych, ty również, amigo.

— Ja tu jestem dla zakupów — wyjaśnił Polak.

— Zakupów?

— No. Klara kazała mi kupić te meksykańskie czarne koronki i charakterystyczną laleczkę meksykańską.

— A kastanietów nie?

— Nie tańczy flamenco — odparł Serenicki, dodając w duchu: „Podobnie jak ja nie tańczę kazaczioka". — Chce tylko koronki i laleczkę, folklor.

— To dużo nie wydasz, chyba że kupisz koronki ze srebrną lub złotą nicią, te są drogie. Są tu też ładne złote wyroby.

— Klara nie nosi złotej biżuterii, generale, tylko bursztynową i koralową.

— Szczęściarz! Ruskie żienszcziny są całkiem inne, bez kilku ton złota na każdym palcu i przegubie nie mają orgazmu, takie psychiczne ustrojstwo... Żony to żony, ale z kochankami jest najgorzej. Znasz ten kawał o facecie, który chce kupić damskie perfumy? Sprzedawca pyta: *„ — Dla żony, czy jakieś droższe?”.*

— Dobre! — znowu pochwalił Serenicki. — Ale przy Klarze nie będę cytował tego żarciku.

— Słusznie, babskie poczucie humoru trochę różni się od męskiego, coś wiem na ten temat — zgodził się Tiomkin.

Milczeli kilkadziesiąt sekund w poczuciu solidarności męskiej. Później generał otworzył się wbrew kanonom ruskich *„służb”*:

— Wiesz dlaczego cię lubię, Serenicki?

— Bo jestem przystojny i sympatyczny, panie generale — zgadł Polak.

— Gówno tam, przystojny! — obruszył się Rosjanin. — Za gładką gębę lubią cię baby, dupku. Ja cię lubię za to, że idzie pogadać z tobą, panimajesz? Z moimi da się gadać tylko służbowo, a prywatnie same lizusy, kłamczuchy, głupole, mierzwa. Taki Fedoruk! *„Homo sovieticus”*!...

— Jest wielu ludzi, z którymi można pogadać, i niewielu, z którymi można się dogadać... — zauważył dyplomatycznie Serenicki.

Ślepia Tiomkina wyostrzyła czujność:

— O czym mówisz, Poliak?...

— O tym, że nie z każdym można rozmawiać wierszem — przypomniał wielbiciel Szekspira.

— Pamiętam, pamiętam! — ucieszył się Tiomkin, klepiąc dłonią kolano. — Pamiętam jak w Ottawie ty czarowałeś mnie Szekspirem, a ja cytowałem ci Lermontowa, to była uczta mózgów!* Bar-

* Patrz W. Łysiak, **„Lider”**.

dzo tęskniłem do tego, gospodin *„Y"*, nie wstydzę się przyznać. Masz kogoś w Warszawie, z kim możesz tak się bawić?

— Nie mam, generale, i mam niewielu sensownych ludzi, by bawić się jakkolwiek, to wszystko nie idzie tak jak winno iść, czyli tak jak trzeba!

— Nic ci nie poradzę, nie zajmuję się teraz Polską, dano mi Meksyk.

— Odkąd rąbnięto generała Kudrimowa*, nie mamy realnego wsparcia z Moskwy, FSB zapadła w jakąś drzemkę, nie widzę dawnego entuzjazmu! — żalił się *„Y"* gorączkowo.

— Centrala ma teraz dupę bolącą od kryzysu, diengi się skończyły — rzekł generał. — Ropa sprzedaje się za grosze, chłopcy potracili miliardy na giełdach, smuta, towarzyszu. Więc i dla was brakuje. A co ci tam przeszkadza, prócz braku gotówki?

— Ustawa sejmowa o finansowaniu partii politycznych, panie generale. Daje monopol dwóm dużym partiom i dwóm średniakom, debiutanci są bez szans. Drukujemy broszury, organizujemy nabór, zbieramy się, paplamy, bijemy pianę, ręce opadają!

— Gotówka wkrótce przyjdzie do jakiejś polskiej opozycji prawicowej, z Zachodu...

— Skąd?

— Bo ja wiem, może z Irlandii... — wygłosił generał enigmatycznie. — I może akurat nie do was, lecz do ugrupowania rezerwowego. KGB nigdy nie obstawiał jednego konia. To już nie twój łeb, gospodin *„Y"*. Dlatego cię stamtąd zabrałem, w przekonaniu, że tutaj będziesz teraz bardziej potrzebny. Przypomnisz sobie młodość.

— Młodość? — zdziwił się Serenicki. — Nigdy nie pracowałem w Meksyku.

— A kto sprowadzał do Kanady meksykańskie grzybki halucynogenne, jak one się zwały, amigo?

— *„Stropharia cubensis"*.

---

* Patrz W. Łysiak, **„Lider"**.

— No właśnie. Indianie zwali je *„ciałem bogów"*. Dzięki tym przysmakom zawarliśmy znajomość, czyli Meksyk leżał u źródeł naszej współpracy.

— U źródeł tamtej naszej współpracy leżało to samo, co leży u źródeł dzisiejszej kontynuacji tej współpracy, panie generale, mord dokonany na młodym człowieku — przedstawił swoją wersję Serenicki. — Wtedy zamordowaliście młodego Włocha, Luciana Tavese, żeby mnie szantażować, a Klarze podsunęliście profesorka, który zezwolił jej pisać biogramy ważnych kobiet jako prace semestralne, i później wydawaliście te jej historyjki*, a teraz...

— A teraz ona pewnie dalej para się życiorysami *„femmes celebres"***, co sprawia jej największą życiową radość, większą od seksu — przerwał mu Tiomkin. — Jestem ciekaw, która zapoznana Madame uskrzydla twoją żonę obecnie.

— Księżna Cristina Belgiojoso — mruknął Polak. — Wcześniej Klara zajmowała się rzeźbiarką Camille Claudel, kochanką Rodina, a później będzie pracowała nad biografią Hypatii, starożytnej matematyczki i astronomki, lecz teraz, pomiędzy genialną Francuzką a genialną Egipcjanką, jest Włoszka, signora Belgiojoso.

— Ki cziort?

— Włoska patriotka doby Romantyzmu, generale, walczyła salonowo o niepodległość Italii. Była adorowana przez Migneta, Lafayette'a i Musseta, wielki Heine plasował ją, obok Rafaela i Rossiniego, w trójce nieśmiertelnych Włochów, lecz...

— Ci Germańcy żydowskiego pochodzenia zawsze mieli pierdolca, taki choćby Karol Marks! — znowu wszedł w słowo Tiomkin. — Nieśmiertelna trójca Włochów! A gdzie Dante, gdzie Leonardo da Vinci, gdzie Gramsci, gdzie Michał Anioł!

— Zwłaszcza Gramsci... — zakpił Polak. — **„Bandiera rossa"*****, generale.

---

* Patrz W. Łysiak, **„Lider"**.

** sławnych kobiet.

*** **„Czerwony sztandar"**.

— Nie docinaj mi tu, nigdy nie byłem prawdziwym, aktywnym komunistą! — zdenerwował się Tiomkin. — Taki był etap, rozumiesz?... Ale przerwałem ci, mów dalej o tej Włoszce, słucham.

— Przerwał mi pan, Igorze Pietrowiczu, gdy mówiłem o tym Włochu, o tym juniorze, którego rąbnęliście, by mnie szantażować. Teraz zaczyna się tak samo.

— Ktoś cię szantażuje, gospodin Serenicki?

— Nie, ale ktoś odstrzelił juniora Ramíreza, i po mieście już chodzą plotki, że zrobili to Rosjanie rękami Kubańczyków.

— W dupie mam plotki! — splunął generał.

— Błąd, Igorze Pietrowiczu, błąd. Niezbyt uważnie słuchał pan don Basilia, nauczyciela muzyki. Sławna aria don Basilia.

— Jakiego nauczyciela muzyki?

— Tego z opery buffo **„Cyrulik sewilski”**, generale.

— Z filmu! Z filmu Michałkowa.

— To był **„Cyrulik syberyjski”**, a ja mówię o **„Cyruliku sewilskim”** Rossiniego. Tam don Basilio śpiewa, że plotka to burza, która zaczyna się lekkim zefirkiem obmowy, a kończy niszczącym kataklizmem niesławy.

— Plotka o Ramírezie przyschnie szybko — zaoponował Tiomkin, wyjmując miętówkę. — Każdego dnia w stolicy pada kilka lub kilkanaście trupów.

— Ale nie członków znanych familii, generale, Ramírez to bratanek potentata.

— Wicepremier przyłapany na korupcji to też potentat, i wszyscy będą teraz gadać tylko o jego dymisji i o rekonstrukcji rządu. Ty się nie martw o ambasadę, lecz kombinuj jak znaleźć igłę w stogu siana.

— Nawet nie wiemy ilu będzie tych Jankesów, kiedy tu przyjadą i po co, generale.

— Przyjadą wkrótce, nie za rok, chociaż być może śmierć młodego Ramíreza trochę ich wstrzyma. Obserwujemy dzień i noc ambasadę jankeską i wszystkie placówki amerykańskie w Meksyku, lecz na razie to nie daje nic. I nie da, bo oni przyjadą tak bardzo

*„cover”**, iż nikt z tych placówek nie będzie o tym wiedział. A może już tu są. To musi być diabelnie ważna i diabelnie tajna operacja, jeżeli nawet *„kret”* GRU w jankeskich NCS nie ma pojęcia o niej.

— Może warto również śledzić Ramíreza seniora i jego ludzi, bo Jankesi będą się chyba z nim kontaktować w sprawie zejścia juniora? — rzekł *„Y”*.

— Obserwujemy ich od dnia śmierci szczeniaka, bez rezultatu.

— Już samo to jest podejrzane, Igorze Pietrowiczu, chyba że Jankesi gadali z Ramírezem wyłącznie przez telefon.

— Fakt. U Ramíreza winna panować nerwowość, a jest spokój. Spokój, który mi śmierdzi, lecz co mam robić, za tydzień będę musiał tamtych obserwatorów zdjąć, brakuje nam ludzi do tylu węszeń, Kubańczykom też zresztą.

— Poprośmy Wenezuelczyków.

— Centrala zakazała, bo nasz socjalistyczny przyjaciel Chávez to paplający bufon, rozgadałby wszystko publicznie.

— Mówi pan o *„krecie”* w NCS, a czy w CIA nie mamy swoich ludzi?

— NCS to bękart CIA, firma–córka i firma–matka, jedna cholera, trochę tak, jak SWR i FSB. Na samej górze jest dyrektor CIA, generał Hayden. Lecz Team One został utworzony bez jego wiedzy, przynajmniej formalnie bez jego wiedzy. Co to znaczy? Że tam, podobnie jak u nas, są struktury tajniejsze od tajnych, wyższe niż GRU, FSB czy CIA. Hayden jest dyrektorem, ale nie dyrygentem.

— *„Le roi règne et ne gouverne pas”*** — popisał się historycyzującą francuszczyzną Serenicki.

— Otóż to. Dlatego tak nam zależy, by mieć kogoś w tej supergórze nad CIA i wszystkimi innymi *„służbami”* Stanów.

— Wśród *„szarych eminencji”*?

— No.

---

* utajnieni, pod przykrywką.

** Król panuje, ale nie rządzi.

— Termin *„szara eminencja”* bierze się od francuskiego kapucyna...

— Gówno mnie to obchodzi skąd się bierze!

— A mnie to interesuje, generale, bo ostatnio bardzo polubiłem kapucynów...

— Ty zawsze lubisz jakichś dupków, zwłaszcza historycznych.

— Ten historyczny, od którego wzięła się *„szara eminencja”*, to był sławny *„ojciec Józef”*, prawa ręka kardynała Richelieu. Natomiast nie wiem skąd się wzięło określenie *„rządzić z tylnego siedzenia”*? Team One to dziecko amerykańskiego *„tylnego siedzenia”*, co jednak nie musi oznaczać, że członkowie tego komanda znają swych tatusiów.

— Może znają, może nie znają, nie dowiemy się bez wypytania ich. A nie wypytamy, jeśli nie złapiemy. Gdyby udało się capnąć tych twardzieli mających wykonać jakąś meksykańską *„robótkę”*... Będą przebrani, cholera wie za kogo. Za biznesmenów, naftowców, turystów, artystów...

— Transwestytów, filatelistów, pederastów... — dokończył *„Y”*.

— Przestań już jajcarzyć, Poliak! — fuknął Tiomkin.

— Mówię serio, generale. Zawsze mnie ciekawiło dlaczego sławni twardziele, taki faraon FBI, John Edgar Hoover, albo twórca skautingu, Robert Baden-Powell, czy *„ojciec chrzestny”* Marlon Brando, lubili się przebierać w damską bieliznę i w inne damskie ciuszki, sukienki et cetera.

— Nie będą biegać na szpilkach po Mexico City, to zbyt trudne, a i kładzenie oraz zmywanie makijażu to zbyt pracochłonne, odrzucam ten trop.

— Czyli odrzuca pan *„cherchez la femme”**, według mnie niesłusznie — powiedział Serenicki, myśląc: „Masz mnie za jajcarza, no to zrobię sobie jaja olimpijskie, wyjawię ci prawdę na temat ich meliny w Meksyku!”. — Szekspir by się nie zgodził z pa-

* Francuskie porzekadło, mówiące o kobiecie jako o głównym tropie do rozwiązania tajemnicy (*„szukajmy kobiety”*).

nem, generale. Jego, chociaż był gejem, bardzo interesowały kobiety, gdyż, co sam mi pan kiedyś klarował, Szekspir pełnił dla dworu służbę wywiadowczą za granicą*. Może wskazówką mógłby tu być, mógłby pomóc, pewien cytacik z **„Hamleta”**...

— Cytuj! — rozkazał Tiomkin.

— Za darmochę nie ma cytatów. Odgrzejmy stare dobre czasy, Kanadę dwujęzyczną, generale! Nie tę angielsko–francuską, tylko tę szekspirowsko–lermontowską.

— Chcesz, bym ja się zrewanżował cytatem lermontowskim?

— I też o kobiecie, Igorze Pietrowiczu.

— Zgoda. **„Hamlet”** zaczyna konkurs, startuj, Poliak!

„Y” rozparł się na ławeczce, wyciągając nogi daleko.

— To będzie śliczna mowa Hamleta przeganiającego Ofelię, Igorze Pietrowiczu. Akt trzeci, scena pierwsza, ta sama, w której pada *„być albo nie być”*, kilka zdań wcześniej:

„Wstąp do klasztoru. Bywaj!
Lub gdy koniecznie chcesz wyjść za mąż,
Poślub idiotę, bo wie kto rozsądny,
Że ze swych mężów czynicie potworów;
Dlatego do klasztoru wstąp co rychlej. Bywaj!
Słyszałem takoż o kunszcie malunku,
Którym, wbrew Bogu, co dał wam twarz jedną,
Lubicie sobie drugą dorobić, by kusić,
Mamić i zwodzić, kręcić i krygować.
Tyleż samo swawolę swoją ukrywacie,
Pod płaszczem naiwności fałszywym, o zgrozo!
Gniew krew mi burzy. Precz idź, do klasztoru!”.

— Do klasztoru, do klasztoru... — mruknął *„rezydent”*. — Do jakiego, kurwa, klasztoru?! Myślisz, że dano by im melinę w babskim klasztorze?

— Nie mówię o babskim klasztorze.

---

* Patrz W. Łysiak, **„Lider”**.

— A o jakim? To zupełna głupota, ten sam błędny trop, nie wierzę, by przebierali się za mniszki czy inne baby!

— Głupota, jeśli nie zna się kodu, generale.

— Którego kodu?

— Szekspir też był kpiarzem, słowo *„nunnery”*, żeński klasztor, znaczyło w ówczesnej grypserze londyńskiej: burdel — wyjaśnił Serenicki, myśląc: „Obiecałem powiedzieć ci prawdę, i powiedziałem, że do klasztoru, a teraz już tylko będę ci mącił łepek, kagiebowski misiu!”. — Hamlet odsyła ją do zamtuza, generale. Łatwo jest kryć się między tysiącami jankeskich konsumentów seksualnej turystyki, co nawiedzają burdele Ciudad de México. Trzeba przez naszych ludzi z półświatka uczulić tutejszych sutenerów...

— To mogę zrobić, agencie *„Y”*.

— Wcześniej może pan dotrzymać słowa. Lermontow!... Wiem już dlaczego pan go tak bardzo lubi. Kiedy żegnaliśmy się w Kanadzie, wyznał mi pan, że pańska matka była Gruzinką. A Lermontow często wizytował Gruzję i cały Kaukaz. Pisał o tamtejszych ludziach wiele razy. Zginął pod górą Maszuk, gdy skończył 27 lat. Też w pojedynku, jak Puszkin, trochę starszy, 38 lat. I też o kobietę. I oba te pojedynki, choć niby o kobietę, były inspirowane przez tajne służby, przez carską żandarmerię polityczną, by zadołować geniuszów.

— Ale żeś się naczytał, szekspirologu, chcesz być także lermontologiem? — wyraził swe uznanie Tiomkin.

— Pochodził ze starego szkockiego rodu Learmonth, wiedział pan o tym, Igorze Pietrowiczu? Tradycja familijna mówiła, że jego praprzodek był bardem, którego porwały białe wróżki. Do Rosji ten ród trafił z Polski, bo w XVII wieku członkowie familii Lermont byli żołnierzami szkockiego korpusu najemników armii polskiej. Wśród Rosjan zamieniono Lermont na Lermontow. To tyle, a teraz słucham.

— Dałeś metaforę, więc ja również sięgnę po metaforę — rzekł Tiomkin. — U ciebie klasztor był burdelem, a u mnie kobieta będzie chmurką. Tytuł **„Głaz”**:

„Nocowała ongi chmurka złota
Na starego głazu ciemnym łonie...
Wstała rankiem... Już nią wicher miota,
Już ją niesie ku dalekiej stronie...
Ale został po niej ślad wilgotny
W szczerbie głazu, niby znamię smutku...
I głaz stoi... i duma samotny...
*I w pustyni płacze po cichutku..."**.

„Głazy pękają nie od łez, lecz od uderzenia młotem, czego, da Bóg, się doigrasz, a swoją drogą ciekawe jaka dziwka tak cię zraniła, że stary kagiebowiec kwili niczym goguś..." — myślał Serenicki, bijąc brawo.

* * *

Niektórzy ludzie nie powinni żyć aż z dwóch powodów, lecz żyją — po pierwsze wbrew biologii cielesnej, po drugie wbrew entomologii tajnosłużbowej. Xavier Dugereaux miał 140 kilo wagi i otłuszczenie ekstremalne, które normalnym ludziom wykańcza system wieńcowy i szybko pcha ich do grobu, a mimo to przejawiał wigor człowieka niedającego zarabiać konowałom. Może dlatego, iż pił bardzo dużo wina (co wzmacnia serce tudzież całą wieńcówkę), przy czym było to wino ekskluzywnych bądź wręcz unikatowych marek i roczników (co pustoszy całą kieszeń), jak Clos Vougeot 1870, Château d'Yquem 1871, Château Siran 1865 i Château Gruaud–Larose 1870. Butelka takiego wina potrafiła kosztować aż 20 tysięcy franków (dzisiaj kilka tysięcy euro), lecz cóż to jest, kiedy trzeba popić ośmiotygodniowe, duszone we własnej krwi kaczuszki, hodowane (i numerowane!) na moczarach Challans. Lub tatara z wybornej langusty i zwanej *„białą perłą"* ostrygi, którą się hoduje przy śluzach Charente–Maritime, aby zyskała smak jodowo–morski, przełamany smakiem orzecha laskowego. Lub risotto z czarnymi truflami Périgord, albo *„fois gras"* (wątróbki) z bia-

* Tłum. Leo Belmont.

łymi truflami Tuber Aestivum; notabene monsieur Xavier bez trudu rozróżniał smak 32 gatunków trufli, co jest umiejętnością raczej rzadką.

Równie ryzykowny jak tryb odżywiania się był fach pana Dugereaux, czyli jego sposób zarabiania na wszystkie tłustawe pyszności, którymi szczycą się kuchnie europejskie i orientalne. Kamienie młyńskie mogą bowiem zetrzeć człowieka, który między nie wkracza, a Dugereaux wkraczał ciągle pomiędzy tajne służby sojuszniczych lub zwaśnionych krajów i obozów. Profesja ta jest najrzadszą ze wszystkich istniejących, i jest (jak mawiano) *„kryzysowo niezbędna"* — ktoś musi być łącznikiem między śmiertelnymi wrogami, gdyż bez tej komunikacji zatarłyby się kółka zębate systemu globalnego. Ojciec Xaviera, baron Jacques Dugereaux, pełnił tę frontową funkcję przez kilkadziesiąt lat *„zimnej wojny"*, z dystynkcją i dyskrecją chodząc po cienkich linach i gęstych polach minowych tamtych czasów, gdy grożono sobie bombami wodorowymi, a Jankesi i Bolszewicy, Izraelczycy i Syryjczycy, Hindusi i Pakistańczycy, etc., płacili mu hojnie, szanując jego nieformalny immunitet, który gwarantował mu (teoretycznie) całkowitą nietykalność. Wymagano od niego tylko bezstronności zupełnej i koncyliacyjnego talentu — dysponował jednym i drugim. Nie dysponował wszakże eliksirem młodości, musiał więc kiedyś przejść na emeryturę. Przeszedł w 1990 roku, uznając kres rządzącego komunizmu za finał swej kariery, pełnej glorii, którą było uchronienie świata od wojny atomowej (pierwszy raz likwidował tę groźbę podczas wojny koreańskiej, drugi raz podczas kryzysu kubańskiego, i później jeszcze kilka razy, prowadząc tajne negocjacje na rządowym szczeblu). Pałeczkę, to znaczy fach, „immunitet", kontakty tudzież „instrukcję obsługi" (*„know-how"* profesji) przekazał jedynemu synowi, Xavierowi, wraz z ksywką *„Mediator"*. Tak go zwano (ojca, a potem syna) w cieniach i półcieniach wszystkich gabinetów i kulis globu, gdyż przezwisko było celne (dobrze oddawało rodzaj profesji) i było międzynarodowe (angielski *„mediator"*, hiszpański *„mediador"*, francuski *„médiateur"*, etc.). Wyraz ten bierze się z łacińskiego słowa *„medius"* — człowiek funkcjonujący pośrodku, bezstronny, neutralny całkowicie.

„Mediator", wyznawca kultu żołądka i łańcucha pokarmowego, był całkowicie neutralny także wobec wszelkich irracjonalności, co nie jest rzeczą łatwą we świecie, który swym brutalizmem wytwarza epidemię pozaziemskich tęsknot. Owe tęsknoty czasami dostają bolesne klapsy, ale ból szybko mija. Gdy lewak Christopher Hitchens demaskatorską książką zdemitologizował *„Misjonarkę Miłości"*, kalkucką Matkę Teresę, wywlekając ciemne strony jej działań i finansów — rozmodleni idealiści przez pewien czas starali się kurować z naiwniactwa i nieufnością dyscyplinowali swą łatwowierność. Jednak w sferze religii, mistyki, świętości, filantropijności, dobrych uczynków i ewangelicznych cudów, takie demaskacje odnoszą skutek rychło blaknący, katharsis nie bywa długotrwałe, zbyt silna jest bowiem ludzka tęsknota do świątobliwych bóstw i bogobojnych cnót, stanowiących rajską przeciwwagę padołu, na którym egzystencja bywa ciężka. I podobnie jest z mroczną stroną metafizyki, wszelką magią (*„białą"* i *„czarną"*), parapsychologią, okultyzmem, „cudotwórstwem" świeckiego rodzaju — coraz to *„zjawiska nadprzyrodzone"* zostają zdemaskowane jako kuglarska zręczność, ale po krótkim zachwianiu ludzie dalej wierzą, iż telepatia, teleportacja, lewitacja, magiczne rozmnażanie, znikanie i przenikanie, jasnowidzenie i leczenie czarami bądź *„medycyną niekonwencjonalną"*, to realne fakty z kręgu ezoterycznej paranormalności, a nie puste sztuczki, bardziej przynależne do świata cyrkowych iluzjonistów niż do cesarstwa spirytystycznych mocy, fluidów i klątw. Jest tak wszędzie, nie tylko w gorącogłowych Azjach czy Afrykach, lecz również w zimnokrwistej Anglii, gdzie patronem wszelkich cudotwórców stał się głośny XVI–wieczny szarlatan Edward Kelley, kumpel nadwornego astrologa królowej Elżbiety, Johna Dee, któremu służył jako medium. Kelley miał wielki kryształ, i ten kryształ ukazywał mu anioły, z którymi medium rozmawiało swobodnie. Pewnego razu anioły zażądały, by młoda małżonka Johna Dee oddawała się Kelleyowi jakiś czas. Astrolog zgrzy-

tał zębami, ale cóż mógł uczynić — nie mógł przecież sprzeciwiać się woli aniołów.

W Brytanii początków wieku XXI Edwarda Kelleya pamiętali już tylko historycy, natomiast królową jasnowidzów była Sally Morgan. U schyłku lutego 2009 odwiedził ją *„Mediator"*...

Sceptycyzm Xaviera Dugereaux wobec *„wróżbitów"*, rozmaitych *„Pytii"*, *„Sybilli"* tudzież podobnych diw przemysłu wyłudzeniowo–ezoterycznego (tarot, kabała, pasjanse, szklane kule itp.), które żerują na frajerach jak Ziemia długa i szeroka — był solidny, miał racjonalny fundament (zdrowy rozsądek) i wydawał się przypadłością niezbywalną. Póki *„Mediator"* nie usłyszał o Sally Morgan. Usłyszał w Baltimore, gdzie odwiedził Gene'a Poteata, prezesa AFIO — Zrzeszenia Byłych Oficerów Wywiadu. Panowie gawędzili o afgańskich talibach, z którymi trzeba było finalizować jakiś *„półrządowy"* interes blisko Kabulu i *„Mediator"* mógłby się tym, *„po starej znajomości"*, zająć, nie bez widoków na korzyść finansową solidnego kalibru. Gdy już temat Talibanu został wyczerpany, prezes rzucił od niechcenia:

— Mógłbyś również zwiedzić Londyn.

— Nie lubię zwiedzać Londynu, Angole karmią jeszcze gorzej niż wy, to gastronomiczna barbaria! — prychnął *„Mediator"*.

— Wpadnij tam tylko na chwilkę, by zobaczyć Sally Morgan, a wcześniej się umów, co nie będzie rzeczą łatwą, ale ty masz wszędzie kontakty.

— Kim jest ta dama, Gene?

— Jasnowidzącą, nie mów mi, że nie słyszałeś o tej pani, staruszku!

— Staruszku?!!... — ryknął Dugereaux. — Jestem dwukrotnie młodszy od ciebie!

— I dwukrotnie cięższy, dlatego zwą cię: *„Grubas"*. Rusz swą grubą dupę do Londynu. Moi waszyngtońscy przyjaciele chcą, by ktoś pokazał tej babie pewną fotografię i wysłuchał jasnowidzenia.

— Wierzycie w jasnowidzenia?! — zdumiał się głęboko Francuz. — Odbiło wam już kompletnie, chłopcy! Myślałem, że prezydentura Busha dokonała spustoszeń jedynie ekonomicznych, a tu się okazuje, że zostaliście wielbicielami nie tylko bankowych czarów–marów, z kultem sowitych pożyczek dla bezdomnych, z przelewami wirtualnej forsy i z *„kreatywną księgowością"*, lecz również fanami czarnoksięstwa. Jak tak dalej pójdzie, to za rządów Obamy upaństwowicie voodoo.

— A mówią, że jesteś neutralny! — żachnął się prezes.

— Politycznie, Gene, etnicznie, ustrojowo, klasowo, rasowo, natomiast nie ekonomicznie, bo na wywołanym przez was krachu straciłem kilka milionów!

— Na wizycie u Sally Morgan nie stracisz. Porozmawiaj z nią.

— Może być trudno, jeśli rozmawiając z nią, nie będę się umiał powstrzymać od kpin i chichotu.

— Bacz, byś nie musiał się wstrzymywać od płaczu. Było już u niej wielu sceptyków, zgrywusów i złośliwców, którzy chcieli ją ośmieszyć, a wychodzili na kolanach, niektórzy jęcząc. Ta kobieta czyta w ludziach jak w rozłożonej gazecie, wyciąga z klientów najpilniej strzeżone sekrety. Angole mogli to zobaczyć, gdy pisarz Robert Chalmers chciał ją skompromitować publicznie, na ekranach telewizorów. Zapytała go czy mówił komukolwiek o powieści, którą właśnie tworzy. Odparł, że nie, nikomu się nie zwierzał. Więc opisała mu dokładnie fabułę, podała precyzyjną charakterystykę głównego bohatera i przytoczyła kilka smacznych dialogów. Co ty na to?

— Robi wrażenie — zgodził się Francuz.

— Dobiła Chalmersa mówiąc o ciężkiej klaustrofobii jego ojca, czyli o ściśle strzeżonym sekrecie familijnym.

— To robi mniejsze wrażenie. Nie pojmuję tylko dlaczego ja mam iść do tej damy, przecież moglibyście sami się tam udać.

— Nie bardzo. Ona pracuje też dla brytyjskich *„służb"*. Dzięki niej policja znajduje mnóstwo trupów, których bez niej nigdy by nie znalazła, a MI 5 namierza szpiegów i różne inne rzeczy. Szef kontrwywiadu, Evans, jest zazdrośnikiem, rozumiesz?

— Rozumiem — przytaknął Dugereaux.

— Od czasu wpadki Busha i Blaira z rzekomym irackim arsenałem holokaustowym stosunki między nami i Angolami są fatalne, współpraca gówniana. Gdyby się dowiedzieli, że chcemy wykorzystać Sally Morgan, to... Rozumiesz? A ty jesteś świętą krową, masz immunitet ponadrządowy i ponadsłużbowy, tobie nie będą rzucać kłód.

Kolejnego dnia *„Mediator”* rytualnie zajął dwa miejsca w samolocie i wylądował na londyńskim Heathrow. Dzień później dostąpił zaszczytu spotkania z Sally Morgan. Przedstawił się jej jako handlarz serów, co ją tylko rozśmieszyło:

— Pan i ja stanowimy unikaty, robimy numery, których inni nie potrafią wykonywać.

— Zdradzili mnie pośrednicy lub evansowcy! — machnął ręką, dając tym gestem dowód sceptycyzmu.

— Czy ci pośrednicy i funkcjonariusze MI 5 wiedzą również jak duże środki przeznacza pan na leczenie swojego kochanka, drogi kliencie?

Dugereaux zbladł. Otworzył usta, lecz nim zdążył coś powiedzieć, usłyszał gorsze rzeczy:

— To nie da rezultatu, pański przyjaciel zejdzie nim minie ten rok. Ma pan bardzo dużo szczęścia, iż nie zaraził pana, dzięki czemu szczęście mają też ci nieletni chłopcy, których rutynowo użycza panu chiński wywiad, kiedy kursuje pan między Pekinem a Tajwanem. Jeden skaleczył pana drewnianą pałeczką do potraw, wbił ją panu w udo...

— Starczy, starczy! — krzyknął Francuz. — Mój początkowy sceptycyzm wobec pani talentów właśnie uleciał. Gdybym miał kapelusz, zdjąłbym go.

— Gdyby to było sombrero, miałoby średnicę większą niż ten stolik między nami — roześmiała się jasnowidząca. — Przyniósł pan latynoską fotografię, proszę ją dać, szkoda czasu.

Wyjął fotkę i rzucił na stolik, tłumacząc:

— Z tym nieletnim nie miałem kontaktów, te rany to nie moja sprawka, nie znam tego chłopca!

Dobrą minutę Sally wpatrywała się w okaleczone dziecko, którego wzrok i usta emanowały rozdzierający serce ból. Ułożyła lewą dłoń na fotografii, zamknęła oczy i rzekła:

— Porwali go... Skrzywdzili... Zwyrodnialcy... Nigdy już nie opuści go wspomnienie tamtego koszmaru... Mogłabym ujawnić wam dużo szczegółów i zidentyfikować kidnaperów, gdybym miała któregoś przed sobą, lub gdybym miała chłopca przed sobą.

— To niemożliwe — szepnął Francuz. — A teraz co może pani podać?

— Że główny sprawca, herszt, nosi perukę, długie włosy, i ma bliznę na brodzie, bardzo rozległą.

— Jakiego koloru peruka?

— Blond, białe włosy, niczym u kobiety. Jego goryl ma sygnet z zębatym oczkiem, do uderzeń, rodzaj minikastetu. Widzę też trzeciego, ten ma uniform, mundur policji lub żandarmerii lub jakiejś straży meksykańskiej, może służby celnej, nie wiem.

— Proszę go opisać bardziej szczegółowo.

— Jest mi trudno, nie widzę zbyt precyzyjnie, widzę przez mgłę, przez opar, samo zdjęcie nie daje dobrego wglądu. To chyba oficer, tak, oficer, bardzo pyszny, arogancki, pali cygaro, trzyma je lewą ręką, to mańkut... Widzę też kobietę przy tym chłopcu bez ucha...

— To jego matka, czy członkini gangu?

— Nie z gangu, i nie matka, ale to ktoś z rodziny. Widzę i drugą kobietę, młodą, bardzo piękną... To kobieta tamtego oficera. Nie lubi być bita, i nie lubi bić, ale często bije, ponieważ on lubi, żeby go chłostano. Ona robi mu sadoerekcję, pejczem wywołuje mu wzwód.

— Blondynka, brunetka, wysoka, niska?

— Coś pośredniego, niewysoki wzrost i koloryzowane włosy. Paznokcie u rąk i nóg malowane fioletowo, duży biust, wargi też duże, jak opuchnięte, à la Jolie.

— Kto?

— Angelina Jolie.

— Gwiazda Hollywoodu?

— Tak. To wszystko zresztą będzie niby w hollywoodzkich produkcjach, keczupowo.

— Nie rozumiem...

— Poleje się dużo krwi, monsieur, więcej niż keczupu.

Gdy wstał, by zniknąć, wyciągnął dłoń, by się pożegnać. Odmówiła:

— Nie ściskam rąk pedofilów, monsieur.

Na ulicy czekał srebrzystobłękitny rolls–royce, którego szyby nie przepuszczały kul i wzroku. To był dobry wynalazek; zwłaszcza opcja druga, niewidoczność, była dobra dla *„Mediatora"*, gdyż siedział wewnątrz pąsowy ze wstydu. Zdemaskowano jego dewiację seksualną i obalono jego sceptycyzm wobec metafizyki stosowanej, co upokorzyło go i trochę unormalniło (umniejszyło), wszelako nie zderacjonalizowało go aż tak bardzo, by zaczął wierzyć również w Pana Boga.

* * *

Maleńki strumyk, gdzieś na wysokim górskim zboczu, płynąc zmienia się w ogromną rzekę, której bieg kończy delta całująca morskie fale. Ziarenko wilgotniejące pod trawą przebija grunt i rosnąc przybiera imperialny kształt dębu. Niewinna uczennica religijnej szkółki dla panienek z dobrych domów kwitnie dzięki sprzyjającym okolicznościom ku roli wyuzdanej primabaleriny domu publicznego. Et cetera, et cetera — wszystko, co jest mikre, ma szansę urosnąć, nabrać ciała i siły. Jak prywatna inicjatywa odwetowa señora Ramíreza, która bez jego wiedzy (choć za jego pieniądze) wyewoluowała w tajną amerykańską operację *„Sandbox"*. Kiedyś *„sandbox"* znaczyło: piaskownica; dzisiaj określa się tak również wirtualne środowiska tworzone przez komputery. Planowana sztuczna meksykańska rzeczywistość mnisich przebierańców z zespołu zwanego *„Czwórką"* pasowała do tego kryptonimu, którego brzmienie przekazał im Derek Hatterman z NCS (National Clandestine Services — Narodowe Służby Tajne), *„firmy"* będącej odnogą CIA zajmującą się głównie *„humint"*, czyli ludzkimi źródłami informacji. Szef NCS, dyrektor Michael Sulick, wyznaczył go jako *„handlera"* (oficera prowadzącego) operacji *„Sandbox"*.

Hatterman był niegdyś policjantem, detektywem w *„Homicide"* SLPD (Wydziale Zabójstw Departamentu Policyjnego Saint Louis). Przestał być miejskim *„gliną"*, gdy odniósł swój największy sukces. Udało mu się wytropić i aresztować seryjnego zabójcę młodych mężczyzn i chłopców. Pewnego dnia wiózł go karetką policyjną z gmachu prokuratury do siedziby sądu. Aresztowany powiedział chełpliwie:

— Wpadłem tylko przez pieprzonego pecha, przez głupi traf, inaczej nie namierzylibyście mnie nigdy, bo jestem zbyt mądry dla was, gliniarzu!

Derek odparł spokojnie:

— Inteligencja wcale cię nie wyróżnia. Wielu seryjnych zabójców, a także innych kryminalistów, rabusiów czy kombinatorów, ma niezłe IQ, są inteligentni. To jest ta dobra wiadomość.

— A ta zła? — zaciekawił się Murzyn.

— Że większość z nich to świry, psychole zupełne.

Wtedy aresztant dostał szału. Dłonie miał skute i przykute, lecz nogi wolne, udało mu się więc kopnąć Hattermana w biodro. Silny ból zneutralizował rozsądek funkcjonariusza, którego pięść szybko spacyfikowała bandytę. Sąd uznał to za policyjny grzech śmiertelny, dzięki czemu (jak również dzięki *„nielegalnemu podsłuchowi"*, *„nieformalnemu aresztowaniu"* i *„niedopełnieniu procedur pierwszego przesłuchania"*) zboczeniec został bez rozprawy wypuszczony na wolność. Sędzia gej uwolnił geja kryminalistę — dla Hattermana był to prawdziwy koszmar. Rzucił robotę policyjną i wysłuchawszy rady kumpla będącego oficerem CIA, dołączył do grona *„szpiegów"*.

8 stycznia roku 2009 porucznik Hatterman i mecenas Abelman spotkali się na parkingu supermarketu przy Connecticut Avenue w Chevy Chase (Washington D.C.). Było to ulubione miejsce spotkań członków AFIO tudzież pracowników CIA, NCS i kilku innych

„służb", gęste jak rozległy las i gwarantujące niezakłócaną intymność. Początkowo rozmawiali o milionach Ramíreza:

— Duży farciarz, mimo kryzysu i szalejącej recesji stracił niewiele — rzekł Hatterman, sącząc 7–up z papierowego kubka i gryząc frytki. — Jak sądzisz, długo to jeszcze będzie trwało?

— Nie wiem, ale wiem kiedy się to zakończy. Gdy już przestaniemy słyszeć śmiech Karola Marksa, który radośnie fika nóżkami w grobie, bo widzi zmartwychwstanie socjalizmu — rzekł Lowa, ciągnąc piwo. — Dwadzieścia lat temu realniejsza była agresja kosmitów niż nacjonalizacja banków, a tymczasem kosmitami okazali się bankierzy. Bracia Marx nie rozśmieszyliby pana Marksa bardziej!... Jak byłem studentem, uczono nas, że Marks to gówniany prorok, bo nie przewidział triumfu kapitalizmu. Lecz moją więdnącą kieszeń obchodzi raczej fakt, iż nasi ekonomiczni geniusze nie przewidzieli krachu systemu kredytowego i reaktywacji systemu subsydiarnego alias czerwonego!

— Cóż chcesz, *„prognozy są bardzo trudne, zwłaszcza te tyczące przyszłości"* — roześmiał się Hatterman.

— Ładnie to ująłeś — pochwalił zasępiony Lowa.

— Woody Allen tak to ujął, ja nie jestem równie dowcipny.

— Nie jesteś też równie sławny, równie bogaty, równie dzieciaty i równie pyskaty.

— W moim fachu sława jest bardzo źle widziana, wylewność jest przeklęta, dzieci są balastem, a bogactwo budzi podejrzenia, że pracujesz dla Ruskich lub Chińczyków. Jak się jest biednym, to trzeba szukać sponsora, i proszę, dobrzy ludzie mają szczęście: przychodzi meksykański krezus, który chce się mścić. Gwiazdka z nieba, co?

— Nawiązaliście kontakt?

— Nie, ale lubimy faceta bezkontaktowo, bo to szczodry gość i solidnie zawzięty.

— Nie on jeden, zawziętych często się spotyka. Parę lat temu pewien czarny gej mordujący swych kochanków został uwolniony przez sąd, bo przy aresztowaniu ktoś mu niedokładnie wyrecytował prawa, a rok później znaleziono tego Negra podziurawionego kulami magnum. Słyszałeś o tym?

— Coś mi mówiono... — skinął głową Hatterman, maczając frytkę w sosie. — I chyba widziałem zdjęcie przeglądając gazety. À propos fotografii: chętnie bym tej londyńskiej wróżce pokazał zdjęcia paru moich kolegów, żeby wskazała *„kreta"*, o którym mówił Tiomkin. Lecz mi nie wolno.

— Sulick słusznie ci zakazał, bo GRU i SWR czy FSB szybko by się dowiedziały, a tutaj nikt, żaden sąd, nie potraktowałby serio paplaniny baby jasnowidzącej.

— Brytyjskie *„służby"* korzystają z jej usług! — przypomniał Hatterman.

— Możliwe, iż korzystają...

— Możliwe? Bez żadnej wątpliwości korzystają, wiemy o tym! Brytole robili to zawsze, wcześniej mieli jasnowidzącą Nelly Jones, dzięki której Scotland Yard łapał więcej bandytów, znalazła im nawet ukradzione płótno Vermeera. Teraz mają Sally Morgan i są wniebowzięci.

— Tak? To dlaczego baba nie przyjedzie tutaj i nie zainkasuje okrągłego miliona dolców, który jest złożony w skarbcu Goldmana Sachsa i czeka na kogoś, kto udowodni swoje zdolności parapsychiczne?

— Może dlatego, że dolar leci na pysk...

— Bardzo dowcipne! Ten milion czeka już tyle lat, setki magików i ezoteryków próbowały go chapnąć, ale wszystkich kontroluje i demaskuje, czyli ośmiesza, zespół iluzjonistów Randiego, bo to oni, James Randi Educational Foundation, trzymają złoty klucz. Przez tyle lat żaden telepata i spirytysta nie sforsował zamka, nikt nie dowiódł, że ma autentyczne paranormalne możliwości, a my mielibyśmy uwierzyć w winę kogoś, kogo wróżka wskaże nam jako *„kreta"* pracującego dla GRU?!

— Jeśli tak, to czemu w ogóle wysłaliście do niej *„Mediatora"*?

— Gene Poteat się uparł, on wierzy w te rzeczy. No i sprawa, z którą jechał tam Francuz, jest zupełnie inna, nie zaalarmuje SWR czy GRU. Może to coś da chłopakom, może nie da, ale nie przeszkodzi.

Hatterman był zwolennikiem misji *„Mediatora"*, lecz teraz wyraził odmienny sąd, dla prostej satysfakcji dokuczenia racjonalizmowi i logice człowieka, który wszczął spór:

— Mylisz się, może przeszkodzić.

— Jak?

— Może ich pchnąć na fałszywe ślady, jeśli baba konfabulowała, a oni będą uporczywie szukać *„Bliznobrodego"*.

— Wasi agenci weryfikują tę... tę informację?

— Tak, chwilowo bez skutku. Również bez skutku próbujemy namierzyć lalkę, która rzekomo zraniła generalskie serduszko, i to może być szukanie drugiego widma, stracony czas, bo skąd pewność, iż teza *„Wieży"* wydedukowana z łzawego rymu Lermontowa jest faktem, a nie pustą spekulacją?

— *„Wieża"* będzie niuchał wokół generała...

— Niech on się nie wychyla na razie, generał Tiomkin jest bardzo czujny!

— Tiomkin mu bezgranicznie ufa — zapewnił mecenas, otwierając drugą heinekenowską puszkę.

— *„Bezgranicznie"*, mówisz? Chyba cię pogięło, Lowa, kompletnie pogięło! Rosyjskim *„handlerom"* wpaja się nieufanie nikomu, własnemu ojcu, bratu, nikomu!

— Między nimi dwoma jest rozpięty specyficzny most, lub raczej węzeł duchowy — rzekł Abelman. — *„Wieża"*, u Rosjan *„Y"*, czaruje Tiomkina braterstwem... jak tu je nazwać?... literackim, ot co! Intelektualnym, kulturowym, poetyckim, cytują sobie wzajemnie Szekspira i Lermontowa, istny teatrzyk deklamatorów, ale dla nas jest ważne, iż Rusek bierze to serio. Imponuje mu, pochlebia mu, sprawia mu przyjemność, że ten młody geniusz, poliglota, językoznawca, szekspirolog, traktuje go partnersko na płaszczyźnie intelektualnej. Johnny gra tak z tym kagiebowcem już od dawna, od czasu kiedy Tiomkin jako pułkownik był szefem *„rezydentury"* w Kanadzie. To rzekome partnerstwo intelektualne uśmierza kompleksy pół–Cygana, wytwarzając swoistą paragejowską miłość do Johnny'ego. Psychologia zna takie zauroczenia i takie związki.

— Nie wierzę w Tiomkina homoseksualistę! — prychnął Hatterman gębą pełną frytek i sosu. — Zbok nie zrobiłby u nich szpiegowskiej kariery, czekiści bez trudu wykrywają gejostwo!

— Użyłem metafory, baranie! — zezłościł się Lowa. — Powiedziałem: związek paragejowski.

— I powiedziałeś, że Tiomkin to pół–Cygan. Same ciekawe rzeczy mówisz od kilku minut.

— Nie wiedzieliście tego?

— Nie. A to ważne?

— Może być ważne, bo Meksyk jest szlakiem narkotykowym, a Tiomkin jest specem od narkotyków. Gene to wyniuchał. Kilkanaście lat temu, za Jelcyna, DEA pracowała w Rosji między Moskwą a miastem Kimry, które było heroinową stolicą Rosji centralnej. Podmiejski pociąg z Moskwy do Kimry zwano *„zieloną igłą"*, a blisko stacji Sawieliewo leżał obóz węgierskich Cyganów, Lowarów, zwany *„Hollywood"*. Ci Cyganie byli głównymi dystrybutorami i dilerami *„koksu"*, DEA zwerbowała ich herszta, niejakiego *„Rybę"*...

— I z tych Lowarów wywodzi się Tiomkin?

— Nie przerywaj, dopiero zacząłem, to fajna historia. Jak Gene nam to opowiadał, brzuchy bolały nas od śmiechu.

— Nie wiedziałem, że Poteat pracował kiedyś w Antynarkotykach. Tyle lat był szefem Nowych Technologii w CIA...

— Tak, a obecnie jest profesorem w The Institute of World Politics. Nigdy nie pracował w DEA. Wtedy, na początku lat 90–ych, pewien jego niuchacz kręcił się wokół Moskwy, szpiegując ruskie Kolejowe Zespoły Rakietowe, które miały przechytrzyć reaganowską SDI. Niuchacz był kadrowym pracownikiem DEA, lecz przy okazji robił też dla CIA, nie znam szczegółów.

— Więc to od niego Poteat kupił tę *„gipsy–story"**?

---

* historyjkę cygańską.

— Od niego. Słuchaj dalej. Ów „*Ryba*"... Aha, zapomniałem ci rzec, iż „*ryba*" znaczy u tamtejszych Cyganów to samo, co u Meksykanów i u nas „*macho*", kawał samca. Był bardzo jurny i ciągle zmieniał żony. U Cyganów to jest proste, oni nie respektują biurokracji, państwa, przepisów, kodeksów, niczego. Cerkiew też mają gdzieś. Wszedłeś do domu dziewczyny — znaczy zostałeś mężem kobiety. Wyszedłeś za próg — znaczy się rozwiodłeś. Fajne, prawda? Czasami „żenił się" z dwiema siostrami od razu. Aż nieprzelecianych zabrakło w obozie, no to jego chłopcy porywali mu dupy z Czernigowa, z obozu ruskich Cyganów, Iwanowów. Wszyscy mężczyźni tego szczepu nosili nazwisko Iwanow. Tiomkin jest synem „*Ryby*"...

— Mówiłeś, że jest pół–Cyganem!

— Tak, gdyż „*Ryba*" spłodził go z Rosjanką, panną Tiomkin, młodą ćpunką, która przyjechała do „*Hollywoodu*" po dużą działkę „*koksu*". Tiomkin wstydzi się tego, więc swoje ostre rysy, krucze włosy i śniadą cerę przedstawia jako kaukaskie, mówiąc, że mamusia była Gruzinką, a Ruskiem był tatuś. „*Kaukazczyk*" Lermontow robi mu dobrze na psyche, stąd lermontologia generała Tiomkina.

— Jakie to wszystko ma znaczenie dla nas? — spytał pragmatyczny Hatterman, widząc, iż nie da rady zeżreć wszystkich frytek, bo ich obfitość przerosła jego pojemność.

— Takie, iż Tiomkin wyszedł ze środowiska narkotykowego, i później był ekspertem KGB do spraw narkotyków, a w Kanadzie kontrolował dużą część narkotykowego rynku, co zresztą sprawiło, że przyplątał mu się „*Szekspir*"/„*Y*"/„*Wieża*"*. Niewykluczone, iż Tiomkina rzucono do Meksyku właśnie dla „*drugów*", dla kontaktu z przemytnikami i dilerskimi gangami. Zwalczająca te gangi DEA chce wykorzystać do swej gry „*Czwórkę*". Oto związki, kochasiu. Robi się ciasno, boję się, że Clint będzie miał zbyt wiele zadań.

---

* Patrz W. Łysiak, **„Lider"**.

Hatterman uniósł papierowe pudełko i spytał tonem dobroczyńcy:

— Chcesz frytkę?

— Wypierdalaj! Chcę jeszcze pożyć, a od tego syfa zdycha się jak od cyjanku!

— Nie, to nie! — burknął Hatterman, zamykając pudełko.

Abelman zerknął na zegarek:

— Spóźniają się, do cholery!

Jakby usłyszawszy te słowa, pojawił się obok ciężarówki Clint Farloon, kopnął blachę, a chwilę później on i Nowik byli już wewnątrz kontenera zdobionego napisem „Interstate Transport”.

— Czemu spotykamy się w takich kretyńskich miejscach i pudłach? — rzekł, witając dwóch „gospodarzy”. — Doszło już do tego, że śledzą nas *„psy”* FBI lub CIA?

— Ależ skąd, doszło tylko do tego, że mogą nas śledzić *„psy”* SWR, DGI lub GRU — wyjaśnił Lowa. — *„Wieża”* raportuje o *„krecie”* wewnątrz NCS, gadał mu o tym Tiomkin.

— Dziwne... — pokręcił głową Farloon. — Dlaczego Tiomkin zdradził mu taki sekret, czy to nie prowokacja? Może chcą wywołać *„efekt Angletona”*, sparaliżować działalność NCS wewnętrznym śledztwem, które bezskutecznie mnoży podejrzanych i wykańcza *„firmę”* eskalując chaos?

— Pamiętamy koszmarny *„gąszcz luster”* Angletona, nie damy się zwariować szarpaniną tego rodzaju — zapewnił Derek. — O *„krecie”* wiedzą u nas, póki co, cztery osoby, dyrektor, dwóch wice i ja. U was wie Lowa i teraz wy dwaj, łącznie siedmiu ludzi. Przyjmujemy, że John nie jest spalony, a informacja nie jest prowokacją, lecz chwilowo wstrzymujemy śledztwo, bo mogłoby spalić Johna wobec Tiomkina.

— A jeśli *„kret”* to Sulick, któryś z wice lub pan? — spytał bezczelnie Farloon. — Wtedy w Meksyku *„Czwórka”* stanie się szybko mokrą plamą.

— Gdzie tam! — uspokoił go Lowa. — Ruscy chcą koniecznie dorwać jakichś członków Team One, więc szybko was nie zabiją, będą was długo torturować, wyciągając sekrety, pożyjecie całe tygodnie.

— Omówmy szczegóły waszej misji, pułkowniku — rzekł Hatterman. — Kontrakt z Ramírezem nie jest dla nas sprawą istotną...

— Dla mnie ten kontrakt jest sprawą priorytetową! — zaoponował Farloon. — Dałem Ramírezowi słowo i on mi płaci, wam zresztą również, bo bez jego forsy moglibyście sobie nagwizdać. To kwestia resztek mojego honoru, który splamiłem okradając tego faceta, czyli godząc się, byście realizowali swoje cele za jego pieniądze.

— Posikam się ze wzruszenia! — sapnął Abelman szyderczo.

— Wal się, Lowa, ja przede wszystkim realizuję cel kontraktu! Przy okazji również, ale drugoplanowo, cele NCS i DEA, czyli lądowisko kolumbijskich łodzi i Tiomkinadę. Jak się panom nie podoba, to adios muchachos!

— Kiedy byłem uczniem, wpajano nam, iż żołnierz jest wzorem patrioty! — westchnął zdegustowany kpiąco Lowa. — Tymczasem dupa blada! Przez takich właśnie hipisów pseudopatriotów Mulat będzie rządził komuną waszyngtońską. À propos, Dereczku, ten dzielny skaut jeszcze nie wie, że ich misja dostała nazwę służbową, też waszyngtońską.

— *„Sandbox"* — oznajmił porucznik Derek Hatterman.

* * *

Muzea są kochane przez turystów. Nawet ci, którzy we własnym kraju omijają muzea — w kraju obcym wizytują je dla udowodnienia sobie (i przyjaciołom, którym się relacjonuje wycieczkę po powrocie z turnusu), że są ludźmi kulturalnymi. Chodzi głównie o *„zaliczanie"* takich muzeów, co mają renomę globalną, jak Luwr, British Museum, Prado, Uffizi czy Ermitaż. Tylko prawdziwi koneserzy udają się do mniejszych (często specjalistycznych) galerii i muzeów, gdzie nie ma mowy o tłoku — zazwyczaj jest tam pustka pachnąca snobizmem. Permanentne tłumy (od rana do wieczora) bywają jedynie na wystawach sztuki współczesnej urządzanych w placówkach publicznego ruchu intensywnego, exemplum metro. Stacje metra w stolicy Meksyku goszczą 30 wystaw miesięcznie, co daje 5 milionów widzów każdego dnia. Fenomenalna frekwencja vel *„oglądalność"*. Przymusowa tout court.

Wzorem każdej metropolii tego świata — Miasto Meksyk posiada wiele muzeów dużych, średnich i małych, ze sztuką bardzo starą, sztuką starą, sztuką nowszą i sztuką najnowszą czyli awangardową. Bywa też i tak, że muzeum sztuki starej przedzierzguje się w muzeum sztuki awangardowej, jak choćby wnętrza dawnego klasztoru i kościoła San Diego de Alcala przy ulicy Doctor Mora nr 7. Sekularyzowane salki (dawna nawa, dawna zakrystia, dawne kaplice i fragmenty eksklasztoru) mieściły niegdyś Muzeum Malarstwa Kolonialnego (Pinacoteca Virreinal de San Diego), lecz u schyłku XX wieku wywieziono stąd stare religijne malowidła i w roku 2000 zaadaptowano mury na Laboratorio Arte Alameda, czyli na muzeum sztuki bardzo nowoczesnej.

11 stycznia 2009 pewien samotny turysta szwendał się po komnatach Laboratorio Arte Alameda, lustrując ze zdziwieniem, ze zdegustowaniem, wreszcie z obrzydzeniem wytwory awangardzistów zwane sztuką wskutek umieszczenia ich wewnątrz przybytku zwanego galerią, a nie w przybytku zwanym piwnicą, strychem, śmietnikiem, złomowiskiem lub magazynem odpadów. Kiedy kontemplował dzieło nazwane **„Erotyczna trangresja czasu permisywnego 32"**, usłyszał zza pleców ciche pytanie:

— Major Nowik?

Odpowiedział równie cicho i również po polsku:

— Tak, John Nowik. Pan John Serenicki?

— Tak, miło spotkać rodaka.

— Zwłaszcza imiennika — uśmiechnął się *„Pole"*.

— Mów mi Jaś, okay?

— Ty mnie też, proszę bardzo.

— Ale może nie po polsku, to tutaj niebezpieczne odkąd Tiomkin szuka Polaków z Team One.

— Po meksykańsku Jaś to Juanito, prawda?

— Prawda — skinął głową Serenicki.

— To ja będę Juanitem. Szukają Jasiów, a nie Juanitów.

— Nie byłeś śledzony przez Ruskich lub Kubańców, Juanito?

— Gdybym był śledzony, nie wszedłbym tutaj, umiem rozpoznawać *„ogon"* — zapewnił *„Juanito"*. — Nikt mnie nie śledził.

— Długo czekałeś na mnie?

— Trochę, ale nie nudziłem się zbytnio, tyle tu ciekawych wyrobów...

Serenicki przyjrzał się sceptycznie kłębowisku rurek i płaskowników **„Erotycznej trangresji czasu permisywnego 32"**, i zapytał:

— Lubisz sztukę współczesną?

— Tak, mam w mieszkaniu plakat z Elvisem — mruknął Nowik.

Przypadł *„Wieży"* do gustu dzięki temu poczuciu humoru, które łączy *„jajcarzy"* całego świata. Serenicki mógłby rzec, parafrazując klasyka socjalizmu: „Jajcarze wszystkich krajów — łączcie się!", więc każda bratnia dusza krzepiła go na samopoczuciu, a rozpoznawał te dusze błyskawicznie, niczym zwierzęta rozpoznające się w puszczy po zapachach, starczyło pół słowa, pół zdania, błysk oka lub tylko skrzywienie ust.

— Winien już być — rzekł major, patrząc na zegarek. — Jakie dali ci hasło?

— Kapucynowo–kawową grę słów.

— Kapucynowo–kawową grę słów?! To jakiś idiotyzm.

— Abelman tak wymyślił, bo wie od Clinta, że lubię gry słów. Sami jajcarze, gdzie nie spojrzeć! A hasło tamtego?

— Ma ubolewać, iż nie umie po polsku — rzekł *„Pole"*.

W tym momencie ktoś delikatnie dotknął jego ramienia. Nowik odwrócił się i ujrzał niskiego mężczyznę około czterdziestki, z parodniowym czarnym zarostem i ze staromodnymi drucianymi okularami prowincjonalnych belfrów lub urzędników. Mężczyzna zapytał grzecznie:

— Puede ayudarme, por favor? Estoy en un apuro. Quiero hablar con un Polaco, pero no hablo polaco.

— Soy Polaco. Me llamo Nowik.

— Soy capuchino, bibliotecario en Biblioteca de Santuario Guadalupe, me llamo *„fray Esteban”**.

Serenicki włączył się do dialogu grą słów:

— Capuchino? Prefiero whisky. Me da un vaso de Jack Daniels, con hielo, por favor**.

— Kiepska ta gra słów — skrzywił się zakonnik. — Muzeum to nie bar, wyszynk tutaj budziłby równe zdziwienie jak habit tutaj. Dlatego włożyłem cywilne ciuchy.

— To oczywiste, ja też zostawiłem szpilki i pończoszki w domu — rzekł Nowik.

Mnich uścisnął im dłonie, karcąc oraz chwaląc:

— Marniutkie te wasze błazeństwa, lecz prawidłowo mówicie po hiszpańsku. Od dawna znacie ten język?

— Ja od chwili, kiedy wkułem, że *„buenos días”* to przedpołudniowe *„dzień dobry”*, a *„buenas tardes”* popołudniowe, i że to drugie może też oznaczać *„dobry wieczór”*, choć *„buenas noches”* to także *„dobry wieczór”*, a równocześnie *„dobranoc”* — wyznał Nowik.

Drugi *„Jaś”* znowu popisał się grą słów, tym razem ewidentnie lepszą:

— En cuanto a mi — desde que comprendido que en México no cada cual caballero se porta como un caballero***.

— Brawo! — pochwalił mnich. — Chociaż można to tłumaczyć bardzo różnie, bo *„caballero”* znaczy i pan, i mężczyzna, i kawalerzysta, i jeździec, i koniarz, i szlachcic, i kawaler, i rycerz,

---

* — Czy może mi pan pomóc? Mam pewien kłopot. Chciałbym rozmawiać z Polakiem, ale nie znam polskiego języka.
— Ja jestem Polakiem. Nazywam się Nowik.
— A ja jestem kapucynem, bibliotekarzem w Bibliotece Sanktuarium Guadalupe, zwą mnie *„brat Stefan”*.

** — Kawa cappuccino? Wolę whisky. Proszę o szklankę Jacka Danielsa, z lodem, jeśli można.

*** — Natomiast ja — odkąd zrozumiałem, że w Meksyku nie każdy rycerz zachowuje się rycersko.

i dżentelmen, i uparciuch, i człek prawy, wszystko zależy od kontekstu.

— Bezbłędny jest klozetowy kontekst, bracie Stefanie — palnął „*Wieża*". — Napis „*Caballeros*" na drzwiach męskich sraczy...

— Nie lubi pan Meksyku? — domyślił się kapucyn.

— Nie lubię. Hiszpanii też nie lubię. Nie lubię krajów, gdzie jednego byka dźga na śmierć gromada dwunożnych łajz, i zwą to odwagą tudzież sportem honorowym. Nie lubię krajów, których ludność, podżegana przez komuchów, masowo mordowała katolickich księży i dewastowała lub sekularyzowała świątynie. Czyż nie stoimy akurat w jednym z takich przybytków? Dzicz zdarza się wszędzie, ale tu widać jej bardzo dużo.

— Naród meksykański jest teraz bardzo religijny, to wzorowa owczarnia Boża — próbował polemizować mnich. — Do Madonny z Guadalupe pielgrzymki nie ustają, zobaczycie tam permanentny tłum. Miliony turystów też sławią Meksyk, którego sztuka jest piękna, zamierzchła, oryginalna...

— Tak, aztecka — przytaknął Serenicki. — Zwłaszcza ci bożkowie holokaustowych masakr, ludobójstw, te wielkie świątynie rytualnych morderstw, sadystycznych bestialstw, te katowskie blaty stołów do wycinania bijących serc jeńcom, także dzieciom. Plus te gigantyczne murale komuchów sprzed stu lat, jaskiniowe pacykarstwo latynomarksizmu. Meksykańsko–hiszpańską radość sprawia mi wyłącznie język, bo lubię leksykologię, wersologię, semazjologię i semantykę.

— A ja lubię matematykę — wypiął pierś „*fray Esteban*".

— Zazdroszczę księdzu. To znaczy bratu.

— Ja też ci zazdroszczę, synu, twojej łatwości uczenia się każdego języka, mówiono mi o tym.

— Nie każdego, czasami się poddaję.

— Nie uwierzę bez przykładu.

— Język Indian Navajo.

— To ci szyfranci wojenni?

— Tak.

— Widziałem film o nich kilka lat temu. Próbowałeś się uczyć tego języka?

— Próbowałem, bezskutecznie. Przykładowo: zjawisko upadania ma tam kilka różnych wyrazów, zależnie od tego co akurat upadło. No i tony. W językach tonicznych znaczenie wyrazom dają tony. U Navajów cztery tony. Piekielnie trudna mowa, dla dorosłego właściwie nieprzyswajalna, zwłaszcza że nie istnieje forma pisana języka Navajów. Przyswoić sobie ten język może tylko dziecko, później każdy wysiłek stanowi już *„mission impossible"*.

— Prośmy Pana i Matkę Bożą, aby wasz wysiłek tutaj nie był *„mission impossible"* — rzekł zakonnik. — Nie znam celów waszej misji, ale domyślam się, że skala trudności będzie ekstremalna. Moim zadaniem jest pomóc wam na obszarze Villa de Guadalupe i wskazać kilka miejskich punktów spotkań oraz ucieczki, gdy zajdzie taka konieczność.

— Ja w tej misji nie biorę udziału — wyjaśnił *„Wieża"*. — Powitałem tylko majora Nowika, który przybył tutaj na rekonesans, zwierzchnictwo chciało, byśmy się zapoznali. Ale chętnie zobaczę miejsca spotkań i drogi ucieczek, mogą i mnie się kiedyś przydać, gdy trzeba będzie dać chodu.

— Pójdźmy więc — rozkazał mnich.

Zeszli z pierwszego piętra do parterowych pomieszczeń dawnego klasztoru, minęli dawną zakrystię i znaleźli się w magazynie, obok którego był pokoik administracyjny. Siedząca tam kobieta uśmiechnęła się widząc ich, po czym bez słowa opuściła komnatę. Wówczas kapucyn dotknął jakiegoś przycisku i ciężka drewniana szafa odchyliła się, ukazując drzwi, za którymi były schody ku dawnej krypcie i ku poklasztornym lochom. Przedreptali nimi kilkadziesiąt metrów, świecąc latarką, którą zakonnik wyjął z niszy w ceglanym murze. Doszli do żelaznej klapy, a po jej uchyleniu zobaczyli krzewy ogrodu.

— To krzewy na Plaza de la Solidaridad, tu jest pierwsza możliwość wyjścia, ale trochę niebezpieczna, bo nie jest gęsto — rzekł mnich. — Dwa inne wyjścia są tuż za ulicą Doktora Mory, w największym parku zabytkowego centrum stolicy, Alameda Central. Topole, jesiony, sosny oraz jakarandy, sporo chaszczów, łatwo się kryć, bawić w chowanego. Idziemy, panowie.

Pół godziny prowadził ich korytarzami, które budowano pod parkiem Alameda przez kilka wieków (XVI–XIX), a kiedy wrócili do komnatki w dawnym klasztorze San Diego de Alcala, zrobił im wykład o kilku zabytkach Ciudad de México. Wcześniej jednak spytał:

— Jak tam lekcje u brata Hilariona, panie majorze? Czyście już sobie przyswoili coś mnisiego?

— En todo y por todo, fraile, con toda el alma!* — wygłosił z emfazą Nowik, budząc śmiech Serenickiego i kapucyna.

— Musicie też poduczyć się historii sztuki, panowie, bo będziecie tu grać kapucynów prowadzących studia nad malarstwem religijnym.

— Otrzymaliśmy już profesora — rzekł *„Pole”*.

— Świetnie. Malarstwo religijne kolonialne było niegdyś zgromadzone w tym budynku, ale zostało przeniesione do Narodowego Muzeum Sztuk Pięknych, i tam się wkrótce udamy przez park Alameda. Wokół parku funkcjonują liczne kościoły i muzea zabytkowego centrum stolicy, prawie wszystkie w starych budowlach, które od urodzenia miały rozległe piwnice i lochy prowadzące ku innym pałacom, rezydencjom i kościołom. Dla badaczy religijnego malarstwa te kościoły i muzea są naturalnym obszarem studiów, a posiadają i ten walor, że często bywają zatłoczone, można więc tam ukryć się wewnątrz tłumu, by intymnie konspirować. Park, wokół którego egzystują, również daje możliwości sekretnych kontaktów. Największe tłumy przemierzają muzea, kiedy jest dzień wolny od opłat, dzień bez biletów. Są to dni różne, trzeba je pamiętać.

— Każde muzeum ma inny dzień bez biletów, tak? — spytał major.

— Tak. Wytypowaliśmy dla was trzy muzea, nie licząc tego, w którym się znajdujemy. Museo Franz Mayer, Museo Nacional

---

* — Pod każdym względem, bracie, i całą duszą!

de Arte i Museo Nacional de San Carlos. To ostatnie mieści bogate zbiory malarstwa europejskiego i jest położone najdalej od parku, w rezydencji hrabiów Buenavista, ale ma własny ogród i wyjście z lochu blisko dużej fontannowej sadzawki. Muzeum Franza Mayera to równie piękny pałac sprzed kilku wieków, prawie identyczna sadzawka fontannowa, a wewnątrz gmachu kolekcje meksykańskiej sztuki użytkowej i dekoracyjnej. Leży przy placyku, który flankują dwa kościoły: Santa Veracruz i San Juan de Dios. Oba kościoły i muzeum są połączone lochami, jest tam cały labirynt korytarzy, zaprowadzę was. Od parku Alameda dzieli ten zespół tylko jezdnia Avenida Miguel Hidalgo. Pod ulicą biegną długie lochy, które niegdyś prowadziły na plac Quemadero, gdzie Inkwizycja paliła heretyków. Później ten plac zaorano, zadrzewiono i przyłączono do Alamedy. Dzień wolny w Muzeum Mayera to wtorek, w San Carlos poniedziałek, w Narodowym i tutaj niedziela.

— Wszędzie tam mamy naszych ludzi? — spytał Nowik.

— Wszędzie — odparł brat Stefan. — Jesteśmy małą kapucyńską ośmiornicą. Głębinową, żeby nie było widać. Pójdziemy teraz do Muzeum Narodowego Sztuk Pięknych, lecz nie razem. Pan major pójdzie aleją parku, a poliglota ulicą Hidalgo. Jak zobaczycie przed wielką neoklasycystyczną fasadą konny posąg Karola IV, znaczy, że jesteście na miejscu. Spotkamy się w dziale malarstwa kolonialnego.

Nim dwaj Polacy rozdzielili się u zbiegu centralnej alei parku i ulicy Doctor Mora, Serenicki spytał o NCS:

— Szukają *„kreta”*, czy boją się zamętu?

— To drugie, i pełna konspiracja, o naszej misji wiedzą tylko dyrektor, dwaj wice i *„handler”*. Jeśli któryś z nich jest *„kretem”*, my jesteśmy czwórką *„żywych trupów”*. Hatterman zresztą mówi, że duże śledztwo to groźba *„efektu Angletona”* wskutek *„gąszczu luster”*, cokolwiek to znaczy.

— Więc jak chcą namierzyć *„kreta”*?

— *„Papką kontrastową”*, cokolwiek to znaczy. Ja idę przez las, ty ulicą drałuj, cześć!

Nowik doszedł pierwszy i znalazłszy dział kolonialnych malowideł, wędrował wzdłuż olejnych Biczowań, Ukrzyżowań, Wniebowstąpień, Objawień, Męczeństw, Madonn i Apoteoz katolickich. Te religijne prezentacje niezbyt go interesowały, były kalkami ikonografii, którą w jego ojczyźnie znało każde dziecko. Zatrzymał się tylko przy wielkoformatowej **„Bitwie Chrześcijan z Maurami”** pędzla Juana Tinoco, rozpamiętując, że dla takiej właśnie bitwy — dla walki przeciwko komunistom — uciekł jako szczeniak z Polski ćwierć wieku wcześniej i wstąpił do jankeskich *„marines”*. Wtem zza pleców tknął go głos *„Wieży”*:

— Widziałeś już naszego świętego? Pewnie nie, bo nie czytasz podpisów. Zobacz tutaj.

Autorem obrazu był Juan Rodríguez Juárez, a metalowa plakietka głosiła, że bohaterem jest **„San Estanislao de Kotzka”**.

— Z Kocka to pochodził raczej Berek Joselewicz, dobrze mówię? — zapytał major.

— Źle mówisz, czyli pieprzysz. Berek nie urodził się w Kocku, tylko umarł w Kocku. A Stanisław Kostka umarł w Rzymie, jako nowicjusz klasztorny, ledwie skończywszy 18 lat, bo zbyt twardo praktykował ascezę mnisią. Kiedy już włożysz habit, nie przesadzaj ze wstrzemięźliwością, żołnierzu...

* * *

Odkąd istnieją służby wywiadowcze, głównym celem/marzeniem każdej służby wywiadowczej jest uplasowanie/zwerbowanie agenta–wtyczki wewnątrz służb specjalnych przeciwnika — im hierarchicznie wyżej, tym lepiej. Taki *„agent głębokiej penetracji”* nosi hasłowe miano *„kret”* (ang. *„mole”*). Zwalczanie szpiegów i sabotażystów, w tym *„kretów”*, należy do służb kontrwywiadowczych, czyli do *„pająków”**. Dwa czołowe *„pająki”* Zachodu podczas

* To miano zostało wywiedzione nie tylko z rozsnuwania pajęczej sieci dla łowów, ale i z gry słów: angielski wyraz *„spy”* (szpieg) i pierwsza sylaba wyrazu *„spider”* (pająk) posiadają identyczne brzmienie.

Zimnej Wojny z Sowietami to Anglik Peter Wright, brytyjski *„spy-catcher"* (łowca szpiegów) numer 1, chluba MI 5, oraz Jankes Angleton, szef kontrwywiadu CIA. Jeden i drugi, oślepiony zwodniczym *„gąszczem luster"* — tropiąc *„kretów"*, zbliżyli się niebezpiecznie ku granicy szaleństwa. Peter Wright u schyłku kariery podejrzewał swego przełożonego, bossa MI 5, Rogera Hollisa (raczej niesłusznie) i jako rosyjskiego agenta wskazał premiera Wielkiej Brytanii, Harolda Wilsona (prawdopodobnie słusznie). Jeszcze ciekawszą postacią, legendarną już za życia, był James Jesus Angleton.

Angleton przez dwie dekady (1954–1974) pełnił funkcję kierownika kontrwywiadu CIA. Wcześniej oszukał go serdeczny przyjaciel, Anglik Kim Philby, waszyngtoński łącznik brytyjskiego wywiadu (w istocie sowiecki superszpieg, członek głośnej renegackiej *„piątki z Cambridge"*: Philby, Burgess, Maclean, Blunt i Cairncross), co według ekspertów stało się przyczyną kontrkreciej obsesji Angletona. Zaufał majorowi Anatolijowi Golicynowi, kagiebiście, który uciekł na Zachód (1961) i zeznał, że wewnątrz CIA jest wysoko postawiony rosyjski *„kret"* o kryptonimie *„Sasza"*, dzięki któremu Rosja monitoruje jankeską działalność szpiegowską i kontrszpiegowską. *„Idée fixe"* Angletona stało się zidentyfikowanie *„Saszy"*. Historycy będą pisali potem: *„Był to próg obłędu, quasi–paranoja, mania «łowienia czarownic»"*. Ta mania rozłożyła Centralną Agencję Wywiadowczą gradem wzajemnych podejrzeń, nieudowodnionych oskarżeń, pseudorewelacji, rewizji i podsłuchów. Sam Angleton przemykał się kilometrowymi korytarzami Langley incognito (więc tysiące pracowników niższego szczebla znały go pod innym nazwiskiem), dzień zaczynał od trwającego pół–półtorej godziny sprawdzenia swego gabinetu, czy nie ma tam *„pluskiew"*, i siedząc w półmroku, przy zasłoniętych storach, przeglądał meldunki śledcze oraz raporty szpiegowskie, wędzone dymem setek papierosów. Poniósł branżową klęskę — nie wykrył *„Saszy"*. Lub wykrył — wskazał kilka osób — ale mu nie uwierzono. Odszedł w niesławie. Dopiero kiedy 20 lat później (1994) zdemaskowano jako rosyjskiego *„kreta"* szefa Sekcji Rosyjskiej CIA, Aldricha Hazena Amesa (Ames, który okazał się *„wcieleniem koszmaru Angletona"*, był następcą *„Saszy"*, kontynuatorem triumfów tamtego) — przyznano pośmiertnie rację Angletonowi (dyrektor CIA, Richard Helms: *„Można to nazwać zemstą Angletona zza grobu"*).

Bezsilność Angletona została spowodowana mistrzowską działalnością utworzonego przez Rosjan w latach 50–ych Wydziału D (Dezinformacja) Pierwszego Zarządu Głównego KGB (później: Służba A I ZG KGB). Między rokiem 1956 a 1970 na Zachód uciekło kilkunastu wysokich oficerów GRU i KGB. Przynajmniej połowa z nich była prowokatorami mającymi mącić głowy Jankesom i Anglikom, m. in. dezawuowaniem zeznań prawdziwych uciekinierów. Każdy demaskował jakąś sowiecką agenturę (Rosjanie poświęcali w tym celu swe agenturalne płotki dla maskowania tuzów), co go uwiarygodniało. Ale sprzeczności między zeznaniami uciekinierów wytworzyły wreszcie klincz/chaos informacyjny, paraliżujący możliwość odsłonięcia prawdy przez zachodnie służby wywiadowcze. Angleton zwał to *„gąszczem luster"* vel *„dżunglą luster"* (*„wilderness of mirrors"*), gdzie, jak pisze jego brytyjski partner, *„spycatcher"* Wright, *„donosiciele są fałszywi, kłamstwo jest prawdą, prawda kłamstwem, a wielokrotnie odbite obrazy oślepiają, dezorientują, zwodzą..."*. Anglicy nazywali to *„double–cross"* (przechytrzanie); Sowieci używali terminu *„maskirowka"* (gra pozorów).

Serenicki zaczął o tym myśleć stojąc wewnątrz namiotu rozbitego w parku Bosque de Chapultepec i przyglądając się teatrowi cieni. Gdy czytał o *„Matce"* (tak zwało Angletona grono współpracowników), polubił go nie za pracę kontrwywiadowczą, lecz za fascynację literaturą, Angleton bowiem był fanem rymotwórstwa i dramatopisarstwa, założycielem (na uniwersytecie Yale) poetyckiego kwartalnika **„Furioso"**, gdzie dzięki jego perswazjom publikowali wielcy, m. in. Pound, Eliot, Cummings i Macleish. Wykończył łowcę *„kretów"* perfekcyjny „teatr cieni", który Sowieci aranżowali śląc Zachodowi swych *„uciekinierów"*. Fałszywe tropy, fałszywe ślady, fałszywe znaki — *„gąszcz luster"*. „Czy ja również jestem kukiełką, której ustami Rosjanie poinformowali Jankesów o *«krecie»*, by piekło wzajemnej nieufności destabilizowało NCS niczym korozja lub gangrena?" — pytał sam siebie, śledząc bitwę cieni smukłych i cieni bulwiastych. — „Ale jeśli tak, to znaczy, że Tiomkin wie, iż pracuję nie dla niego... A jeśli wie, iż służę mu na niby, to znaczy, że robi ze mnie frajera, bawi się, jestem ruską marionetką z kijkiem wsadzonym do odbytu!... Cholera, niemożliwe! Nie-moż-li-we! Musiałbym to wyczuć, wyczytać ze ślepi generała, jego wzrok by się zdradził, nie dałby rady grać komedii tak perfekcyjnie, tak bezbłędnie, stuprocentowo! Chociaż... Ich przecież uczą najmisterniejszych gier prowokacyjnych, ich *«dżungle luster»* są doskonale łudzące, ich teatr cieni przewyższa chiński skalą mistrzostwa...".

Agent *„Wieża"* (u Jankesów), *„Y"* (u Rosjan), dawniej *„Szekspir"* (u Sowietów) — wizytował park Bosque de Chapultepec, odkąd przerzucono go z Warszawy do Ciudad de México, bo prócz ścieżek spacerowych, rowerowych, joggingowych i gastronomicznych (budki z wszelakim żarciem rozpiętym między kukurydzą a watą cukrową), prócz dróg prowadzących ku jeziorkom, klombom, muzeom, galeriom, pomnikom, pałacykom i klatkom oraz wybiegom ZOO — była też alejkowa zona mimów, ulicznych aktorów i teatrzyków kukiełkowych różnego rodzaju, takich, gdzie lalki poruszane są od góry (*„marionetas"* na linkach), i takich, gdzie poruszane są od dołu (*„burettini"* na kijkach), i takich, gdzie poruszane są samymi dłońmi (pacynki — lalki rękawiczkowe). Nie lubił normalnych meksykańskich teatrów (gdyż Szekspir po aztecku wydawał mu się festynem prawnuków Otella i Malinche, dziewki Corteza, Indianki), lecz meksykański teatr kukiełkowy (*„teatro de títres"*) zachwycał go swą fantazją, wesołością i żywiołowością łączącą tradycje hiszpańskich teatrzyków *„Cristoval Pulichinella"* oraz tradycje widowisk indiańskich uruchamiających gromadę kukiełek — *„muñecas"*. Wpływy lokalne przejawiały się też meksykańskością tworzyw: tutejsi lalkarze najchętniej robili teatralne kukiełki z papier mâché (*„alebrije"*), gdy zaś studenci japońscy zorganizowali teatr cieni, nie wycinali figur tradycyjnie z dykty, blachy, sklejki, skóry czy kartonu, lecz za namową meksykańskich kolegów użyli kory papierodajnej (*„amate"*), która służyła do wycinanek już prekolumbijskim szamanom. Taki właśnie teatr cieni zwrócił uwagę *„Wieży"* tuż po wizycie majora Nowika.

Kontemplując spektakl, Serenicki rozumiał, że jest figurką analogicznego teatru, tylko o innej skali i o znaku zapytania, gdyż nie był pewien roli, jaką przeznaczyła mu meksykańska *„rezydentura"* SWR. Czuł duże niebezpieczeństwo, pojmując, że jeśli nawet informacja o *„krecie"* nie jest prowokacją, vulgo: Tiomkin mu ufa, to wewnętrzne śledztwo w NCS — śledztwo, którego nie będzie można hamować zbyt długo — prędzej czy później zaalarmuje Kacapów. I wówczas Rosjanie będą pytać siebie: kto dokonał przecieku o istnieniu *„kreta"*? A wtedy generał Tiomkin przypomni sobie pewien dialog... Pociechę stanowiła informacja od Hattermana, że dyrektor NCS, Michael Sulick, chce szukać *„kreta"* wyrafinowaną metodą kontrwywiadowczą, tytułowaną w kręgach tajnych służb trojako, mianem *„znaczonej karty"*, mianem *„papki kontrastowej"* lub mianem *„zatrutego pokarmu"*: pracownikom *„firmy"* wytypowanym jako ewentualni zdrajcy podsuwa się fałszywą informację (każdemu inną) i czeka się aż ta informacja spowoduje reakcję wrogów. Gdy spowoduje — Judasz jest namierzony, bingo! „Lecz *«bingo»* trafia się tu rzadko" — pomyślał. — „Wobec Amesa też stosowano *«znaczone karty»*, podobnie jak wariograf, bez skutku. Ames i żona Amesa wpadli, gdy zaczęto badać jego finanse". I raptem przypomniał sobie, że GRU rozpoczęło werbowanie Amesa w Mexico City, oraz że matka Angletona była Meksykanką! „*«Dżungli luster»* CIA wokół *«Saszy»* nie byłoby bez Meksyku...".

„Stolice szpiegostwa" zmieniają się co dekadę, dwie dekady, góra trzy. Przez pierwszą dekadę po II Wojnie Światowej europejską *„stolicą szpiegów"* był Wiedeń, później Genewa, później Paryż, później znowu Wiedeń, mimo silnej konkurencji Rzymu. Przez

20 lat (1955–1975) bliskowschodnią *„stolicą szpiegów"* był Bejrut, stolica Libanu, dopóki jej nie zrujnowano. Druga półkula globu okazała się stabilniejsza — tam Miasto Meksyk rządzi już cztery dekady. 7 marca 1994 roku **„Newsweek"** przyznał temu miastu laurowy wieniec: *„Stolica Meksyku jest Mekką szpiegostwa. Kubańczycy, Rosjanie i Amerykanie od lat spotykają się w knajpach i kawiarniach, próbując przerobić agentów wroga na podwójnych agentów"*. Tak właśnie było A.D. 1982 z dwoma panami, którzy piastowali bliźniacze stanowiska jako dygnitarze *„rezydentur"* wrogich sobie mocarstw. Szef kontrwywiadu *„rezydentury"* sowieckiej w Mexico City, Igor I. Szurygin, regularnie spotykał szefa kontrwywiadu *„rezydentury"* amerykańskiej w Mexico City, Aldricha H. Amesa. Miejscem spotkań były bary, restauracje i pokoje hotelowe, gdzie obaj pili bez umiaru, nie kryjąc przed sobą, że mają proste zadanie: zwerbować kompana od kieliszka. Formalnie: żadnemu się wówczas nie udało (brak jest dokumentów lub innych świadectw, które by potwierdzały werbunek Amesa już w Meksyku). Praktycznie: udało się Szuryginowi, bo gdy Ames wrócił do Waszyngtonu (wraz z poznaną w Meksyku kochanką, Marią Rosario del Casas Dupuy), skierował swe kroki ku budynkowi ambasady ZSRR, żądając pierwszych 50 tysięcy dolarów za nazwiska trzech Rosjan szpiegujących dla CIA (kwiecień 1985). Rosario będzie mu pomagała zdradzać ojczyznę, póki się nie zestarzeje, gubiąc swą seksualną atrakcyjność. Miasto Meksyk zawsze budziło zainteresowanie dwóch prastarych profesji dam: dam uprawiających korzystny seks i dam uprawiających szpiegostwo. Exemplum: Kitty Harris, *„prowadząca"* dla NKWD gwiazdora *„piątki z Cambridge"*, Donalda Macleana. Każdy jej raport zawierał suchą informację, że rozpoczęła spotkanie od seksu i że uwieńczyła dwugodzinny *„kontakt operacyjny"* seksem pożegnalnym. Meksyk był ostatnią, bardzo ważną placówką tej *„spywoman"*.

Para roznamiętnionych cieni na ekranie grała właśnie scenę miłosną, a wokół drzew płynęły frazy piosenki **„Envidia"** (**„Zazdrość"**) Joségo Feliciano, trwał bowiem w parku festiwal melodii ociemniałego Latynosa. Raptem Serenicki usłyszał zza pleców równie melodyjne dwa słowa:

— Por favor...*

Odwrócił się i zobaczył śliczną brunetkę, mającą duże koliste klipsy lub kolczyki, a piersi jeszcze większe i śmiało wyrywające się z głębokiego dekoltu. Dziewczyna, szczerząc kusicielsko białe zęby, kontynuowała:

— ... Por favor, señor... Me he perdido. Se va por aquí a la catedral?**

— Entschuldigen Sie, bitte, Ich verstehe nicht*** — burknął, chcąc spławić podrywaczkę.

Z głośników płynęła teraz **„Malagueña"** śpiewana przez Feliciano. Dziewczyna zatrzepotała sztucznymi rzęsami wielkości wachlarzy, mrucząc rozkosznie:

— No etiendo... Maybe we can speak English. Do You speak English?****

Od tej pory rozmawiali po angielsku:

— Widzę, że nie zna pan meksykańskiego...

— Nikt nie zna meksykańskiego, nie ma takiego języka, tu się mówi po hiszpańsku.

— No tak, oczywiście! — zaszczebiotała. — Ale jestem głupia, Boże mój! Przyjechałam z Brazylii, nazywam się Carmen.

„Gdzieś już słyszałem to imię, chyba u Bizeta" — pomyślał, odpowiadając:

— A ja się nazywam Hermann Göring, jestem lotnikiem, przyjechałem z Norymbergi razem z kolegą, Josephem Göbbelsem. Pokuśtykał do straganu, chce kupić płytę tego Feliciano.

---

* — Przepraszam...

** — ... Przepraszam pana... Zgubiłam się. Czy tędy można dojść do katedry?

*** — Proszę mi wybaczyć, ale nie rozumiem.

**** — Nie rozumiem... Może przejdziemy na angielski. Mówisz po angielsku?

— Och, ja też uwielbiam Feliciano! — pisnęła. — To najlepszy meksykański piosenkarz, wolę go od innych.

— Feliciano nie jest Meksykaninem.

— Nieee?!

— Nie, to Portorykanin.

— Boże, ale jestem głupia!

Przedstawienie właśnie się zakończyło, wyszli z namiotu. Głośniki emitowały piękną balladę Joségo **„Noce de ronda"** (**„Noc patrolowa"**). Dziewczyna spytała tak swobodnie, jakby dopiero opuścili nie namiot estradowy, lecz motelowe łóżko:

— Gdzie idziemy teraz?

— My?!... — zdziwił się.

— No! Uwielbiam lotników!

„Zwłaszcza niemieckich" — pomyślał. — „FSB chyba przypomniała sobie pakt Ribbentrop–Mołotow, jeśli nasyła mi swoją panienkę... Zaraz, co ja chrzanię, przecież oni nie wiedzą, że minutę temu zostałem lotnikiem i feldmarszałkiem Rzeszy, chyba mnie pogięło! Ale dzidzia jest suczką wypuszczoną przez Tiomkina, by mnie pilnować i sprawdzać, to chyba pewne...". Nie był tego pewny, lecz rozumiał, że winien być nadmiernie czujny, musiał więc uwzględnić taką możliwość. Faceci między czterdziestką a pięćdziesiątką, zwłaszcza przystojni, bardzo się podobają dziewczynom, którym zbrzydło matołectwo rówieśników, *„Wieża"* zaznał tego rodzaju umizgów nieraz, jednak tym razem nos ostrzegał go jak syrena alarmowa: spław babę, bądź przezorny! Gdy wsunęła mu rękę pod ramię, odepchnął ten nadgarstek brzęczący bransoletami i rzekł sucho:

— Adios, panno Carmen, muszę już iść.

Jej oczy rozbłysnęły iskierkami gniewu:

— Dlaczego jesteś taki niemiły, Hermann?

— Mam to po dziadku, Standartenführerze Stirlitzu.

— Nie rozumiem. Dlaczego?

— Zrozumiesz, kiedy zauważysz co teraz śpiewa twój ulubiony wokalista.

Puszczany z cyfrowych płyt Feliciano właśnie nucił latynoamerykańską piosnkę o rozbieżnościach między ludźmi: **„Jesteśmy odmienni" — „Somos diferentes"**.

* * *

Kilka dni po tym jak *„Wieża"*/*„Y"*/*„Szekspir"* dumał w Meksyku nad *„gąszczem luster"* doby Angletona — mecenas Lowa Abelman rozmyślał w Waszyngtonie nad czymś bliskoznacznym: nad pseudorealiami (*„realiami"*, które okazują się grą trików i pozorów), czyli nad względnością prawd. Kwestia ta zwana jest zazwyczaj kwestią filozoficzną, chociaż niektórzy wolą ją raczej klasyfikować jako iluzjonistyczną bądź komiczną, zważywszy, iż życie raz eksploatuje jedną połowę swej istoty (tragikomedii), a raz drugą, wskutek bieżącego kaprysu czyli fatum. O ile jednak u Polaka bazą historyczną tego typu gorzkich przemyśleń była angletonowska *„wilderness of mirrors"* — o tyle u Lowy była nią *„afera Watergate"*, konkretnie zaś wielkie kłamstwo, które media *„liberalnego"* (lewicowego) establishmentu Ameryki Północnej sprzedały całemu światu jako prawdę objawioną.

W nocy 16/17 czerwca 1972 roku biura władz Partii Demokratycznej (kompleks gmachów Watergate, centrum Waszyngtonu) stały się obiektem włamania. Włamywaczy schwytano na tzw. gorącym uczynku i znaleziono przy nich aparaty służące fotografowaniu dokumentów tudzież *„pluskiewki"* podsłuchowe. Śledztwo wykazało, że są byłymi pracownikami CIA i mają dwuznaczne więzy z republikańskim personelem Białego Domu, konkretnie: z bliskimi współpracownikami prezydenta Richarda Nixona. Mimo wysiłków sztabu prezydenckiego — śledztwa nie dało się zatrzymać, a przede wszystkim nie dało się uciszyć głównych „detektywów": dwóch dziennikarzy gazety **„Washington Post"**, Carla Bernsteina i Boba Woodwarda, którzy zdemaskowali mnóstwo kryminalnych i finansowych brudów Białego Domu dzięki podpowiedziom tajemniczego urzędnika państwowego, znającego kulisy i sekrety rządowe. Doszczętnie skompromitowany Nixon złożył dymisję (1974), prawie cały jego sztab wylądował za kratą, natomiast Woodward i Bernstein (grani przez Roberta Redforda i Dustina Hoffmana w hitowym filmie Alana J. Pakuli **„Wszyscy ludzie prezydenta"**, 1976) stali się ikonami dziennikarstwa XX wieku. Ich śledztwo było rytualnie wychwalane (setki książek i tysiące artykułów) jako szczytowy moment historii dziennikarstwa — jako *„symbol tego, czym jest dla demokracji dziennikarstwo odsłaniające niewygodne prawdy, i jako symbol niezłomnej etyki dziennikarskiej, moralny wzór, gdyż nigdy nie ujawnili swego źródła"* (George Friedman).

„Źródło" dwóch herosów żurnalistyki było określane kryptonimem *„Głębokie Gardło"*, w nawiązaniu do tytułu filmu pornograficznego o głębokiej fallicznej penetracji przełyków gorących pań. Trzydzieści lat spekulowano, typując różne osoby, które mogły być tajemniczym informatorem; popularna stała się nawet teza, iż *„Głębokie Gardło"* to twór fikcyjny, składanka kilku osób. A.D. 2005 prawnik eksfunkcjonariusza FBI, Marka Felta, ujawnił, że *„Głębokim Gardłem"* był jego klient. Felt publicznie przyznał, iż to on wspomógł bohaterską gazetę, i tak poznano kooperanta dwóch tytanów żurnalistyki zwanej *„dziennikarstwem śledczym"*. Nie wywołało to większej sensacji, gdyż dla dzisiejszych pokoleń *„afera Watergate"* jest prehistorią, dużo mniej fascynującą od dinozaurów czy hobbitów. Lecz dla ludzi trochę starszych i mających związek z *„Watergate"*, jak mecenas Abelman, był to szok. Lowa rychło ustalił, że cały moralitet kolportowany globalnie ku chwale Woodwarda i Bernsteina — to jedno wielkie oszustwo.

Kilka lat przed *„Watergate"* legendarny boss FBI, John Edgar Hoover, wszczął tajne śledztwo, by poznać kompromitujące sekrety Nixona i jego sztabu. Gdy w maju 1972 Hooverowi się zmarło, wiedza o tych brudach miała już objętość stu teczek. Wicedyrektor Felt był wówczas hierarchicznie trzecią figurą FBI. Drugą był kochanek Hoovera, wicedyrektor Clyde Tolson, lecz ów pederasta nie wytrzymał nerwowo i bolejąc nad śmiercią wodza, odszedł z pracy kilka dni po ceremonii funeralnej. Felt wtedy dosiadł pustego tronu i liczył, że prezydent Nixon przyzna mu urzędowy tytuł szefa FBI. Ale Nixon mianował swojego figuranta, Patricka Graya, oficera marynarki, czyli człowieka spoza struktury *„służb"*. Dla Felta był to bolesny policzek. Okazję do zemsty dało mu aresztowanie pięciu włamywaczy buszujących wewnątrz budynku Watergate tudzież fakt, że Senat Stanów Zjednoczonych nie zatwierdził nominacji Graya. Tak więc outsider Gray formalnie sprawował urząd jako nominat, czekając na zatwierdzenie ze strony Senatu (nigdy go nie zatwierdzono), i był lekceważony przez cały personel centrali FBI, a praktycznie rządził Mark Felt. Przygnieciony tym ostracyzmem ze strony podwładnych tudzież własną bezsilnością — Gray w końcu wycofał swoją kandydaturę. Jego następcą został kolejny człowiek prezydenta Nixona, William Ruckelshaus, były szef Agencji Ochrony Środowiska. Gdy Ruckelshaus pierwszy raz wszedł do nowego gabinetu, zobaczył sprzeciwiający się jego nominacji list zbiorowy pracowników FBI. Dalej więc — przez cały czas trwania *„afery Watergate"* — realnym dyrektorem FBI był pałający żądzą zemsty antynixonista Mark Felt: personel słuchał tylko jego.

Od pierwszej chwili po uchwyceniu steru FBI Felt kombinował jak dołożyć Nixonowi bez zostawienia śladów. Szukał ludzi naiwnych, niedojrzałych. Wpadli mu w oko dwaj dwudziestokilkuletni *„pistoleciarze"* z działu miejskiego **„Washington Post"**: Woodward i Bernstein. Skontaktował się z nimi i przez rok karmił ich pikantną zawartością teczek mieszczących efekty *„śledztwa Hoovera"*. Bez niego — bez *„Głębokiego Gardła"* — dwaj pseudoherosi nie zwojowaliby nic; wszystkie ich własne dokonania są literacko–filmową mitologią, gdyż całą konieczną wiedzę sprzedał im mszczący się p.o. szefa FBI. O ile ci gorącogłowi reporterzy mogli początkowo nie rozumieć, że są jedynie narzędziem zemsty Felta, który chce wykończyć Nixona (zrozumieli to bardzo prędko), o tyle ich szef, stary wyga Ben Bradlee (naczelny redaktor **„Washington Post"**), miał cały czas pełną świadomość, iż gazeta jest wykorzystywana przez służby specjalne do brudnej gry politycznej, i to wbrew prawu, bo Felt winien był informować nie dziennikarzy, lecz prokuratorów Departamentu Sprawiedliwości i senacką Komisję Wymiaru Sprawiedliwości. Ale gazeta przeżywała wówczas trudne dni i koniecznie potrzebowała *„mięsa"* dla windowania nakładu. Ergo: Bradlee, Woodward i Bernstein świadomie — cynicznie/pragmatycznie — odegrali rolę kukiełek FBI do rozprawy z administracją nixonowską, a potem przedstawili siebie i tajemniczego samotnego biurokratę, który ich wspierał, jako bezkompromisowych szeryfów, stawiających tamę Złu tego świata.

15 stycznia 2009 roku mecenas Lowa Abelman zadał sobie bardzo proste pytanie: „Czy gra, którą dzisiaj prowadzisz, jest grą, w której znasz wszystkie plany i wszystkie karty swojego obozu, czy raczej, mylnie sądząc, że na polecenie zwierzchnictwa jesteś głównym rozgrywającym — jesteś tylko pionkiem rozgrywanym przez szefów dla celu, którego nie przeczuwasz, bo nie uznano cię jeszcze za godnego wiedzy o tym, jakie dno sekretu zostało mianowane fundamentem i bazą? A gdy masz takie wątpliwości i takie obawy — masz jednocześnie świadomość, iż możesz być Bernsteinem/Woodwardem rozgrywanym przez tajny (prawdziwy) sztab FBI. I możesz paść ofiarą tej brudnej rozgrywki — możesz zostać spłaszczony równie łatwo jak *«afera Watergate»* zgniotła twego ojca 30 lat temu...".

Ojciec Lowy, wzięty (gdyż ustosunkowany) prawnik Benjamin Abelman, był podczas pierwszego etapu *„afery Watergate"* mecenasem Charlesa Colsona, doradcy prezydenta, później zaś, przed trybunałem, jego obrońcą. Konsultował też obronę kilku innych *„ludzi Nixona"*, vulgo: gromadka prezydenckich sztabowców stanowiła gromadkę abelmanowskich klientów (Colson, Dean, Haldeman, Ehrlichman, Kleindienst i Magruder). Wszystkich skazano, a walka sądowa i zakulisowa na ich rzecz ubrudziła Abelmana seniora do szczętu. Stracił prawniczą wiarygodność, stracił swoją kancelarię, stracił żonę, fortunę, dobre imię i zdrowie, stał się kimś w rodzaju kompleksowego bankruta, co jednak niezupełnie odpowiadało prawdzie, ponieważ przez zespół uwarunkowań genetyczno–etnicznych nie stracił wszystkich swych zakulisowych kontaktów. Dzięki temu i dzięki wujowi generałowi Lowa mógł robić karierę.

Wolałby ją robić samodzielnie — nie siłą koszernego wpływu, lecz siłą swych talentów, swego fartu i swego charakteru, zyskując tak cenioną przez Amerykanów chwałę *„self–made mana”*. Jednak los chciał inaczej, dając mu na tacy sitwowość cenioną przez ludzi bezhamulcowo operatywnych (czyli przez innych Amerykanów), wyklinaną zaś przez moralistów. Złościło go to o tyle, że nie zezwalało w pełni sprawdzić skali własnego geniuszu, dla którego testem stuprocentowym mogły być ciężkie kłody, bariery, wilcze doły — rozmaite przeciwności losu. Jeszcze bardziej złościły go głośne sukinsyny, które publicznie przypisywały sobie glorię *„self–made mana”*, wbrew ewidentnym faktom. Jak chociażby gubernator Florydy, Jeb Bush. Wnuk dwóch potężnych dziadków (bankiera i senatora), syn prezydenta Stanów Zjednoczonych i brat prezydenta Stanów Zjednoczonych, reklamujący się w kampanii wyborczej jako czysty *„self–made man”* — to była bezczelność, która doprowadzała Lowę do białego gniewu. Nie lubił Bushów. Ale ku szczytom władzy stąpnął za drugiej kadencji Busha juniora. Główną rolę odegrały tu protekcyjne wpływy wuja, generała Josepha Abelmana, członka Kolegium Połączonych Sztabów, choć *„układy”* plemienne ojca też miały wpływ.

Według szarego mieszkańca globu władzą pierwszorzędną są rządy mocarstw, a więc przywódcy Stanów, Chin, Rosji czy Unii Europejskiej. Ludzie trochę oczytani wskazują międzynarodowe stowarzyszenia typu Komisji Trójstronnej (The Trilateral Commission), założonej przez Davida Rockefellera (miliardera, który był oficerem amerykańskiego wywiadu) i grupującej, prócz legionu znanych, acz drugorzędnych osobistości sceny światowej, również figury półomnipotentne, jak wiceprezydent Dick Cheney bądź Paul Volcker (główny ekonomista koncernu naftowego Rockefellerów, Exxon, i banku Rockefellerów, Chase Manhattan Bank, a podczas prezydentury Cartera szef Rezerwy Federalnej). Wreszcie dla ludzi uważających się za wtajemniczonych — zwierzchnią władzę światową sprawują złowrogie loże paramasońskie (Klub Bilderberg, Klub Rotary, Opus Dei, tajny wąski sztab Komisji Trójstronnej, et cetera). Lecz „loża" rządząca Ameryką nie była urojeniem czy przeszacowaniem — była równie realna, co nadrządowa i nadpartyjna *„czapa"* KGB–GRU w ZSRR i w Rosji. Jej nieformalna sieć powiązań, dająca parawszechwładzę, czasami otrzymywała klapsa zderzając się z demokracją, ergo: z wolą rozentuzjazmowanego tłumu (dlatego Obama przemógł Mrs Clinton), ale miała dość siły, by później ustawiać figury i pionki po swojemu (Obama musiał prawie cały swój sztab złożyć angażując persony kręgu clintonowskiego, choć częściowo i bushowskiego, gdyż kart za kulisami nie rozdaje elektorat). To się właśnie nazywa *„deep capture"*, przechwyceniem realnej władzy (*„deep state"*). Lowę wpływy familijno–plemienne wetknęły do wnętrza tej superelitarnej maszynki, stanowiącej nadwładzę imperium, u schyłku wiosny roku 2003. Kończył właśnie 45 lat.

Porzekadło mówi, iż *„żaden fach nie hańbi"*, co wszakże nie jest prawdą, bo rady maklerów i dilerów, decyzje sutenerów i ministrów, czy prognozy lobbystów i meteorologów bywają tout court hańbiące, nie mówiąc już o zawodach uprawianych przez złodziei, szulerów czy reklamodawców. Inna mądrość głosi, że każda robota wykonywana *„con amore"* (z zamiłowaniem) daje człowiekowi satysfakcję stuprocentową. Lowa Abelman lubił manipulować osobami i okolicznościami, winien więc być szczęśliwy jako funkcjonariusz żandarmerii nadrządowej. Wszelako z tym fachem jest plus minus tak, jak z inną mocarną profesją, zwaną *„egzystencją ludzką"* bądź po prostu *„życiem"*. Życie ma również nadwładzę: może dać człowiekowi, prócz branżowej satysfakcji, pieniędzy i wpływów, także miłość, wierność, przyjaźń, spokój ducha, szczebiot potomstwa, ciepło rodzinnego domu, brak chorób, stresów i *„wyścigu szczurów"*, tudzież kilka innych aspektów raju ziemskiego. Lecz nie należy traktować serio tych obietnic — większość uprawiających fach pt. życie czeka taniec wśród sztyletów, watahy hien i stada gawronów miast słowików, nic za darmo, oko za oko, a *„satis-*

faction" gwarantowana krótkoterminowo (*„I can't get no..."*), drobne chwile szczęścia, niczym błyski magnezji fotograficznej. Zostają blaknące fotografie, próchnice i reumatyzmy, a nie *„happy endy"*. I zero sprawiedliwości. Lowa nie lubił butnego klanu Kennedych (należał do populacji, którą cieszyło odstrzelenie prezydenta–playboya), jednak całkowicie zgadzał się ze zdaniem nieboszczyka, Johna Fitzgeralda Kennedy'ego: „ — *Ten, kto myśli, iż życie jest sprawiedliwe, został błędnie poinformowany"*.

„Czy ja zostałem błędnie poinformowany przez zwierzchników à propos meksykańskiej wyprawy Clinta, czy może jednak uczciwie i nie ma się co trapić?" — myślał, sącząc Courvoisiera. — „Czy istnieje tu jakieś inne dno, o którym nie wiem?... Może *«Czwórka»* będzie tam wystawiona na wabia, do odstrzału?... Czy jestem manipulowany przez moich szefów, czy raczej bezsensownie jątrzony przez własną, nadmiernie wrażliwą czujność, która prowadzi mnie ku piekłu schizofrenii albo paranoi?... Psiakrew, znowu wszystko będzie zależało od Clinta...".

40 lat wcześniej, i 35 lat wcześniej, gdy razem chodzili do szkoły, od Clinta Farloona zależało czy mikry, tłusty, niewysportowany Lowa dostanie łomot, był bowiem kozłem ofiarnym dla całej klasy, póki Clint nie stanął w jego obronie*. Kiedy ukończyli szkołę, ich drogi się rozeszły, a później zeszły znowu. „Jeżeli coś mu się stanie w Meksyku, ja będę winny, bo to ja kieruję tą imprezą, zaś ci, którzy mną kierują, zostaną zwyczajowo anonimowi, winna będzie marionetka szefów!" — pomyślał. — „Lecz jeśli on tam zrobi co trzeba, ja zrobię krok ku górze na drabinie... Czy jest tajne dno? Gdzie tego dna szukać?... Pierwsza możliwość: kartele handlujące *«koksem»*, góry pieniędzy, więc wszelkie niespodzianki i pułapki prawdopodobne, cyrk cudów. Druga możliwość: Rosjanie, generał Tiomkin, jakaś gra między SWR a CIA, lub między FSB a NCS, gra, o której nie wiem, lub może wyższa, a wtedy Sulick i Hatterman też są rozgrywani...".

---

* Patrz W. Łysiak, **„Najlepszy"**.

Takie myśli dręczyły Lowę Abelmana około połowy stycznia, to jest wówczas, kiedy Europą wstrząsał zakręcony kurek rosyjskiego gazu (terror Gazpromu), Bliskim Wschodem wstrząsała krwawa wojna izraelsko–palestyńska (terror Hamasu), a całym światem wstrząsał kryzys gospodarczy (terror Wolnego Rynku). Jednak Lowa nie dlatego międlił te gorzkie myśli właśnie wówczas, lecz dlatego, że za kilka dni Mulat miał się wprowadzić do Białego Domu i zmianie miały ulec dupska na stołkach zwanych nomenklaturą kierowniczą. Już było wiadomo (od kilku dni), że nowym szefem CIA został clintonowiec Leon Panetta, a jedyną kwestią zagadkową było dla Lowy pytanie czy jego szefowie dopuszczą Panettę do meksykańskiej gry tajnych służb.

* * *

Historia wynalazków świetnie zna zjawisko natrętnej równoczesności, czyli wielokrotnie zachodzący fakt, iż ważnego wynalazku dokonuje o tej samej porze dwóch nieznających się ludzi w dwóch punktach świata (telefon, telegraf, teoria ewolucji itd.), a bywa, że i trzech łebskich ludzi wynajduje równocześnie coś ciekawego. Nie musimy się zatem dziwić, że mniej więcej o tej samej porze, kiedy mecenasa Abelmana i attaché kulturalnego *„Y"*–ka gnębiły myśli na temat roli pionków tudzież figur w przewrotnej grze superrządów i *„służb"* — szefem drugiego z nich, generałem Tiomkinem, targał stres analogiczny. Centrala kazała mu monitorować i stymulować rozdźwięki polityczne między Meksykiem a Waszyngtonem, jednak unikać działań *„nazbyt ofensywnych"*, czyli ruchów denerwujących meksykański kontrwywiad, który nie zapomniał wielkiej sowieckiej dywersji w Meksyku lat 1965–1971, uwieńczonej rozlewem krwi i gigantyczną kompromitacją kagiebowską. Gdy Tiomkin doniósł moskiewskiej Łubiance, iż będzie możliwość schwytania na obszarze Meksyku ekipy Team One i dzięki temu rozpoznania tajemnic *„głębokiego państwa"* Jankesów — centrala dała zezwolenie, lecz równocześnie zakazała *„rezydenturze"* przesłuchiwać schwytanych. Rozkaz brzmiał: schwytać, uwięzić i czekać aż z Moskwy przylecą oficerowie śledczy, którzy wywiozą jeńców do innego kraju. Tiomkin odebrał ten rozkaz jako przejaw braku zaufania, co go trochę ubodło. „Jestem tylko drugorzędnym pionkiem na tej szachownicy?" — pomyślał. Gdyby Serenicki i Abelman usłyszeli ową myśl — mruknęliby: „ — Witaj w klubie".

Schwytanych *„TOmenów"* można było bez trudu wywieźć poza Meksyk, do kilku czerwonych krajów Ameryki Łacińskiej, które leżały blisko Meksyku i którymi rządzili prezydenci wyznający kult Fidela Castro (Chávez, Morales i reszta). Generał chętnie by się zajął sekretnym wspieraniem meksykańskiej skrajnej lewicy, by przemalować Meksyk na czerwony kolor, ale do tego potrzebna byłaby zgoda Moskwy. „Dlaczego takiej zgody nie dostałem? Przez brak zaufania? Raczej nie. Gdyby chcieli to robić, a do mojej figury czuli brak zaufania, obsadziliby kogoś innego, zaufanego. Więc nie chcą tego robić... Chyba że robią to innymi kanałami, kubańskim lub wenezuelskim, a ja mam być tylko zmyłką, rosyjskim szyldem odwracającym uwagę CIA i *«służb»* meksykańskich od prawdziwych podwykonawców...".

Pełen niepewności i obaw — nie mógł wszakże wykluczyć rozwiązania prostszego: braku środków na duże działania w Meksyku. Fakty ekonomiczne były bowiem przerażające: ogólnoświatowa recesja sprawiła, że putinowski Gazprom, jeszcze niedawno, według Agencji Bloomberg, trzecia pod względem wielkości kapitału spółka świata, tuż za PetroChina i ExxonMobil — zyskał miano bankruta, gdyż jego dług równał się razem wziętym długom Chin, Indii oraz Brazylii. Naftowe Łukoil, Rosnieft' i Transnieft' też robiły bokami, wskutek spadku cen ropy do poziomu kosztów rosyjskiego wydobycia, co czyniło wydobycie produkcją nieopłacalną (wydobycie baryłki ropy saudyjskiej kosztuje kilka dolarów, a rosyjskiej 30 dolarów). Przy czym Rosja nie inwestowała dawnych zysków w nową infrastrukturę wydobywczą, a stare złoża są już bliskie wyczerpania (te główne zostały wyeksploatowane prawie zupełnie). Tiomkin dobrze wiedział, że Rosji zaczyna brakować gazu (i na eksport, i na wewnętrzny rynek), stąd rosyjsko–ukraińska wojna o gaz, dzięki której — przykręcając kurki przesyłu gazu Zachodowi — Kreml mógł grzać mieszkania obywatelom murszejącego imperium. Sytuację doraźnie ratowały źródła środkowoazjatyckie, kaukaskie i afrykańskie, natomiast solidnie mogłyby ją ratować zagraniczne koncerny, lecz car Putin przegnał wszystkie, które prezydent Jelcyn wpuścił do kraju. Jako ostatni został wyrzucony brytyjsko–holenderski gigant Royal Dutch/Shell, któremu anulowano koncesję sachalińską pod pretekstem nieprzestrzegania norm ochrony środowiska. Była to bzdura, główny inżynier tej spółki przywiózł pełną dokumentację pokazującą, że zarzuty są kłamliwe, ale gdy tylko rozpakował się w hotelu, odstrzelono go tłumikiem *„nieznanych sprawców"* i dokumentacja przepadła. Całe putinowskie neomocarstwowe szaleństwo (renacjonalizacja wydobycia itp.), zespolone z katastrofalnym spadkiem cen ropy, sprawiło, że Łubianka (siedziba KGB/FSB), *„Akwarium"* (siedziba GRU) i Kreml (siedziba rządu) stały się dziadami, dlatego finansowanie szerokich, dalekosiężnych planów na Zachodzie było już niemożliwością. Zwłaszcza że właśnie runął taki plan w Turcji, bo tureckie tajne służby (MIT) wykryły sprzysiężenie Ergenekon, kierowane przez Alieksandra Dugina, człowieka Łubianki, którego celem było wyrwanie Turcji z orbity Zachodu. Ergenekon (tureckie prorosyjskie *„derin devlet"* — *„deep state"*) rozwalono nie bez udziału CIA, a szefów sądzono za wiele morderstw politycznych i za zdradę stanu. To mroziło Kreml, któremu neomocarstwowość wyparowała chwilowo razem z petrorublami.

Swego czasu było inaczej — nie brakowało gotówki na szumne *„ruchy rewolucyjne"* afrykańskie, azjatyckie i latynoamerykańskie, które inicjowała sowiecka Matuszka Rossija. Meksyk mógł zostać królem owych *„buntów proletariatu"* dzięki genialnej robocie sowieckiej ambasady (największej placówki dyplomatycznej w stolicy tego kraju), głównie dzięki trzem świetnym agentom: Borisowi Pawłowiczowi Kołomiakowi (kierownikowi *„rezydentury"* od 1965 roku), Dmitrijowi Alieksiejewiczowi Diakonowowi (chargé d'affaires od 1968 roku) i zwłaszcza Oliegowi Maksimowiczowi

Niciporience, legendzie KGB, najlepszemu (nie licząc Josifa Grygulewicza) radzieckiemu agentowi w krajach Ameryki Południowej od chwili utworzenia NKWD do rozwiązania Sowietów (lepszemu nawet aniżeli Ramón Mercader, który dla Stalina zabił Trockiego w Meksyku 1940). Czarne falujące włosy i ciemna cera dawały mu wygląd Latynosa, więc przypuszczano, że był synem Rosjanina i Hiszpanki, która po wojnie frankistów z komunistami zbiegła do ZSRR. Przystojny *„jak młody bóg"* czterdziestolatek wyglądający na trzydziestolatka, sportowiec (gimnastyka i tenis przez cały rok), galant — uwodził kobiety i mężczyzn bardzo łatwo. Jego hiszpański był fenomenalny, a umiejętność mimikry godna Oscara: bez problemów stawał się typowym robociarzem, studentem, menedżerem lub intelektualistą, mówiąc swobodnie językiem każdej klasy. Często zakładał poncza i cudownie grał wsiowego *„campesino"*, zwodząc chłopów, farmerów czy Indian. Szpiegował wybornie, agitował wybornie, prowokował wybornie, organizował wybornie. Był wybornym narzędziem KGB i GRU.

Sowietom chodziło wtedy o panmeksykański (a później panlatynoski), kontrestablishmentowy i kontramerykański (*„kontrimperialistyczny"*) duży *„bunt społeczny"*, który sprawi, że zainterweniują USA, przez co Meksyk stanie się *„drugim Wietnamem"* i *„pierwszą kostką domina"* latynoskiego. Tuż przed igrzyskami olimpijskimi 1968 lewackie ugrupowania studentów (Partia Młodych Komunistów) i związkowców, którymi kierowali konfidenci sowieckiej ambasady, wznieciły burdy uliczne, te zaś wyrodziły się w falę tłumnych manifestacji i rozruchów. Doszło do ciężkich walk między goszystowską hałastrą (aktywiści PMK tudzież kagieboidalnego Instytutu Meksykańsko–Radzieckiej Wymiany Kulturalnej) a siłami rządowymi. Po stronie buntowników czołową rolę grały złożone z opryszków miejskich brygady szturmowe, zwane Brigadas de Choque. Miasto Meksyk spłynęło krwią walczących. Padło dużo trupów; wojsko meksykańskie wygrało ten bój; KGB przegrał.

Porażka roku 1968 nie skłoniła Kremla do rezygnacji, tylko do wzmożenia wysiłków. Tercet Kołomiakow–Diakonow–Niciporienko *„połucził"* rozkaz detonowania rewolt już nie stołecznych, lecz ogólnokrajowych. Prawie im się udało — przez trzy lata zorganizowali gęstą sieć jaczejek, kryjówek, kanałów łączności, ośrodków treningowych, magazynów broni i dynamitu, wszystko było gotowe. Latem 1971 miały eksplodować pierwsze bomby i wybuchnąć pierwsze pożary, a ulice miał zapełnić uzbrojony, budujący barykady *„proletariat"*. Wszystko to wzięło w łeb przez dwóch rytualnych psujów niszczących spiski odkąd człowiek nauczył się konspirować: przez przypadek (*„cherchez la guigne"*) i przez kobietę (*„cherchez la femme"*). Metresa Niczipurienki, krasawica Raja Kisielnikowa (sekretarka ambasady), zbiegła do gmachu meksykańskich *„służb"*, wybierając wolność. A pewien konstabl przypadkowo jechał nocą blisko wsi na odludziu (50 kilometrów od miasta Jalapa) i przypadkowo zauważył, że w dawno opuszczonej szopie pali się światło, więc poszedł to sprawdzić... Z rozkazu prezydenta kraju, Luisa Echeverii Alvareza, policja i wojsko przeprowadziły (marzec 1971) bardzo szeroką akcję represyjną (tysiące aresztowań, likwidacja kryjówek i magazynów), zaś sowieccy *„dyplomaci"* zostali hurtem wywaleni do swej ojczyzny. *„Deep capture"* (przechwycenie) się nie udało; pozostała legenda wielkiej, prawie udanej operacji kagiebistów. Tylko że *„prawie"* czyni sporą różnicę jakościową.

Pozostało coś jeszcze — w budynku ambasady. Od tamtej klęski nie zatrudniano już pięknych młodych sekretarek rosyjskich, jak również sprzątaczek, kucharek i innych pracownic meksykańskich; wszelką *„czarną robotę"* (miotła, kuchnia etc.) musiały odwalać żony dyplomatów. Dlatego generał Tiomkin nie wziął swej żony ze sobą, jadąc na meksykańską placówkę, a Serenicki zrobił tak samo (nie chciał upokarzać Klary myciem przez nią garów ambasadora), licząc zresztą, iż jego pobyt tutaj będzie krótszy niż pół roku. Już pierwsze dni dowiodły, że zrobił mądrze, oszczędził bowiem żonie grubiaństw wiceszefa *„rezydentury"*, chama Iwana Mykołowicza Fedoruka, czepiającego się personelu o każde głupstwo. Pierwsze wejście Fedoruka do pokoju Serenickiego było jak wejście do klozetu — bez pukania i bez przywitania. Pierwsze słowa były warknięciem:

— Na wyższych piętrach nie wolno palić! Regulamin zakazuje dyma tutaj!

— Dlatego nie palę, pułkowniku — odparł Serenicki.

— Więc co tu robi ten papieros?!

— Leży sobie. To jeszcze nie powód, by zarzucał mi pan łamanie regulaminu, ten papieros się nie pali.

— Przecież leży w popielniczce!

— Kobiety i mężczyźni lubią leżeć w łóżku, a papierosy lubią leżeć w popielniczkach. Regulamin nie zabrania tego, zabrania tylko palić. Nie zabrania również wielu rzeczy, których winien zabraniać, na przykład nie zabrania być gburem lub włazić do czyjegoś pokoju bez pukania, jak Gestapo.

Fedoruk zsiniał i wychrypiał, szczerząc zęby:

— Chcesz wojny, Poliak?!...

— No, tak jak w 1920 roku — uśmiechnął się Serenicki.

Zatrzaśnięte drzwi huknęły, a Polak odczekał kwadrans (skarga u Tiomkina lub u ambasadora nie mogła zabrać pułkownikowi więcej czasu) i sam poszedł się skarżyć. Tiomkin wysłuchał i machnął ręką:

— Taki jest Fedoruk, pies pasterski, dba o dyscyplinę stada.

Dzięki tej ripoście Serenicki zrozumiał, iż Fedoruk, wodzirej drylu, gra w ambasadzie *„złego policjanta”*, a traktujący wszystkich życzliwie Tiomkin gra *„dobrego”*. Generał mówił dalej:

— Przez to, że mu się stawiasz, będziesz dla niego *„czysty”*.

— Jaki?

— Nie będzie cię uważał za *„kreta”* CIA, MI 6 lub Mossadu. On podejrzewa wszystkich, również mnie i ambasadora, lecz szczególnie podejrzewa tych, którzy się przed nim płaszczą, bo sądzi, że płaszczą się, by maskować swą zdradę. Wot, taki z bożej łaski psycholog, nie ja mu dałem stanowisko kierownika kontrwywiadu ambasady, tylko centrala. Nu, a wy szto, też psycholog?! Czemu trzymasz papierosy, kiedy nie palisz?

— Rzucam, więc ćwiczę silną wolę. **„Jak hartowała się stal"**, pamiętacie, Igorze Pietrowiczu?

Drugą kontrserenicką wściekłość Fedoruka wywołał żart (*„internet joke"*) cytowany przez Serenickiego na odprawie:

— Putin prezentuje nowy plan reform. Główny punkt: uczynić ludzi bogatymi i szczęśliwymi. Lista ludzi w załączniku.

Nikt się nie śmiał (śmiały się tylko oczy paru osób, także oczy Tiomkina), a Fedoruk zacisnął zęby, bo natychmiastowe głośne karcenie bezczelnego *„jajcarza"* byłoby aktem kompromitującym łowcę imperialistycznych szpiegów. Odprawa potoczyła się bez dalszych kawałów, gdyż jej tematem był problem kryzysu naftowego i delikatna kwestia stosunków między Rosją a naftorodną Wenezuelą castrysty Cháveza, nieomal sąsiadującą z Meksykiem. Później, już u siebie, przy kawie i koniaku, Tiomkin ni stąd, ni zowąd skomplementował kraj Polaka:

— Kryzys ogarnął wszystkie kraje środkowoeuropejskie prócz Polski! Jak wy to robicie?

— Polskę również ogarnia, złotówka pikuje, bezrobocie szybuje, więdnie eksport oraz import — rzekł Serenicki. — Nasz kapitalizm ma dużo wad, bariery biurokratyczne dla biznesu są istną plagą. Już dwadzieścia lat psujemy prawo peerelowskie.

— Znaczy komunistyczne? — zdumiał się Tiomkin. — Żartujesz po swojemu, czy co?

— To żart historii, generale, paradoks systemowy, trudny do uwierzenia, ale to fakt. Rok przed krachem komunizmu peerelowski rząd premiera Rakowskiego i ministra Wilczka wdrożył ustawę wolnorynkową, dzięki której przez półtora roku powstały dwa miliony prywatnych firm. Potem przez dwie dekady każdy rząd *„wolnej Polski"* dławił liberalizm tego prawa, mnożąc bariery inwestycyjne, podatkowe i biurokratyczne, ograniczające wolną przedsiębiorczość. *„Ustawa Wilczka"* to jedyna peerelowska rzecz, której nam brak do sensownego rozwoju. Mówiłem: paradoks.

— Tyle historiozofowania, a teraz poproszę o raport bieżący. Co nowego?

— Zmarło się Anatolijowi Gurewiczowi, panie generale — zameldował Serenicki. — W wieku 96 lat.

— O kim ty mi tu ględzisz?!

— O pierwowzorze Standartenführera Stirlitza, panie generale. Służył sowieckiej Matuszce jako członek dywersyjnej Rote Kapelle, a kiedy Czerwona Orkiestra została przez Niemców namierzona, uciekł do Moskwy, gdzie Stalin i system zafundowali mu w nagrodę 8 lat więzienia i 25 lat łagru.

— Bardzo dowcipne!

— Prawda? Też tak myślę, dowcipna była sowiecka wdzięczność...

— Ja mówię o czymś innym! — spienił się generał. — O tym, że ty mi dowcipaski sprzedajesz, gdy ja żądam raportu!

— To nie dowcip, to fakt, dla mnie branżowy fakt, bo przecież jestem attaché kulturalnym, a Stirlitz to figura kultowa filmu sowieckiego.

— Gówno mnie to obchodzi, gospodin *„Y”*, mam na głowie ważniejsze sprawy. Choćby ten niekultowy fakt, że Jankesi właśnie zmieniają kierownictwo swych *„służb”*.

— Kto będzie bossem CIA?

— Miał nim zostać John Brennan, rutyniarz CIA, ale zostanie tylko doradcą Obamy do spraw walki z terroryzmem, bo nie potępił tortur w Guantánamo. Dyrektorem *„firmy”* będzie Leon Panetta, eksszef gabinetu Clintona i biznesmen. Mulat go lubi.

— Gdzie nie spojrzeć, pełno Mulatów... — westchnął „filozoficznie” Polak.

Gadając to, pił do ospowatego wąsacza, kręcącego się, jakby bez celu i przydziału, po wszystkich kondygnacjach ambasady, z morderczym pistoletem u boku (*„cichym pistoletem”* MSP Groza, który zaprojektowano specjalnie dla egzekutorów KGB). Tiomkin domyślił się o kogo chodzi:

— To nie jest Mulat, tylko Metys, pół–Indianin Cristóbal Herrera. Macie trochę wspólnego, obaj lubicie kukiełkowe teatry, Herrera też często wizytuje teatr lalek. Tylko nie ten w parku.

„A więc jestem śledzony, Metys mnie śledzi!" — pomyślał fan *„marionetas"*. — „Chyba że ktoś zobaczył mnie tam przypadkowo...". W tej rozmowie ów niepokój Polaka był niepokojem drugorzędnym, bo kwadrans później, gdy rytualnie zahaczył o Szekspira i Lermontowa, Tiomkin spytał:

— Kiedy uznałeś, że twój angielski jest dobry wystarczająco?

Pamięć Serenickiego szepnęła: „Identyczne pytanie, à propos hiszpańszczyzny, zadał tobie i Nowikowi *«fray Esteban»*, gdy spotkaliście się w Laboratorio Arte Alameda, by wykonać obchód muzeów! Czy to przypadkowa zbieżność, czy dowód, że uczyniono z ciebie kukiełkę rosyjską służącą jakiejś prowokacji?...".

* * *

Major John Nowik (*„Pole"*) spędził w Meksyku prawie tydzień. Jego rekonesans obejmował lustrację lokali typowanych przez NCS, DEA i siatkę kapucynów. Były to punkty kontaktowe, magazynowe tudzież noclegowe (meliny dla krótkotrwałych przycupnięć, kiedy konieczna będzie szybka zmiana adresu bądź nowa kryjówka). Oprowadzał majora po tych mieszkaniach i piwnicach *„brat Stefan"*, a także drugi kapucyn, *„brat Hipolit"* (*„fray Hipólito"*). Dzień przed wyjazdem z Meksyku major udał się do podziemi kościoła San Juan de Dios na intymne (bez asysty kapucynów) spotkanie z Serenickim. Ten zapytał od razu:

— Śledzono cię?

— Ciągle rzucasz mi to samo pytanko! To czkawka, czy może obsesja?

— Śledzono cię?

— Nie śledzono. Znowu nie śledzono!

— Jesteś pewien, że nie miałeś *„ogona"* vel *„oka"*?

— Tak sądzę, codziennie sprawdzam.

— Ruscy i Kubańczycy są dobrzy w tej robocie, wykorzystują do niej tubylców.

— Wiem — rzekł major. — Czy jest jakiś konkretny powód, by się niepokoić?

— Bardziej odczucie niż pewność. Nęka mnie strach, że jestem śledzony przez *„rezydenturę”*.

— Każdy taki strach ma jakieś konkretne powody.

— Pewne odzywki Tiomkina budzą we mnie niepokój...

— Daj przykład.

— Choćby pytanie na temat języka angielskiego. Pamiętasz jak brat Stefan zapytał nas od kiedy znamy dobrze hiszpański?

— Pamiętam, i co?

— Tiomkin zapytał odkąd znam bardzo dobrze angielski. Powiedziałem mu, że dzięki spędzeniu paru lat w Kanadzie, ale to nieprawda. Tak naprawdę to znam dzięki Szekspirowi. Bez Szekspira nie wiedziałbym, że dla określenia czerni angielszczyzna ma kilka różnych słów. Każda czerń jest inaczej określana, innym wyrazem.

— Jak to każda? — zdumiał się Nowik. — Czerń jest jedna, jest czernią!

— Nie, kolego, są różne czernie. Już starożytni zwali czerń matową: *„ater”*, zaś lśniącą: *„niger”*.

— Rasista!

— U Szekspira występuje *„black”* i *„swart”*, od *„swarthy”*, czyli smagły, śniady, chodzi o cerę.

— Jednym tykasz naszego prezydenta–elekta, a drugim tubylców, amigo. Klasyczny rasizm, bój się Boga!

— Boga? Raczej Tiomkina, on jest bliżej. Lękam się kiedy jest zły, i lękam się kiedy jest miły, wtedy sądzę, że jest sztucznie miły, więc nadrabiam butą, chojrackością. Lękam się gdy jest trzeźwy i gdy jest pijany...

— Dużo chla?

— Tyle, ile w dowcipie o stringach.

— Nie znam tego kawału.

— *„Czym się różnią stringi od ruskiego generała?”*.

— Nie wiem.

— *„Stringi mniej piją”*.

Nowik się roześmiał, a Serenicki kontynuował:

— Boję się go, nie jest głupi, jest sprytny. Nie chcę mieć w dupie patyka, który trzyma Rusek. Jeśli wie, że pracuję dla was...

— To po nas, i po operacji *„Sandbox"*. Ale może jesteś przewrażliwiony, pytania o hiszpańszczyznę i o angielszczyznę nie muszą mieć związku.

— Nie szukałbym tu związku, gdyby nie fakt, że Tiomkin nie musiał pytać wcale, bo świetnie wie, iż znajomość angielskiego zawdzięczam czytaniu Szekspira.

— Sraty–taty! — zezłościł się Nowik. — Myślę, że Ruscy cię nie śledzą, tylko panikujesz. Można to zresztą sprawdzić od razu. Zabawmy się w *„ogon ogona"*...

— Fajnie! — zgodził się Serenicki. — Rozegrajmy to bez pośpiechu, przyjmując, że śledzono mnie do tego miejsca i kościół jest trefny. Wyjdziemy stąd osobno, ja przez kościół, ty przez podziemie Muzeum Mayera. Wejdę do parku i usiądę na ławce. Wstanę za mniej więcej kwadrans. Zgrajmy zegarki, która jest u ciebie?

— Minęła dziesiąta.

— U mnie dochodzi dziesiąta. Zróbmy dziesiątą. Kiedy minie kwadrans od pożegnania tego lochu, wstanę z ławki i pójdę parkiem Alameda ku Avenida Juárez, a dalej ku parkowi Bosque de Chapultepec...

— To prawie pięć kilometrów! — wystraszył się major.

— Będzie więcej, bo nie pójdę aleją Paseo de la Reforma, tylko mniejszymi ulicami, José Azueta, Independiencia, Balderas, Donato Guerra, General Prim, Lisboa i tak dalej. Na uliczkach łatwiej ci będzie kryć się i filować czy jestem śledzony.

— Na Paseo de la Reforma dużo lepiej skryłby mnie tłum.

— Dużo trudniej byłoby ci zauważyć w tym tłumie mój *„ogon"*. Inna sprawa, że czasami te małe uliczki są bardziej zatłoczone.

— Gdzie się spotkamy?

— Południowo–zachodni skraj Bosque de Chapultepec, przy Monumencie Kopernika. Będę się tam trochę kręcił pomiędzy jeziorkiem Menor a Muzeum Historii Naturalnej, to tuż obok Kopernika. Znowu zaczekaj kwadrans, nim się do mnie zbliżysz.

Półtorej godziny trwało wykonanie planu Serenickiego. Sam spacer trwał godzinę. Kiedy usiedli przy pomniku Kopernika, Nowik wyraził swój dyzgust:

— Jakaś niepodobna ta rzeźba.

— Czemu? — zdziwił się Serenicki.

— Przecież Kopernik była kobietą.

— Prawda, zapomniałem.

— Lecz park mi się podoba, klawy!

— Bosque znaczy: las, były tu kiedyś tereny myśliwskie dla możnowładców. Jest dużo większy niż Alameda, i dużo lepszy do spotkań, nie tylko we dwójkę. Lubię tu przychodzić.

— Na spotkania we dwójkę koedukacyjną?

— Nie, na przedstawienia teatru lalek.

— To chyba teatr dla dzieci! — zdumiał się ponownie major.

— Tak myślisz? Ja w tym widzę lustro całego naszego świata, a już zwłaszcza naszej profesji, kolego, bo czyż nie jesteśmy gromadką ruszanych linkami kukiełek?

— Jesteśmy, ale to filozofia gimnazjalisty, ko–le–go!

— Fakt, jak na wspólnego agenta Wschodu i Zachodu nie jestem zbyt lotny ani zbyt oryginalny, nie mam dużego IQ ani...

— Starczy, że masz duże FQ.

— FQ? To od fallusa?

— Od *„fuck the philosophy"*, bracie.

— Się zgadza! — huknął Serenicki. — Pieprzę Kanta, Heideggera, Platona i każdego wielkiego fanfarona prócz Szekspira, bo ten... bo...

— Bo ten rozróżniał dwa typy czerni — pomógł major.

— No właśnie... Kak widno, ty nie zamietił *„chwosta"*?

— Ja zamietił szto niet nikakowo *„chwosta"* ili *„głaza"*.

— Oczień rad. Poszli piwo dut'!*

---

* — No właśnie... Jak widać, nie zauważyłeś *„ogona"*?
— Zauważyłem, iż nie ma żadnego *„ogona"* czy *„oka"*.
— Bardzo mi przyjemnie. Chodźmy na piwo!

— Byle nie tutejsze — zastrzegł Nowik.

— Mylisz się, Juanito! — skarcił go *„Wieża”*. — Pewnie częstowano cię popularnymi Coroną albo Des Equis, ale to istotnie siki, zwłaszcza Corona jest do dupy. Lepsze zwie się Sol, dużo lepsze: Modelo especial. Bywają też niezłe regionalne, jak Pacifico z Mazatlánu i Montejo z Jukatanu. Przyjeżdżając tutaj spóźniłem się na Noche Buena sprzedawane tylko w czasie Bożonarodzeniowych świąt. Chodź, ja stawiam, ty nie masz rubli.

— A ty masz?

— Nie mam, ale tak się czuję.

John Nowik czuł się świetnie, póki nie wrócił do domu i nie spotkał się z *„Czwórką”*, by wyłożyć kumplom co mu pokazano w Meksyku.

— Relacjonuj — rzekł Forman, gdy przywitali kolegę. — Zacznij od porno.

— Od jakiego porno?

— Od meksykańskiego, baranie! — uściślił Gracewood. — Miałeś sprawdzić czy Meksykanki onanizują się kukurydzą!

Nowik zdębiał, spojrzał w sufit wzrokiem męczennika i zwrócił się do Clinta Farloona *„drogą służbową”*:

— Panie pułkowniku, czy mogę dać każdemu z tych dżentelmenów w zęby?

— Proszę bardzo, majorze, wal pan — zgodził się Clint. — Chętnie panu pomogę, razem wytłuczemy więcej zębów.

— Shit, to jest... to jest kurewska niesprawiedliwość, trzech na dwóch! — ryknął *„Husky”*.

— Jak to trzech na dwóch? — zdumiał się *„Woody”*.

— Dowódca liczy się dubeltowo.

— Chcesz powiedzieć, że mogą dać nam wycisk wskutek tak zwanej przewagi liczebnej?

— Na to wygląda.

— No to wszystko jasne! — kiwnął głową Gracewood. — Molestowanie, nękanie, znęcanie, gwałt, przemoc, wycisk człowieka przez człowieka, deptanie praw obywatelskich, łamanie konstytucji, oraz, kurwa, sadyzm. Skierujemy pismo do Trybunału Praw Człowieka w Hadze.

— Gdzie to jest?

— A skąd mam wiedzieć? Chyba gdzieś między Bałkanami a Mongolią. Pocztą wyślemy, to dojdzie jak trza.

— Pocztą nie da rady, bo dzisiejsze znaczki pocztowe nie chcą się przylepiać, brakuje im kleju.

— Klej jest, a nie chcą się przylepiać, bo ludzie plują na niewłaściwą stronę znaczków. Zamiast na klej, plują na portret prezydenta Busha — dopowiedział *„Woody"*.

Gdy przestali się śmiać, pułkownik mruknął:

— To ostatnie dni tych znaczków. Przed upływem czterech lat zobaczymy, na którą stronę znaczków z Obamą ludzie będą pluć. A teraz dość błazeństw, za chwilę przyjdzie mecenas Abelman, by wysłuchać raportu Johna.

— Kim on jest, do cholery, ten Żyd, by wysłuchiwać raportu Johna?! — spytał kwaśno Gracewood.

— Moim kumplem ze szkoły! — zawarczał Farloon. — A ty co, Ku-Klux-Klan czy Hamas, że nie podoba ci się Żyd?!

— Nie podoba mi się, że choć Team One rozwiązano, dalej rządzi nami jakaś enigma, wodzu. A ten gość nie podoba mi się, bo to cwaniak, który ustawia całą naszą grę niby fachura z Operacyjnego, chociaż widać jasno, że nigdy nie brał udziału w żadnej misji, nigdy nie trzymał broni i nie nosił hełmu. Mam rację?

— Nie trzymał broni, bo nie lubi strzelać, jego prawo.

— To pewnie dadzą mu Pokojową Nagrodę Nobla — wtrącił się *„Husky"*. — Mój labrador też nie lubi prochu i hałasu, a wcale nie stara się o Nobla. Tymczasem pan mecenas się stara, żebyśmy nie wiedzieli kto za nim stoi, kto jemu wydaje rozkazy, dlatego mój nos czuje smród.

— Wykąp się, to ci przejdzie — poradził Clint. — Nie musi nas obchodzić kto stoi za Abelmanem.

— Może jednak powinno nas trochę obchodzić, panie pułkowniku — uparł się Forman. — Kiedyś szefostwo CIA wynajęło mafię do realizacji programu *„Regime Change"**, a jak rzecz się wydała, to ci chłopcy z CIA, którzy brali w tym udział, ledwie uniknęli degradacji i procesów. Dzisiaj już może nie być tak miło...

— Abelmana nic nie łączy z mafią! — zapewnił Clint.

— Włoską, chińską czy ruską, szefie? — dopytywał się Gracewood. — Bo jakiejś mafii ten pan służy, przecież nasza akcja nie jest legalna, oficjalna, nawet NCS i DEA są zaangażowane pozasłużbowo...

— To przez *„krety"*! — przypomniał Farloon.

— Wodzu, bez tych *„kretów"* byłoby całkiem tak samo — rzekł *„Pole"*. — Mieliśmy mścić dzieciaka, nic więcej. Później załapali się na szmal Ramíreza chłopcy od *„drugów"*, bo nie znają lądowiska łodzi kolumbijskich. Jeszcze później dołączyli, też prywatnie, a nie *„firmowo"*, chłopcy z NCS–u, bo celują w generała Tiomkina, który mnie akurat wisi niczym kalafior. *„Husky"* i *„Woody"* to dupki, fakt, ale tym razem, wyjątkowo, mają rację, robimy imprezę nielegalną.

Przerwał na chwilę, bo usłyszał, że *„Husky"* i *„Woody"* osiągają zgodność poglądów:

— Nie ma wyjścia, trzeba mu jednak wpieprzyć, ze Słowianami nie da się inaczej!

Po czym zakończył przy użyciu dwóch zdań:

— Mnie to również nie pachnie jak perfumy. Ci, którzy za tym stoją, to mafia polityczno–biznesowa, której nie chodzi o żadnych *„kretów"*.

— A wam o co chodzi? — spytał *„Don"*. — O szmal, i o nic więcej!

— Mnie chodzi także o jedno ucho i jeden palec, wodzu — wyjaśnił Polak. — I o śmierć *„Chico"*.

— Ten dupek chwilowo mówi za nas dwóch, szefie — zgodził się Gracewood.

---

* *„Zmiana Władzy"* — program CIA z lat 50–ych i 60–ych XX wieku, obejmujący spiskową wymianę wrogich Ameryce przywódców państw.

— Bez widoków na ciężki zysk nie jechalibyście do Meksyku, przestańcie strugać aniołów zemsty!

— Kto tu struga anioła zemsty?

— Przestań udawać głupiego, Gracewood!

— On nie musi udawać, szefie — wyjaśnił Polak.

Gracewood spiorunował go dubeltówką źrenic, a Clint mówił dalej:

— Chodzi wam głównie o szmal. Więc pytam was: na jaką cholerę pyskujecie, muchachos?! Nie podoba się, to adios, wynocha, nikt was nie trzyma! Mówicie, że mafia? A czy nasza wesoła kompania nie jest gangiem? Jeśli za Abelmanem stoi jakiś układ, cieszmy się, że to bardzo silny układ. Bo to jest ta sama sitwa, chłopcy, która szast–prast, hokus–pokus, fiku–miku, przerobiła zwycięstwo Obamy w zwycięstwo Korporacji Clinton&Clinton. Obama głosami elektorów pokonał panią Clinton, a kiedy został prezydentem, musi dawać rządowe stanowiska prawie wyłącznie clintonowcom, taki cud! Dyrektorem CIA został Panetta, eksszef gabinetu Clintona, a ministrami żona Clintona i cała banda dygnitarzy tamtego gabinetu: Lawrence Summers, Anthony Lake, John Podesta, Robert Rubin, Susan Rice oraz inne figury clintonowskie. Podoba mi się mafia, która robi takie numery.

Kiedy rozbrzmiały te słowa, do pokoju wszedł *„wilk, o którym mówiono"*, pytając:

— What's up, gentlemen?*

— Gadamy właśnie o tobie i o naszych meksykańskich zarobkach — rzekł Clint.

— Ja wam nie będę płacił — uśmiechnął się Lowa, podając rękę każdemu. — Jestem golec, kryzys bankowy zrobił ze mnie dziada patentowanego. Ale masuję sobie duszę balsamem samobójstw bogaczy Wschodu i Zachodu, którzy popełniają dziś te tragiczne czyny, bo stracili więcej niż ja. Nawet rosyjscy oligarchowie stracili więcej ode mnie, tacy spryciarze, możecie to sobie wyobra-

* — Co nowego, panowie?

zić? Deripaska 35 miliardów dolców, Abramowicz i Lisin po 25 miliardów, Mordaszow prawie 20 miliardów, Prochorow 16 miliardów, reszta też nieźle.

— A po ile straciły nasze miliardery? — zainteresował się Forman.

— Wasze mają przez ten kryzys najgorzej, żrą spleśniałe sery, jeżdżą samochodami bez dachów i piją stare wina — objaśnił mu Nowik.

— Jak takiemu zostanie kilka procent majątku, to jeszcze nie musi się wyzbywać samolotu, kabrioletu czy limuzyny — mruknął Lowa. — Jednak chłopcy mocno klną kiedy tracą. Bo tracą, dużo tracą. A kto to wszystko upichcił? Pan prezydent Bush! Słyszeliście o znaczkach z Bushem, że nie chcą się przylepiać? Specjalna komisja badała fatalne znaczki, i co się okazało? Papier znaczków jest dobry, klej również nie jest wadliwy, tylko ludzie plują na niewłaściwą stronę!

Był pewien, że usłyszy huragan śmiechu. Tymczasem patrzyły nań cztery pary martwych warg tudzież źrenic zimnych i nieruchomych jak kostki lodu, których nie wrzucono do burbona.

— Co jest? — zapytał. — Nie śmieszne?

— Śmieszne, śmieszne — powiedział Clint. — Tylko że przed twoim przyjściem słyszeliśmy ten kawał, więc gdy słyszymy drugi raz, już nie jest nam do śmiechu. Sprzedaj coś nowego.

— Smutnego najpierw, czy wesołego najpierw? — zapytał rozgoryczony kiepskim „*entrée*” Lowa.

— Daj najpierw smutną nowość.

— Podczas jutrzejszej inauguracji prezydenckiej Mulata wiceprezydent Dick Cheney ukaże się w inwalidzkim wózku. Jest z nim niedobrze.

— A ta wesoła nowość?

— Coś dla was à propos waszej misji kontrnarkotykowej, mającej reperować chwilową impotencję DEA. W Meksyku aresztowano właśnie miss tego kraju, będącą także Miss Ameryki Łacińskiej i faworytką bliskiego już konkursu Miss International, który ma się zresztą odbyć na gościnnej ziemi Stanów. Za handel narkotykami kartelu Juárez.

Sądzili, że to żart, więc wreszcie rozbawił wesołe bractwo.

* * *

Kierownik Sekcji Operacyjnej Drug Enforcement Administration (DEA), Wesley Graham, urodził się jako Murzyn (dopiero kilkadziesiąt lat później został Afroamerykaninem), co oznaczało, że pierwsze dekady życia miał stresujące, nawet wtedy, kiedy już cwaniacy z Hollywoodu notorycznie prezentowali ludzi czarnych jako intelektualnych geniuszów, biznesowych wirtuozów i prymusów tajnych służb oraz policji. Do DEA został przyjęty w 1975 roku, mając 25 lat. Przez pierwszy rok pracował w Wenezueli, dwa kolejne spędził w Brazylii, często ryzykując życiem, a niewiele zyskując. Wreszcie zarzucono mu, iż bierze łapówki od karteli narkotykowych. Nie brał (dlatego został pomówiony — przez tych, których skorumpowano), ale musiał wegetować półtora roku nim centrala ustaliła, że jest *„czyściochem"*. Te półtora roku śledztwa było ciężką traumą — zapłacił wysoką cenę, gdyż nic na świecie nie jest bezkarne, zwłaszcza uczciwość. Chcąc mu wynagrodzić niezasłużone krzywdy i udręki psychiczne, *„firma"* delegowała Grahama na *„urlopową"* placówkę do Rzymu, gdzie miał koordynować współpracę z Włochami monitorującymi heroinowy *„albański szlak"*. Robota lekka, łatwa i przyjemna, zwana we Włoszech *„słodkim życiem"* (*„dolce vita"*), a we świecie *„synekurą"*.

Mieszkańcem Rzymu Graham był całe pięć lat. Przez te pięć lat kupował każdy biały garnitur, który mu się nawinął. Nosił później owe garnitury przez dwie dekady. W Rzymie miało to swoją klasę, lecz w Waszyngtonie tak ubrany wyglądał jak lodziarz z Harlemu. Dopiero trzy lata przed emeryturą, u schyłku wiosny 2007 roku, zaprzestał noszenia tych kremowych *„made in Italy"*, bo rozeźlona połowica wyrzuciła je na śmietnik hurtem. Jakoś to przebolał i odtąd nosił się *„sportowo"*, co nie bardzo pasowało do jego tuszy i siwiejących włosów, ale sądził, że ten baseballowy szyk go odmładza. Poza tym (jeśli nie liczyć preferencji odzieżowych) był zmyślnym człowiekiem. Dlatego, awansując wolno, lecz systematycznie, zyskał wreszcie fotel wicedyrektora *„firmy”*, i również dlatego — przez tę zmyślność — kiedy dostał informację (styczeń 2009) o aresztowaniu Laury Zúnigi Huizar, kopnął go inwencyjny prąd wynalazców. Zadzwonił do pułkownika Farloona.

Przez prawie cały 2008 rok 23-letnia Laura Zúniga Huizar była pieszczoszką Łaskawego Losu. Fortuna dała jej, prócz olimpijskiej urody, tytuły Miss Meksyku i Miss Ameryki Łacińskiej, więc świat leżał u jej stóp i prognozował, że roku 2009 boska Laura zostanie Miss International podczas konkursu w Stanach, później zaś będzie top-modelką tłukącą astronomiczną kasę przez przynajmniej 10 wybiegowych sezonów. Tymczasem kilku głupich *„federales”* nie uszanowało Wigilii roku 2008. Miast celebrować atmosferę wigilijną, zatrzymali w Guadalajarze samochód ciężarowy, który wiózł kilku gangsterów, karabiny maszynowe, narkotyki, grubą gotówkę i piękną dziewczynę. Ku zdumieniu *„psów”* — dziewczyna okazała się Miss Mexico! Oskarżono ją o współpracę z kartelem Juárez i odebrano wszystkie tytuły (na tron Miss Ameryki Łacińskiej awansowała dzięki temu Wicemiss, równie długonoga Brazylijka Vivian Noronha). A Wesley Graham poczuł się psychologiem-seksuologiem i uznał, że winien zasugerować pułkownikowi Farloonowi coś z tej branży.

Rozmawiali w *„gablocie”*, póki Wesley nie zapalił drugiego papierosa. Kontynuowali dialog spacerując ścieżką wzdłuż parkingu koło Chillum (Washington D.C.). Przez dłuższy czas Farloon milczał, bo Graham relacjonował (aresztowanie Miss Meksyku) i perswadował:

— Wie pan ile Meksykanie wydali na łapówki w minionym roku?... Ponad 2 miliardy dolarów! Nie miliony, lecz miliardy, nie przesłyszał się pan. Co oznacza, że każda meksykańska rodzina wydała na ten cel 8 procent swego budżetu domowego. A to są dane statystyczne, oficjalne, więc trzeba je mnożyć przez dwa lub trzy, lub może nawet przez cztery, by mieć wyobrażenie jaki jest tam prawdziwy poziom skorumpowania społeczeństwa. W stanie Michoacán większość radnych, sędziów, prokuratorów i burmistrzów to „nominaci" lokalnego kartelu, Familia Michoacána, czyli szefa tej *„ośmiornicy"*, Servando Gomeza.

— Słyszałem o nim. Ksywka *„La Tuta"*.

— Korumpowana służba państwowa pracuje dla wszystkich karteli. Biorą wojskowi, urzędnicy, celnicy, gliniarze. I nigdy pan nie wie czy biorący gliniarz dotrzyma słowa. Ci ludzie mają mentalność, którą w Europie nazywa się mentalnością Wschodu: mówimy jedno, robimy coś innego, a jeszcze coś innego myślimy. Łapownictwo i ta mentalność przeniewierców to są dwa z trzech głównych filarów niemocy, jaka gnębi wszelkie służby, które próbują hamować gangsterkę latynoską. Trzecim filarem jest latynoska wersja *„omerty"* — milczenie aresztowanych kryminalistów. Tam się nie sypie, bo sypanie to gwarancja odstrzelenia przez kartel, który ma swoich ludzi w prokuraturze, w policji, w więzieniach i w sądach. Tylko reaktywacja dawnych metod przesłuchań mogłaby coś dać, ale *„prawa człowieka"* zabraniają. Dlatego...

— To sugestia, dyrektorze? — wtrącił Farloon.

— Ależ skąd, panie pułkowniku, nie piję do pana.

— Pije pan do *„Czwórki"*, do byłych *„TOmenów"*. Działając tam jako *„nielegały"*, mogliby łamać kości i przypalać petami sutki, by wyciągać zeznania.

— To pan powiedział, panie pułkowniku. Mnie nie wolno namawiać nikogo do łamania *„praw człowieka"*, jestem funkcjonariuszem państwowym.

— Ja już nie jestem, więc mogę prawo człowieka do ucinania dzieciom palców i uszu, lub do odstrzelania moich kumpli, potraktować według starego regulaminu, to jest według paragrafu ze Starego Testamentu, dyrektorze, co nie znaczy, że mam taką skłonność. Jeśli istnieje bardziej humanitarny sposób, proszę go wyłożyć. Z tym pan przyszedł — z Miss Meksyku. Nie dla hecy gadał pan na początku, że tę lalkę aresztowano. Jak to może ułatwić działanie *„Czwórki"* w strefie tamtego półświatka?

— Trzeba do laleczki dotrzeć i przesłuchać ją — rzekł Graham, otwierając znowu papierośnicę.

— Tak po prostu?

— Trzeba dotrzeć do więzienia lub do prokuratury.

— Jak?

— Sposobem.

— Łapówką?

— Choćby łapówką, ale niekoniecznie, są różne sposoby... Na przykład Wszechamerykańska Federacja Wyborów Miss Piękności, chcąc pomóc biednej laureatce, wynajmuje adwokata, i ten adwokat stawia się w więzieniu lub w prokuraturze ze wszystkimi urzędowymi papierami, które ja mogę załatwić bez trudu.

— A ja mam wdziać togę prawniczą?

— Nie, poszedłby pan w garniturze, nosząc dokumentację prawniczą.

— I niegrzeczna dziewczynka wszystko mi wyśpiewa?

— Lub można ją porwać z więzienia bądź z karetki, gdyby była przewożona gdzieś. Wasz zespół specjalizował się w takich akcjach, pułkowniku.

— I wtedy ona mi wskaże lądowisko łodzi kolumbijskich?

— Nie, ona go chyba nie zna, lecz może wyciągnie pan od niej kontakty, adresy, jakiś ciekawy personalny namiar, cokolwiek!

— Bo ona nie wie, że milczenie jest życiem, a paplanie jest śmiercią?

— Ona to słyszała, lecz kobiety reagują inaczej niż mężczyźni, każdy psycholog to panu powie — powiedział wicedyrektor DEA, Wesley Graham, oficerowi Clintowi Farloonowi. — Trzeba tylko mądrze to rozegrać, znaleźć czuły punkt. Kobiety są nieodgadnione, nieprzewidywalne, czyż kiedykolwiek wiadomo co zrobią? Nikt nie zna wnętrza kobiety...

— Prócz, oczywiście, ginekologów — przerwał mu Clint.

— Daj pan spokój, pułkowniku, ja mówię serio!

— Ja też. Prócz ginekologów i może jeszcze chirurgów... Pewien chirurg, który mnie zszywał bez znieczulenia, w peruwiańskiej dżungli, łagodził mi ból opowiadając ciekawostki branżowe. Na przykład dlaczego damy pakują sobie do cycków silikon, również te, które mają fajny biust. Bo nawet jędrny i kształtny biust, niewymagający fiszbinowych staników przy chodzeniu — przy leżeniu, kiedy kobieta kładzie się na plecy, by spełnić swe obowiązki płciowe, rozpłaszcza się, jest klapnięty jak dwa placki, a ten wypchany silikonem dalej stoi, sterczy, przez co facetowi też stoi, bo takie cycki go rajcują. Kiedy mi to opowiedział, ten chirurg wojskowy, zrozumiałem, że kobieta to enigma, jej wyobraźnia stanowi sezam nieprzewidywalnych trików.

— Mój panie, ja tylko sugeruję pewną możliwość... — rzekł chwiejnym głosem delegat Drug Enforcement Administration.

— I trzeba byłoby zrobić to błyskawicznie?

— Raczej tak.

— Wątpliwe czy Abelman się zgodzi, lecz zapytam go, dyrektorze, on tu gra szefa. Do pana również mam jedno pytanie. Ten pański *„prywatny kontakt"* w stolicy Meksyku, o którym pan mówił uprzednio, kto to jest, ktoś z meksykańskich *„służb"*?

Graham zapalił kolejnego papierosa, pytając:

— Chce pan jego adres?

— Chcę. Kto to jest?

— Policjant średniego szczebla, wegetujący cicho, niewyrywający się przed szereg i niepakujący się w żadne afery, ale zięć fiszy z Komendy Głównej, dlatego ma wiedzę bardzo głęboką. Lewicowiec, goszystowski idealista, marzy o lewackiej socjotechnice w swoim kraju, jednak poza tym przyzwoity gość. Od dwóch lat nie utrzymujemy regularnych kontaktów, bo nie chciałem go *„spalić"* kiedy w Meksyku zaczęło się nam wszystko sypać. Utraciliśmy właściwie całą naszą agenturę, padło dużo trupów. To sprawka meksykańskiego kartelu z przygranicznej miejscowości Ciudad Juárez. Vis-à-vis naszego El Paso, dzieli je tylko linia graniczna.

— A jakie kartele działają w Mexico City?

— Wszystkie kartele mają swe stołeczne delegatury, i teraz również swe bataliony zabójców, bo trwa *„wojna narkotykowa"*, prawdziwa rzeź. Mordują się setkami, i zdarza się, że kablują, ale tylko na konkurencję, nigdy na swoich. Jest więc chaos, którym można grać, lecz do tego trzeba mieć sprawną agenturę. Pomyślałem o dziewczynie, bo psychologia kobiety...

— Tak, rozumiem, panie dyrektorze — zamknął mu usta Farloon. — Spytam mecenasa Abelmana.

Spytał. Lowa nie wyraził entuzjazmu:

— Teoretycznie można to zrobić. Taki numer zrobiliśmy kiedyś w Stambule: środki wywołujące zapaść kliniczną, szpital, reanimacja, pseudozgon, wywózka, jakoś poszło. Ale tutaj sytuacja jest zupełnie inna, bo dziewczyna zyskała wielką sławę, została celebrytką, idolką milionów ludzi, każdy jej ruch obserwują hieny pracujące dla wszelakich brukowców, drobna choćby wpadka przyniosłaby dziki rozgłos, kasując w zarodku całą waszą misję. Ja zresztą generalnie nie lubię grać kobietami i z kobietami, bo kobieta dziewięciokrotnie zwiększa ryzyko krachu, tak mówią dane statystyczne, to jest fakt. Ty w Warszawie o mało nie straciłeś życia przez Jadwigę, zapomniałeś już, Clint?* Baby są dobre w filmach szpiegowskich, tam się mnożą jako żeńskie klony Jamesa Bonda, ale to przecież kit dla widowni bezmózgowej. Czy wiesz, że Rosjanie nie werbują kobiet jako szpiegów? Agenci KGB/FSB i GRU od kilkudziesięciu lat mają surowy zakaz werbowania kobiet; kto złamie ten zakaz, jest natychmiast karnie odwoływany do kraju.

— *„Firma”* Marcusa Wolfa, Sta–Si, główne szpiegowskie roboty odwalała dzięki sekretarkom NATO, panie mecenasie! — przypomniał Lowie Clint.

— To prawda, są różne szkoły, ja wolę bez miesiączki, panie pułkowniku.

— A jednak *„Wieża”* szuka rzekomej meksykańskiej dupy Tiomkina, chociaż wyspekulował ją z wierszyka Lermontowa!

— To już nie spekulacja, John dowiedział się od żony jednego z biurokratów ambasady, że taka dziewczyna była, i że Tiomkin

* Patrz W. Łysiak, **„Najgorszy”**.

miał przez nią jakiś kłopot. Teraz John tym mocniej węszy za tą *„Dark Lady”*, ja mu nie bronię.

— *„Ciemna Dama”*?... Znamy jej karnację, czy barwę jej włosów?

— Nic nie znamy. John nazwał ją tak za *„Ciemną Damą”* z sonetów Szekspira, bo dama Tiomkina ciągle kryje się w głębokim mroku.

— Piekielne ryzyko, być człowiekiem generała Tiomkina i rozgrywać sekrety generała Tiomkina... — rzekł Clint, kręcąc dezaprobująco głową.

— John wie co czyni, gra tam brawurowo, z premedytacją wywołując gniew politruka i oficera operacyjnego ambasady przeciwko sobie — wyjaśnił kumplowi Abelman. — Bardzo proste myślenie: *„kret”* byłby układny i miły, jak od ognia stroniłby od wewnętrznych awantur.

Politrukiem i szefem operacyjnym *„rezydentury”* w Meksyku był pułkownik Iwan Mykołowicz Fedoruk, Ukrainiec z domu (jak wskazuje imię jego ojca) i *„cyngiel”* z GRU (jak wskazuje jego funkcja). Wyszkolony przez Specnaz — pracował *„mokro”* dla całej *„rezydentury”*, a więc i dla GRU, i dla FSB/SWR. Zaś awantura, o której napomknął Lowa, miała miejsce podczas styczniowych urodzin Fedoruka, kiedy wręczano mu prezenty. Od Serenickiego dostał biało–czarną fotografię w złoconej ramce, ukazującą jowialnego pana z wąsikiem, podbródkiem i garniturem dwurzędowym. Na rewersie była przylepiona karteczka identyfikacyjna: *„Josif «Felipe» Grygulewicz”*, co solenizantowi i personelowi niewiele mówiło.

— Kto to jest? — spytał Fedoruk.

— Pański poprzednik — wyjaśnił agent *„Y”*. — Główny tutejszy *„cyngiel”* towarzysza Stalina, dyrygent *„mokrej roboty”* na terenie Latynosów, organizator komand zabójców w Argentynie, Kostaryce i Meksyku, oficer prowadzący wielu ważnych konfidentów z Ameryki Łacińskiej, choćby późniejszego noblisty, Pabla Nerudy. Działał dla idei, którą towarzysz Lenin formułuje tak: *„Po* *opanowaniu Europy, opanujemy Amerykę Łacińską, i wtedy Stany Zjednoczone, ostatni bastion kapitalizmu, wpadną w nasze ręce niby dojrzały owoc"*. I tak jak wy, Iwanie Mykołowiczu, chociaż miał rosyjskie obywatelstwo, nie był urodzonym Rosjaninem. Był Karaimem litewskim.

— Czyli Żydem! — syknął Fedoruk. — Ja nie jestem parchem ukraińskim!

— Tylko jakim? — zapytał naiwnie Polak.

— Żadnym! — ryknął Fedoruk, ciskając Grygulewiczem o wykładzinę. — Nie igraj, nie baw się mną, ty mędrkowaty Lachu, bo cię rozgniotę jak karalucha!

Rzucił się z zaciśniętymi pięściami ku Serenickiemu, lecz ambasador i Tiomkin wstrzymali pijanego. Agent *„Y"* uśmiechnął się pełen adrenaliny:

— Wcześniej było wzgardliwe *„Poliak"* po rusku, teraz jest *„Lach"* po ukraińsku, po kozacku, po zaporosku! To lubię, bo słyszę to po arabsku: *„Lah"*. Po arabsku *„Lah"* znaczy: Bóg. Al Lah. *„Al"* to tylko rodzajnik, o czym ludzie Zachodu nie wiedzą, dlatego mówią i piszą: *„Bóg Allah"*, co jest takim samym masłem maślanym, jakim byłoby *„God Thegod"* lub *„Dieu Ledieu"*. Proszę mnie dalej zwać b o g i e m, panie pułkowniku, to karmi moją próżność.

Urodziny kończyły się więc kacem dubeltowym: nie tylko alkoholowym, również służbowym. Nazajutrz Tiomkin obsztorcował swego pupila, każąc mu zaprzestać drażnienia GRU, a kiedy się już wyzłościł, dodał:

— Z GRU czasami prowadzimy wojenkę taktyczną, ale Fedoruk to typ szczególnie groźny. W Specnazie miał ksywkę *„Mudżahedin"*, nie bez powodu.

— Wiem, panie generale, dlatego przeszedłem na arabski.

— Ty bardzo dużo wiesz, gospodin *„Y"*, zbyt dużo! Skąd ty wiesz o Grygulewiczu, Poliak?

— Z **„Archiwum Mitrochina"**, panie generale. Brytyjska Secret Service wydała dwa opasłe tomy *„kwitów"* KGB, które kopiował i przemycał ten rosyjski zuch. À propos: czy zna pan dowcip o mudżahedinie i stewardesie? Stewardesa pyta w samolocie mudżahedina: „ — *Może drinka?*". Mudżahedin na to: „ — *Nie, dziękuję, za chwilę będę prowadził*".

* * *

Przyczyny, dla których okładki i karty tytułowe głośnych książek często noszą pseudonimy, nie zaś prawdziwe nazwiska autorów, są bardzo różne. Taki Walter Scott upajał się salonowym i medialnym szumem dyskusji oraz polemik mających zidentyfikować twórcę **„Waverleya"** tudzież innych historyczno–przygodowych bestsellerów, twardo przez dłuższy czas zaprzeczając, że to on jest autorem. Jednak główną przyczyną anonimowości wydawniczej bywa zwykły strach. Jak u Jane Austen, która swoją pierwszą powieść, **„Sense and Sensibility"** (dzisiaj tłumaczoną jako **„Rozważna i romantyczna"**; niegdyś jako **„Rozsądek i uczuciowość"** bądź **„Rozwaga i wrażliwość"**), opublikowała anonimowo wskutek środowiskowo–klasowego strachu. Jej kochający nimfetki rodak, Charles Lutwidge Dodgson, wydał **„Alicję w krainie czarów"** pod pseudonimem Lewis Carrol, gdyż gnębił go strach, że czytelnicy domyślą się, iż autor jest pedofilem. Jednak przez stulecia główną przyczyną anonimowości lub pseudonimowych masek był strach polityczny. Od Jonathana Swifta (twórcy **„Podróży Guliwera"**, który wiele swych druków tłoczył z przyczyn partyjnych anonimowo), po Joego Kleina (autora głośnych **„Barw kampanii"**, który opisał różne brudy kampanii prezydenckiej Billa Clintona i bał się represji ze strony wszechmocnej *„sitwy Clintonów"*) — pisarze woleli długo nie ujawniać swych nazwisk. W dzisiejszych czasach doszedł jeszcze strach przed mafią. Włoch Roberto Saviano zaryzykował (**„Gomorra"**) i musi się ukrywać, bo neapolitańska Camorra skazała go na śmierć. Meksykański autor pracy **„Kartel Juárez"**, usłyszawszy o przypadku Saviano — miast wydać, wolał sprzedać swój tekst agentowi jankeskich tajnych służb, który mu przysiągł, że autora nie ujawni. Ów tekst został wręczony Clintowi Farloonowi przez *„handlera"* operacji *„Sandbox"*, porucznika Hattermana, wraz z dobrą radą:

— Przestudiuj uważnie, Clint, jest tam dużo ciekawych drobiazgów. Facet, który się zwierzał autorowi, księdzu, był w kartelu Juárez oficerem średniego szczebla.

— I nie zna lądowiska łodzi kolumbijskich?

— Niestety, nie. Ale ta lektura da ci duże pojęcie o strukturze, mechanizmach i metodach kartelu.

— Wystarczające, by dzięki temu zeznaniu móc skazać bossów gangu i zlikwidować kartel?

— Byłoby wystarczające, pod warunkiem, że autor nakłoniłby swego interlokutora do złożenia zeznań u prokuratora, lecz tamten nie jest samobójcą, i ksiądz również nie jest samobójcą — rzekł porucznik. — Gdyby jednak, jakimś cudem, któryś złożył oficjalne zeznania, to sprawa raczej nie trafiłaby przed sąd, bo meksykańskie sądy, podobnie jak prokuratury i służby specjalne...

— Tak, wiem! — przerwał mu Farloon.

— Dlatego mijają lata i dekady, a kartel Juárez kwitnie. Widzę tu korelację z medycyną. Który lekarz nie może poślubić swojej pacjentki? Weterynarz. Który sędzia...

— Dlaczego? — zakpił Farloon. — Niedługo mniejszość sodomistyczna wywalczy prawo do poślubiania kóz i innych samiczek.

Hatterman, nie reagując na dowcip, kontynuował:

— Który sędzia nie może skazać szefa meksykańskiego gangu? Meksykański *„juez"*. Przeszkoda biologiczno–gatunkowa, i przeszkoda kryminalno–systemowa, równie trudna do ominięcia jak reguły biologii czy grawitacji. Meksykanie o tym wiedzą, i Meksykanie się tego wstydzą. W przewodnikach po Meksyku zamilcza się trzy rzeczy: krwawe represje antykościelne przed II Wojną Światową, inspirowanie przez KGB ulicznych demonstracji i walk roku '68, oraz miasto Juárez! Na prośbę meksykańskich władz przewodniki nie zawierają opisów tego miasta — większość nie zawiera nawet wzmianki o tym mieście, które zyskało nazwę *„miasta śmierci"*. Zyskało nie tylko dlatego, że morduje się tam hurtem młode dziewczęta, kilka tysięcy w ciągu paru lat, lecz i dlatego, że to niezniszczalne gniazdo superkartelu. Bedekery wyczyszczono, eliminując gród Juárez.

— A mapy?

— No nie, z map nie mogli usunąć stolicy kartelu! — ryknął Hatterman, przekrzykując warkot silnika samolotowego. — Na mapach widnieje Ciudad Juárez, obok El Paso, po drugiej stronie granicy.

Lecieli awionetką Piper Cherokee z Waszyngtonu do Chicago, gdzie Hatterman miał dwa ważne spotkania, a Farloon zabrał się *„okazją"*, gdyż miał tam swoje sprawy prywatne. Nim wystartowali — przeszli na *„ty"*. W prostej linii między Chicago a Waszyngtonem jest mniej więcej 600 mil, niezbyt duży dystans. Lecz żeby odbyć solidną pogawędkę — starcza czasu.

— Wstydliwi, psiakrew! — zgrzytnął pułkownik. — Brzydzą się miasta, gdzie kartel uwił sobie gniazdo, lecz nie wstydzą się chwalić totalnym burdelem obyczajowym, choćby za pomocą filmu. Widziałeś **„I twoją matkę też"**?

— Nie, ale słyszałem, że jest taki film.

— Słyszałeś, bo to głośny film, jedyny meksykański film, który dostał Oscara. Za fajny scenariusz. Dorosła kobitka, mężatka, rżnie się z dwoma nieletnimi, osobno i we trójkę, robi im lachę i te pe, a oni rżną się ze swymi dziewczynami, na krzyż, to znaczy każdy rżnie dziewczynę swoją i dziewczynę swego kumpla, a przy okazji jeden rżnie mamusię kolegi — słowem wszyscy rżną się ze wszystkimi w każdej konfiguracji, od początku do końca filmu, co ma być chwalebnym lustrem Meksyku nowoczesnego.

— A u nas jest inaczej? — spytał porucznik. — Wiesz jak się nazywa czworonożny przyjaciel człowieka?

— Pies.

— Już nie.

— Kot?

— Zapomnij!

— No to kto?

— Nie kto, tylko co.

— Więc co?

— Łóżko. Chociaż i pies może być, sporo pań lubi seks z dogiem czy z nowofundlandem. W tym meksykańskim filmie psy też dymają bohaterów?

— Nie.

— Sam widzisz, to zacofańcy, jeszcze nie osiągnęli wszystkich szczebli postępu. U nas, zresztą, podobnie. Modlitwami przed inauguracją prezydenta Obamy miał kierować pastor–pedał, Gene Robinson, a poinauguracyjne kazanie miała wygłosić pastorka Sharon Watkins, lecz w ostatniej chwili, żeby nie robić obciachu, zdjęto zboka i panią biskup. Jednak usuwanie wszelkich barier kontraborcyjnych już się dokonuje, będzie można wydłubywać nawet kilkumiesięczne płody, niech żyje humanizm Mulata!

— Cóż chcesz, ten gość to produkt leseferycznej wścieklizny lat 60-ych — rzekł Farloon. — *„Zakazuje się zakazywać!"*, gra się postępowo.

— Fakt, zakazuje się zakazywać. Senat nie zakazał mu władowania biliona dolarów w bankierów i spekulantów, w macherów, którzy wyrolowali cały kraj i winni dziś siedzieć, miast inkasować dotacje na jachty, dziwki i kawior. Czysty komunizm, kurwa!... A wiesz co w całej tej hecy szczególnie mnie olśniło? Że ekonomia to nie nauka, tylko pieprzone szamaństwo, hochsztaplerstwo z dodatkiem rulety. Eksperci finansowi, nobliści, profesorowie — nie przewidzieli kryzysu! Mądrale po Harvardach okazali się bandą jełopów. Dyrektorzy banków i prezesi holdingów okazali się szajką debilów i wydrwigroszów. I za to dostają multimilionowe pensje plus multimilionowe odprawy! Jedyna nadzieja w tym co mówi Pismo Święte: że łatwiej wielbłąd przejdzie przez igielne ucho, niż bogacz wejdzie do Królestwa Niebieskiego. Chociaż słyszałem, że Ucho Igielne to była wąziutka brama w murach Jerozolimy, tylko dla pieszych... Cóż, nadzieja jest matką idiotów. Spekulacyjne sukinsyny giełdowo–bankowe dadzą radę skorumpować samego oberbramkarza lokalu Niebios, świętego Piotra...

— Pieklisz się jak Lowa Abelman, który dużo stracił gdy runęły giełdowe akcje... — skonstatował Farloon.

— Owszem, straciłem 40 procent, więcej stracił mój brat. Musi sprzedać dom, i nie znajduje kupców, nikt nie ma kasy, chłopie. A ten twój kumpel na pewno szybko sobie wyrówna, tacy jak on zawsze skaczą na cztery łapy, cygański fart, chłopie. Facet jest z tego samego szczepu co generał Tiomkin.

— Tiomkin to pół–Cygan, Abelman to czysty Żyd! — zaprzeczył Farloon.

— No właśnie, jedna rasa. I są nawet z jednego szczepu. Tiomkin ze szczepu Lowarów, zaś twój kumpel ma imię Lowa.

— Ale dowcipne, poruczniku! — skrzywił się Clint. — Wszyscy nie cierpicie Lowy niczym taliba, moi ludzie również...

— Sam pan widzi, pułkowniku!

— To znowu jesteśmy na *„pan"*?

— Nie ja zacząłem. I nie mam nic do Żydów, ale wszyscy ci utytułowani spekulanci, którzy megapiramidą finansową wywołali recesję, to Żydzi, nie ma tam chyba jednego goja!

— Mnóstwo Żydów straciło wskutek tego kryzysu pieniądze, jak właśnie Abelman! — bronił dalej przyjaciela Clint. — Wśród ofiar jest więcej Żydów niż wśród sprawców, kolego.

— Pierdolić zwłaszcza sprawców!

Jakby od tego wybuchu gniewu Hattermana — samolotem zaczęło niemiłosiernie trząść.

— Co jest, turbulencja? — spytał Farloon.

— No — przytaknął porucznik.

— Ile do Chicago?

— Jakieś pół godziny... Chicago teraz modne. Wszyscy zasuwają na North Clark Street, bo tam jest meksykańska „Topolabamba", ulubiona knajpa Obamy. Miejsca się rezerwuje z dwutygodniowym wyprzedzeniem. Główne danie to biała czekolada.

— Serio?

— Żartuję. Był taki dowcip: *„Po co robią białą czekoladę? Żeby Murzynek też mógł się ubrudzić"*. Notabene Obama bardzo kocha słodycze, w „Topolabamba" zawsze szykują mu coś słodkiego. A wiesz skąd nazwa? Tak się zwie mały meksykański port w Zatoce Kalifornijskiej.

— Ja mam znaleźć mały meksykański port narkotykowy w zatoce Tehuantepec — westchnął pułkownik. — Chętnie bym usłyszał, z dwutygodniowym wyprzedzeniem, gdzie dokładnie mam szukać, bo tam brzeg ciągnie się długodystansowo. Szukanie igły w stogu siana!

— To nie jest najgorsze, chłopie, są inne enigmy, które sprawiają, że nie zazdroszczę ci tej roboty w Meksyku.

— Jakie?

— Jest ich dużo.

— Wymień kilka.

— Żeby cię zniechęcić?

— Nie zniechęcisz. Wziąłem tę robotę, więc pojadę i misję wykonam. Wal śmiało.

— Pierwsze: czy ktoś nie puści farby? Zdrajca lub papla.

— Komu? FSB?

— FSB, GRU, rosyjskiej Służbie Wywiadu Zagranicznego, Kubańczykom, Wenezuelczykom, Kolumbijczykom, *„służbom"* meksykańskim, kartelowi z Michoacán lub kartelowi z Juárez... Jest wiele kramów, w których można was sprzedać. Gdy ktoś stąd was zdradzi — leżycie. *„Kret"* zdradzi za pieniądze, paplający głupek zdradzi wskutek swojej głupoty. Durnie bywają niebezpieczniejsi od zdrajców. Cholerne robactwo!

— Co po drugie? — spytał Clint.

— Po drugie nowy szef CIA, Panetta. To lewak, i prawdopodobnie...

Hatterman zawiesił głos, serwując sobie myślą radę: „Stul pysk, paplający durniu!".

— Prawdopodobnie co?

— Jeśli dowie się o waszej akcji, może przeszkadzać...

— Prawdopodobnie co?! — krzyknął pułkownik. — Mów, poruczniku, nie wydam cię!

Hatterman odwrócił głowę i spojrzał mu w oczy. Trwało to kilkanaście sekund. Wreszcie rozwarł usta:

— Prawdopodobnie był agentem bądź kontaktem operacyjnym KGB już w latach 80-ych, w pierwszej połowie tych lat.

— Zwariowałeś?!

— Być może, glob jest pełen schizofreników. I pełen sympatyków lub współpracowników KGB. Słyszałeś o IPS, żołnierzu?

— Nigdy.

— To Institute for Policy Studies, bardzo lewicowy think-tank, który, według naszych analityków, został stworzony w USA przez KGB dla lobbowania na rzecz *„właściwych stosunków między USA a Związkiem Sowieckim"*. FBI szybko ustaliło, że większość prominentnych członków IPS to sowieccy *„agenci wpływu"*, werbowani przez operacyjnych agentów GRU oraz KGB, Lekariewa, Talca, Pawłowa, Strokina, Miszczenkę i innych dyplomatów z sowieckiej ambasady, chronionych immunitetem. IPS całymi latami robił wszystko, by ograniczyć amerykański budżet na zbrojenia i na tajne służby, a szczególnie ostro zwalczał prezydenta Reagana i CIA. Dzięki IPS kopie rządowych amerykańskich dokumentów trafiały w ręce Rosjan, zdemaskowano przy tym szefa IPS, Barneta, i wiceszefa, Powella.

— Tego Murzyna, sekretarza obrony?

— Nie, sekretarzem u Busha był Colin Powell. Tamten to Steven Powell.

— A Panetta?

— Panetta był głównym ramieniem IPS w Kongresie, i największym wśród kongresmenów wrogiem CIA, mówiło się: „ — *Panetta chce wykastrować CIA"*. A od kilkunastu dni ten człowiek jest szefem CIA. Wróg CIA został szefem CIA!

— Republikański senator Judd Gregg, który podczas kampanii prezydenckiej bezwzględnie zwalczał program ekonomiczny Obamy, został nominowany na ministra handlu — przypomniał Hattermanowi rozmówca.

— To nie to samo!

— Mylisz się, dokładnie to samo. Kilkanaście lat temu Gregg żądał likwidacji Ministerstwa Handlu. Czyli to samo: wróg CIA został szefem CIA, a wróg Ministerstwa Handlu ma być szefem Ministerstwa Handlu.

— Okay, niech sobie będzie. Kupa wariactwa! Przyznasz, że los ma duże poczucie humoru.

— Historia zawsze miała duże poczucie humoru — zgodził się Clint. — Kiedy społeczeństwo dotknięte traumą 11 września wybiera kilka lat później człowieka noszącego imię Hussein, i mającego przeszłość w szkole koranicznej, na prezydenta Stanów, to trudno mówić o braku poczucia humoru. Tylko ja nie mam poczucia humoru, gdy myślę o wilczych dołach dla akcji *„Sandbox"*. Co jeszcze nam grozi?

— Przeciek do prasy. Zbyt dużo ludzi już wie o *„Sandbox"*.

— Tylko kilku, góra dziesięciu.

— Policzyłeś tych, którzy używają Abelmana jako coacha?

— Nie. No to dwudziestu.

— O piętnastu za dużo. Jak formalnie dwudziestu, to praktycznie czterdziestu. Módlcie się, by żaden spośród nich nie chlapnął czegoś kuzynowi dziennikarzowi lub kochance reporterce. Nic nie może przedostać się do mediów! W Rosji byłoby wam trochę łatwiej, tam regularnie odstrzeliwują bezczelnych pismaków, ale u nas taka rozsądna demokracja nie jest jeszcze praktykowana... Zapnij pasy, wkrótce będziemy lądować, Chicago już blisko.

— Cholera, ale wieje, damned! — przeklął Farloon.

— W Chicago stale mocno wieje.

— Zauważyłem.

— Bywasz w Chicago, czy mieszkałeś tutaj?

— Zauważyłem, kiedy wywiało stąd niebiałego Obamę do Białego Domu — rzekł cierpko Clint.

* * *

21 lutego 2009, kilka minut przed godziną 13^{00}, generał Igor Pietrowicz Tiomkin siedział sobie na ławeczce przy romantycznej Cal-

zada de los Poetas w parku Bosque de Chapultepec i oczekiwał Jana Serenickiego, z którym się tu właśnie umówił. Wskutek perswazji agenta *„Y"* tudzież ciekawości szefa *„rezydentury"* („Co go tak ciągnie do tych lalkowych teatrzyków?...") — mieli razem obejrzeć kukiełkowe przedstawienie **„Las últimas muñecas"** (**„Ostatnie lalki"**), aby generał mógł wreszcie zrozumieć hobby podwładnego. Pechowe fata sprawiły jednak, że generał — chociaż stawił się na to rendez–vous — miał bardzo kiepski humor, wykluczający delektowanie się jakimkolwiek widowiskiem, zmagał się bowiem z niemożnością zrozumienia czemu meksykańscy żurnaliści są takimi sukinsynami. Trzymał najnowszy numer popularnej gazety **„La Derecha"**, i zalewała go krew.

„La Derecha" to — wedle nazwy — dziennik prawicowy, niezbyt kochający lewicowców i postępowców. 21 lutego ukazał się wraz z monotematycznym dodatkiem **„El Ruso"** (**„Rosjanin"**), pełnym bezczelnych złośliwości pod adresem Federacji Rosyjskiej (República Federativa de Rusia), jej komandirów i mieszkańców. Historii nie wykluczając. I, co ciekawe — nie wykluczając również w odniesieniu do Meksyku. Przypomniano choćby rok 1934, kiedy noszący tytuł *„Głównodowodzącego"* (*„Jefe Máximo"*) dyktator Calles, rządząc jako delegat Partii Rewolucyjno–Instytucjonalnej — wzorem ZSRR upaństwowił wszystkie dzieci (*„Dziecko żyło pod tyranią kleru i rodziców. Dzisiaj zwracamy mu wolność — każde dziecko, już od piątego roku życia, należeć będzie do państwa i kształtowane będzie trybem wychowania socjalistycznego"*). Nie omieszkano nadmienić, iż trochę wcześniej głównym doradcą Callesa był polski *„kuzynek diabła"*, manipulator polityczny Józef Retinger.

Kolumny współczesne dodatku **„El Ruso"** znęcały się głównie nad wszechrosyjskim alkoholowym *„delirium tremens"*, nad rosyjską oligarchią, która w latach 2004–2008 wykupywała glob, i nad neocaratem pułkownika KGB, Władimira Putina. Sugerowano między innymi, że głośna serbska banda włamywaczy *„Pink Panther"*, fenomenalnie rabująca jubilerów Azji, Arabii, Australii i Europy (miliardy urobku) — pracuje dla oligarchii rosyjskiej rekompensującej sobie straty wywołane przez kryzys ekonomiczny roku 2009. Rzucono również ciekawe pytanie: gdzie się podziały hordy antyglobalistów, jeszcze niedawno dewastujące miejsca spotkań (*„forów"*, *„szczytów"*, *„kongresów"* itp.) elity gospodarczej tego świata? Latali tłumnie samolotami od Seattle przez Tokio do Genui, by demonstrować, chlać, ćpać i tłuc się z policją. I nagle co? — zapadli się pod ziemię? Według dziennika, odpowiedź nie nastręcza trudności: *„rosyjscy sponsorzy"* zbiednieli wskutek kryzysu i skończyło się finansowanie gnojów uprawiających, pod przykrywką idealizmu, radosne żulikostwo.

Szczególnie wkurwiające każdego *„suwerennie demokratycznego"* obywatela Matuszki Rossiji musiały być wszakże wrogie szpalty **„La Derecha"** poświęcone władztwu Putina. Choćby fragment o intelektualnych walorach *„neocara"*, którego pochwalono za abstynencję (*„Nigdy nie pije, więc zawsze przemawia trzeźwo"*), i niżej przytoczono *„expressis verbis"* jego wypowiedź dla młodzieżowego aktywu: *„ — Nawet nie ma o czym mówić... Eee... Ja, co to ja chciałem powiedzieć i wspomnieć... Eee... Wspomnieć o tym, o czym teraz nie wspominają. To w ogóle tyle, co kot napłakał. Ale nie o to chodzi, nie o to chodzi... Eee... Chodzi o to, nie wiem, wiecie o tym, czy nie wiecie, jeśli nie wiecie, chcę wam o tym powiedzieć, bo wątpię czy o tym wiecie. Bo to, to, znaczy się, samo przez się, właśnie dlatego, zresztą, można powiedzieć, cały czas mówiłem... Eee..."*.

Tiomkin, czytając te paskudne frazy, zgrzytał sztucznymi zębami, co — rzecz jasna — nie dawało tego samego rezultatu emocjonalnego, jaki daje zgrzytanie naturalnym uzębieniem, ale trochę rozładowywało wściekłość, która zawsze musi sobie znaleźć furtki odpływowe dzięki mięśniom, czyli wskutek zgrzytania, przeklinania, gestykulowania, bądź kopania różnych przedmiotów. *„Y"* się spóźniał, więc Tiomkin, nie mogąc wyładować złości dialogiem, musiał sam sobie radzić. Chętnie łyknąłby ze dwa stakany czystej wódki, ale chwilowo nie było to możliwe. Rozejrzał się dookoła, lecz pobliskie budki straganiarzy — pełne buñuelos (pączków), tortillas (placków) i galletas (ciasteczek) — wyglądały na bezalkoholowe, zatem nie mógłby doraźnie spacyfikować stresu tequilą.

Minęła go grupka jankeskich turystów emerytów. Trzymali patyki z watą cukrową, barwne lizaki i kartonowe kubki, przekrzykiwali się i starali demonstrować młodzieńczą dziarskość. Ich widok wszczepił Tiomkinowi refleksję: „Ta pieprzona publikacja to robota Waszyngtonu! Amerykanie finansują szmatławca i dostarczają mu gotowe kontrrosyjskie teksty! Od pokoleń tak było, na całym globie. My robiliśmy im koło dupy jak tylko się dało, a oni nam. To się nigdy nie skończy, Rosja nigdy nie będzie krewną Zachodu...". Lata przebywania wśród ludzi Zachodu sprawiły, że Zachód mu się podobał, choć nie stuprocentowo. Wśród rzeczy, które się Tiomkinowi nie podobały, była też owa charakterystyczna dla Amerykanów kultura bycia (Francuzi mówią: *„manière de vivre"*) rodem z reklamy pasty do zębów — kultura automatycznego szerokiego uśmiechu i wylewnej serdeczności, bez kłopotów przeradzająca się w zdawkową obojętność, w chłód niebędący dystyngowanym dystansem, tylko lekceważeniem kontrahenta, od którego zainkasowało się już prowizję bez reszty. Spoza pleców usłyszał:

— Witam, generale!

— Spóźniłeś się prawie dziesięć minut! — odwarknął.

— Sześć minut, panie generale. I przez to ma pan taki zły humor?

— Nie przez to. Wiesz czego najbardziej nie lubię, gospodin Serenicki?

— Prócz spóźnialskich, rzecz oczywista?

— Tak.

— Bo ja wiem... — zastanowił się Polak. — Może przesolonej zupy lub brzydkich dziewcząt...

— Idź do diabła, jajcarzu! Najbardziej nie lubię głupoty, wrednej głupoty! Nie lubię też braku lojalności, braku godności i jeszcze paru rzeczy, ale perfidnej głupoty nie lubię szczególnie, ona mnie wkurwia!

— Więc niech pan unika głupców.

— Łatwo mówić! To bardzo trudne. Nie twierdzę, że na świecie jest dużo złośliwych idiotów, ale tak się sprytnie rozstawiają, że gdziekolwiek pójdziesz, to ich spotkasz.

— Dzisiaj gdzie pan spotkał?

— W tym meksykańskim szmatławcu.

— Piszą o panu, generale?

— Nie o mnie, ale o Rosji. Mocno mnie wkurzyło.

— Starczy, że pułkownik Fedoruk pośle Metysa, i winowajcy otrzymają zasłużoną karę.

— Bardzo dowcipne! — burknął generał. — Mówisz: zasłużoną karę? Ty powinieneś wymierzyć tę karę, to twoja rola.

— To rola *„cyngla”*, ja nie mam właściwego talentu.

— Jesteś attaché kulturalnym, więc ty winieneś napisać polemikę, która skopie dupsko paszkwilantom.

— Nie umiem pisać prasowych polemik.

— Tak, umiesz ino werbalnie jajcarzyć, kpić ze wszystkiego rozmawiając. Z tych rzeczy, których nienawidzisz, też sobie pokpiwasz?... Czego ty najbardziej nienawidzisz, *„Y”*?

— Szpinaku. Mam to od dziecka, generale, od przedszkola.

— A serio?

— A serio, to już od przedszkola nie traktuję się serio, chociaż w przedszkolu nie znałem jeszcze maksymy Henry'ego Millera, że *„kto traktuje się serio, ten podpisuje własny wyrok śmierci”*.

— Pytam: czego ty nienawidzisz serio, Poliak?

— Różnych rzeczy. Pułkownika Fedoruka, sitkomów, transwestytów, kuchni meksykańskiej...

Generał roześmiał się, choć chwilę wcześniej sądził, że tego dnia nic już nie skłoni go do śmiechu.

— Kiedy to przedstawienie?

— Za pół godziny.

— To mamy jeszcze czas. Usiądź. Nosisz białe spodnie, eleganciku, więc siadaj na tej gazecie, nie zabrudzisz. Taki szmatławiec brudzi tylko treścią, są tu same brudy na temat Rosji, edycja monograficzna, o Rosji jako światowym wilkołaku minionych stu lat. Ale głównie dokopują dzisiejszej Rosji, że pseudodemokracja, neocarat, smród i pijaństwo. Tylko dwóch rzeczy nam nie zarzucają: ukrzyżowania Chrystusa i spowodowania globalnego kryzysu finansowego. Nie mogą nam, sukinsyny, wlepić tych dwóch grzechów, bo każdy dzieciak wie, iż pierwsze zrobili Żydzi, a drugie... drugie też Żydzi, sztab finansowy Zachodu, szulerzy, co pompowali finanse świata jako jedną wielką piramindę spekulacyjną, która musiała kiedyś runąć. A gdy już runęła — przyznali sobie miliardowe premie, wieńczące całe to megazłodziejstwo. Z torbami poszli frajerzy, miliony frajerów. I to ma być zdrowa demokracja, zaś nasza jest według nich chora! Job waszu matieri, mierzawcy!

Serenicki zrobił grymas człowieka rozczarowanego:

— Panie generale, gdybym wiedział, że będzie pan miał aż taki kiepski humor, nie zapraszałbym pana dzisiaj do teatrzyku...

— Zły humor mi nie przeszkodzi, zaraz się wyluzuję... Mówiłeś jaki to będzie tytuł, ale wyleciało mi ze łba...

— **„Las últimas muñecas"**, generale.

— Tak, **„Ostatnie lalki"**. Dlaczego ostatnie, co?

— Nie znam treści przedstawienia, lecz wiem, że *„la última muñeca"* to ostatnia lalka, jaką daje się w Hiszpanii dziewczynkom. Daje się, kiedy kończą 15 lat. Może o to chodzi. Jak nie będzie się nam podobało, możemy pójść trochę dalej, do innego marionetkowego teatrzyku, albo do teatru cieni, jest ich tu kilka.

— Chińskie, mongolskie, japońskie?

— Niekoniecznie, są i meksykańskie.

— Prześcieradło między drzewami, podświetlone od tyłu?

— Raczej ekran w namiocie, zobaczy pan. Prześcieradła między drzewami lub słupkami rozpinają młodzi debiutanci używający pacynek albo prościutkich, szkolnych kukiełek.

— Dzicy ludzie też rozwieszają prześcieradła, nawet nie między drzewami, tylko po prostu na drzewie, między konarami, widziałem to w Afryce, gdzie pełniłem służbę za młodu — rzekł nostalgicznie Tiomkin. — Prześcieradło udawało ekran. Było brudne, a film był tylko jeden, jakiś western, więc codziennie go wyświetlano. Któregoś wieczora tubylec wkurzył się i rzucił dzidą, trafiając czarny charakter w brzuch. Nie mógł zrozumieć dlaczego trafiony bandyta dalej żyje. A ta dzida tkwiła w pniu drzewa i w ekranie do końca filmu, więc podczas *„happy endu"* znalazła się w ustach blondynki, co wyglądało trochę perwersyjnie, ale Murzynom to nie wadziło.

— Przypominam sobie coś podobnego z dzieciństwa! — zachichotał Serenicki.

— Byłeś jako dziecko w Afryce?

— Nie, ale w *„budzie"* wyświetlano nam parę razy **„Czapajewa"**. Wszyscy, kilka klas, siedzieliśmy pokotem na dechach stołówki, lecz nie miałem przy sobie dzidy, żeby rzucić w Czapajewa.

— Pieprzone Poliaki, nienawidzicie każdego z naszych gierojów!

— Dlaczego? Lubimy Stirlitza.

— To ja już od was wolę tych Murzynów!

— Których Murzynów? — spytał Serenicki.

— Pracowałem w Kongu. Dosyć krótko, niecały rok, Fedoruk ma znacznie większy afrykański staż. Robił tam ponad pół dekady, w kilku krajach, zaszczepiając marksizm–leninizm według doktryny KGB. Marzył o podbiciu całego kontynentu przez *„ojczyznę proletariatu"*, chciał zostać legendarnym bojownikiem Czarnego Lądu, ale nie miał szans.

— Dlaczego nie miał szans? — zdziwił się *„Y"*. — Wtedy posiadaliście tam ogromne wpływy i możliwości, zmarksizowaliście wiele czarnych krajów...

— Nie miał szans zostać żywą legendą, gdyż nie był Angolem i nie był pedałem.

— To żart?

— Nie, to metafizyka historii. Wszystkich sześciu legendarnych białych bohaterów Afryki było Brytolami i pedałami, co do jednego. Rhodes z Rodezji, Lawrence z Arabii, Gordon z Chartumu, Kitchener z Omdurmanu, Baden–Powell ze Skautingu i Montgomery z Al–Alamajn. Ciekawostka, prawda? Sam to zauważyłem i sam to sprawdziłem, studiując ich biografie.

— A Stanley? — zainteresował się Jan. — Wielki podróżnik, wielka legenda, sławny Angol...

— Psiakrew, zapomniałem o Stanleyu! — syknął Tiomkin, krzywiąc wargi, jakby ukłuty niespodziewanie igłą. — Jeśli Stanley nie był pedałem, to całe moje odkrycie jest warte psu na budę, reguła mi się wali. Ale może był, sprawdzę to. Trzymaj za mnie kciuki, Poliak.

— Tak toczno, towariszcz jenerał! Będę miętosił wszystkie kciuki, żeby się okazało, iż Stanley dymał Livingstone'a, i na odwrót.

— Psiakrew, jest i pan Livingstone, ósmy! — przypomniał sobie Tiomkin, robiąc znowu bolesny grymas.

— Czas iść — rzekł Polak.

Ruszyli żwirową alejką ku teatrzykowi.

— Kukiełki będą gadały po meksykańsku? — spytał *„rezydent"*.

— Chyba tak. W zeszłym tygodniu był tu teatrzyk malezyjski, lecz Malezyjczycy tylko ruszali kukiełkami, głosy dawali Meksykanie, żeby lokalna publika rozumiała. Gdy jest dużo Amerykanów, mówią po angielsku.

— Czyli dubbing?

— Można tak nazwać — roześmiał się *„Y"*. — To mi przypomina, że sławny polski aktor, Zbyszek Cybulski, gdy grał we francuskim filmie, cały czas, zamiast swojej kwestii, recytował modlitwę *„Ojcze nasz"*, bo nie znał francuskiego, a kiedy podłożono nakręconym scenom głos francuskiego aktora, wszystko idealnie pasowało.

Gdy doszli do teatrzyku, nie wszystko pasowało, bo grupa Amerykanów, która wcześniej mijała Tiomkina nosząc uśmiechy z reklamy pasty Colgate, teraz nosiła barwne sombrera ze straganu obok, i okupując przód widowni, zasłaniała częściowo scenę.

— Myślą, że to tradycyjny kapelusz tubylców! — sarknął Tiomkin.

— A nie?

— Nie, hiszpańscy kolonizatorzy przywieźli tu sombrero, tak jak biali przywieźli Siuksom rumaki, choć każdy Siuks czy Apacz dałby głowę, że mustang to pradawne zwierzę jego kontynentu.

Godzinę później wracali bez pośpiechu alejkami Bosque de Chapultepec.

— Podobało się panu? — spytał Serenicki.

— Nie bardzo. To może bawić dzieciarnię. Dlatego właśnie Fedoruk sądzi, że twoje zamiłowanie do tych kukiełek to tylko przykrywka twoich kontaktów z CIA, Mossadem lub MI 6. Że tu się kontaktujesz z nimi, Poliak.

— To niech mnie śledzi, głąb! Ja tutaj się kontaktuję z Wielkim Lalkarzem wszechświata, generale.

— Uwielbiasz Szekspira, a rajcują cię bajeczki dla sraluchów?

— Uwielbiam Szekspira, generale, lecz nigdy nie tracę przekonania o wyższości **„Cynowego żołnierzyka"** Andersena nad całym Szekspirem.

— To w ramach nietraktowania się serio już od przedszkola?

— Powiedzmy.

— Czy kiedyś wydoroślejesz?...

Dalej dreptali milcząc, aż do parkingu, nad którym unosiła się z głośników nieśmiertelna melodia:

„Tú siempre me respondes:
*Quién sas? Quién sas? Quién sas?"**

* * *

Wielu ludzi dużo pije, ale niewielu ludzi umie dużo pić. Kończą w rynsztokach. Wielu ludzi chciałoby kontrolować swoje uzależnienie od narkotyków, ale niewielu umie narzucić sobie dyscyplinę wstrzemięźliwości, mitygującą patologiczny rozwój uzależnienia. Dlatego fach handlarzy *„koksem"* jest bardzo opłacalny oraz bardzo niezwalczalny. Może gdyby każdego przyłapanego hurtownika i di-

---

* *„Ty zawsze mi odpowiadasz:*
Kto wie? Kto wie? Kto wie?".

lera rozwalano od razu, sytuacja uległaby zmianie, lecz jest również możliwe, iż główną zmianą byłby wtedy wzrost cen detalicznych *„białej śmierci"*, solidnie bijący po kieszeni nieszczęsnych ćpunów. Remedium rozwałkowe to zresztą czysta spekulacja, utopia, gdyż eksplozje postępu i humanitaryzmu wymiotły, jak świat długi i szeroki, karanie śmiercią, a i tam gdzie stosowanie *„kary głównej"* ostało się jeszcze, nie jest ona stosowana wobec narkotykowych ludobójców. Zabawa w policjantów i w handlarzy stanowi permanentny mecz o tendencji wzrostowej, co skutkuje rosnącą liczbą zer narkohekatomby (funeralia), narkotonażu (cargo), narkobudżetu (finanse służb zwalczających plagę), et cetera.

Główny narkotykowy mecz pierwszej dekady XXI stulecia odbywa się u sąsiadów jankeskiego mocarstwa — u Meksykanów. Trwa tam wojna totalna, której pierwszym etapem były małe wojenki pomiędzy gangami, przeistoczone później w wielkie bitwy pomiędzy kartelami, a od 2007 roku w ogólnomeksykańską rzeźnię — w narkotykowy Armagedon. Kolejnego roku (2008) wojna ta zabiła prawie 8 tysięcy ludzi (głównie rywalizujących ze sobą gangsterów); podczas pierwszego kwartału 2009 — nieomal 2 tysiące ludzi. Codzienny, regularny ubój, gwoli zysków, jakie daje produkcja i dystrybucja narkotyków. Plus regularne porwania dla okupu, stanowiące drugą złotą żyłę meksykańskiego świata przestępczego. Axel Gyldén (**„L'Express"**, 5–III–2009):

„Makabryczna, czysto wojenna rzeczywistość dzisiejszego Meksyku przerasta najbrutalniejsze hollywoodzkie fikcje. Ostatnie lata (2007–2009) to najkrwawszy etap w historii tego kraju od czasów meksykańskiej rewolucji lat 1910–1917. Niektóre stany (jak Michoacán) i niektóre miasta (jak Ciudad Juárez) są strefami bezprawia kompletnego, sterroryzowane władze cywilne i mundurowe zupełnie tam nie funkcjonują".

To samo pisał Chris Ayres (**„The Times"**, 15–I–2009):

„Meksyk tonie w anarchii i w bezprawiu. Paraliżuje go wojna gangów narkotykowych. Gazety każdego dnia piszą o kolejnych ofiarach porachunków, o zbiorowych masakrach (jesienią, gdy

celebrowano święto niepodległości Meksyku, bandyci rzucili granaty w wiwatujący tłum), o plastikowych torbach zawierających ucięte głowy, o kidnapingach (najnowszy raport policji mówi o uprowadzonym nastolatku, którego zabito z zimną krwią, gdy już rodzina wypłaciła porywaczom pieniądze), o krwi lejącej się wszędzie, a szczególnie przy amerykańskiej granicy, gdzie są kanały przemytu. To już prawdziwa wojna domowa, tysiące ofiar, zasłane trupami pole wielkiej bitwy. Ta wojna może się wkrótce przelać przez granicę, dlatego Departament Bezpieczeństwa Wewnętrznego USA planuje rzucenie na granicę meksykańską znacznych sił, by pacyfikować rozzuchwalonych meksykańskich gangsterów. Lecz jak spacyfikować meksykańską anarchię i erupcję bezprawia, gdy rząd tego kraju jest dogłębnie skorumpowany?".

Prezydent Meksyku, Felipe Calderón, chcąc pokazać, iż rząd nie jest skorumpowany, ogłosił wojnę państwową przeciwko siejącym grozę kartelom, deklarując, że zdławi przemysł narkotykowy nim upłyną 3 lata. Prorządowe media ogłosiły bilans pierwszego etapu tej walki (po roku, marzec 2009): aresztowanie 59 tysięcy narkogangsterów (m.in. kilkunastu narkobaronów, których bezzwłocznie wydano USA), przejęcie 350 samolotów, 15 tysięcy samochodów, 30 tysięcy sztuk broni automatycznej, 4 milionów nabojów i 250 granatów, tudzież skonfiskowanie 460 ton marihuany, 80 ton kokainy, 20 ton narkotyków syntetycznych i 300 milionów dolarów. Lecz media antyrządowe wyśmiały ten rezultat, dowodząc, iż miejsce eliminowanych *„narcos"* zajmują nowi bossowie i *„żołnierze"*, a sukcesy *„glin"* są tylko efektem brutalnej rywalizacji gangów. Dla przykładu wskazano reklamowany hucznie sukces celników portowych: zatrzymanie ciężarówki, której karoseria i zderzaki były wykonane z kokainy krytej szklanym włóknem. Przewąchał to pies policyjny, lecz — jak pisała lokalna prasa — *„konkurencyjny kartel dał «cynk» temu psu"*.

Rząd USA również dał *„cynk"* meksykańskim władzom: że mają gorliwie współzwalczać narkobiznes, bo inaczej Stany Zjednoczone bardzo się pogniewają i zastosują retorsyjne środki. Więc władze Meksyku wykonały, dla udobruchania grubego sąsiada, kolejny gest: wszczęły śledztwo w sprawie związku między kartelami narkotykowymi a bankiem SIB (Stanford International Bank), który prał gotówkę meksykańskich narkobaronów i miał pomnażać pieniądze innych klientów. Szef SIB–u, teksaski miliarder Allen Stanford, oskubał tych klientów piramidą finansową dużo mniejszą niż piramida Madoffa (ledwie 9,2 miliarda dolarów), jednak Amerykanie nie darowują dzisiaj i takich „drobiazgów", kryzys ekonomiczny mocno stymuluje ich kontrprzestępczą zajadłość. Świadectwem tej zajadłości było wystąpienie wiceprezydenta Bidena (11 marca 2009), który oznajmił, że nowym szefem antynarkotykowej służby ONDCP (Office of National Drug Control Policy) — *„antynarkotykowym carem"* (sic!) — zostaje dotychczasowy szef policji w Seattle, Gil Kerlikowske, który rozpęta przeciwko meksykańskiemu narkobiznesowi piekło, *„wojnę totalną"*. Potwierdzili to hierarchowie Pentagonu, mówiąc, że *„wobec gangsterów z karteli na południe od Rio Grande będzie się stosować metody wypraktykowane w Iraku oraz w Afganistanie przeciwko rebeliantom"*. Szef Kolegium Połączonych Sztabów Armii USA, generał Michael Mullen, dodał: *„ — Pomożemy Meksykowi środkami, którymi wszędzie zwalczamy terrorystów"*. Waszyngton obiecał przeznaczyć dla zwalczania meksykańskich karteli sumę 1,6 miliarda dolarów w ciągu 3 lat (tzw. *„Inicjatywa Mérida"*), niewiele mniej niż na wojskową pomoc dla Izraela i dla Egiptu.

U schyłku marca 2009, nie bez związku z *„Inicjatywą Mérida"*, nowa, obamowska dyrekcja CIA przypomniała sobie o absolwentach Camp Mackall. Ten tajny ośrodek szkolenia elitarnych grup powietrzno–desantowych z Fortu Bragg (Karolina Północna) jest najlepszą amerykańską fabryką twardzieli, formalnie: *„szkołą przetrwania"* we wszelkich warunkach naziemnych/podziemnych, nawodnych/podwodnych, itp. Camp Mackall zasłynął wśród amerykańskich komandosów testami, dla których określenie *„mordercze"* lub *„ekstremalne"* nie było przesadne (wrzucanie do głębokiej wody ze związanymi rękami i nogami, wyrzucanie za burtę 5 kilometrów od brzegu i przymus płynięcia do brzegu pod wodą, etc.). Finał kursu (19 dni) uskuteczniano w *„laboratorium treningu odporności"* zbudowanym na wzór azjatyckich obozów jenieckich tytułowanych *„wykańczalnią"*. Swego czasu cała *„4"* przeszła tę kaźń zwycięsko (odpadało 70% kursantów), więc przypomniano sobie o nich. Pułkownik Farloon pierwszy dostał propozycję rządowej służby. Pokazał ją kolegom:

— Lada dzień wy również otrzymacie taki papierek. Adres ten sam: Meksyk. Cel podobny: zwalczanie *„narcos"*. Wzdłuż granicy Meksyku.

— Gaża będzie ta sama? — spytał *„Woody"*, dłubiąc wykałaczką w uzębieniu.

— Dobrze wiesz, że sto czy tysiąc razy mniejsza, ale za to wysługa lat będzie się liczyła dla emerytury.

— Nasz wódz optymista uważa, że mamy szanse dożyć emerytury — mruknął cierpko Forman.

— Odkąd go znam, lubił robić sobie kpinki, w krew mu to weszło — zdiagnozował Gracewood.

— A ty co sądzisz, *„Pole"*? — spytał Clint.

— Ja to wszystko pieprzę, chcę do mamusi! — zajęczał piskliwie Nowik.

„Woody" pokiwał głową:

— Mówiłem, że to maminsynek, jak wszyscy jego rodacy.

— No! — zgodził się Hank. — Co nas właściwie wstrzymuje, żeby mu solidnie skopać to polskie dupsko?

— Koszty wstawiania ceramicznych ząbków... — wyjaśnił Polak.

Gracewood udał, że nie słyszy, i wyjaśnił swoje motywy zaniechania łomotu polskiego dyferencjału:

— Co mnie wstrzymuje? Chyba tylko wrodzone lenistwo, czyli gen lenistwa. Dyrektorka szkoły zawsze przezywała mnie leniem, bo miast wkuwać, wolałem jeździć konno.

— Konno to nauczył was jeździć Pułaski, polska kawaleria była lepsza i od kowbojów, i od indiańskich jeźdźców — rzucił *„Pole"*.

— Słyszałeś co chrzani ten piechur? — zwrócił się do Formana Gracewood.

— No. To straszne, ta choroba ma jakąś nazwę, ale zapomniałem ją. Czy leci z nami psychiatra?

Farloon przerwał im wygłupy:

— Panowie, to poważna propozycja, szansa zostania pełnoprawnym, etatowym oficerem Stanów.

— A ty już się zdecydowałeś? — spytał Nowik.

— Tak, lecz najpierw chcę usłyszeć co wy sądzicie o propozycji władz.

Zapadła cisza. Trwała długo, kilkadziesiąt sekund, więc zniecierpliwiony „*Don*” przerwał ją:

— Dlaczego nie chcecie mówić?

— Ja chcę mówić — zdeklarował się Forman.

— Słucham, mów.

— A konkretnie: chcę spytać.

— Pytaj.

— Co musi zrobić łysy, żeby podrapać się po włosach?

Farloon zbaraniał:

— Nie rozumiem...

— To proste pytanie, dowódco. Co musi zrobić łysy, żeby podrapać się po włosach?

— Bo ja wiem... Musi zrobić sobie implant włosów, jak premier Italii.

— Nie, wystarczy zrobić dziurę w kieszeni.

Eksplodowała burza śmiechu, a kiedy umilkła, Clint powrócił do pytania o łysego:

— Chciałeś coś zasugerować tym żarcikiem?

— Chciałem spytać: co może zrobić łysy finansowo żołnierz, by otrzymać pełen worek pieniędzy? — wycedził Hank. — Może zrobić dziurę w sejfie. Myśmy już wykonali dziurę w sejfie Ramíreza, i ta gotówka ma być moja, pierdzielę napiwkowy żołd!

— Ja również, amigos, ja również!... — odezwał się Gracewood. — Już nie pracuję za drobniaki!

— Ja bym chciał jeszcze obciąć jakiś kidnaperski paluszek i jakieś meksykańskie ucho, na co w służbie rządowej nikt mi nie zezwoli, bo *„efekty Abu Grabi i Guantánamo”* zwiększyły siłę humanitarnych hamulców — przedłożył Polak.

— Psychol, a dobrze mówi! — ucieszył się Gracewood.

— Okay! — rzekł *„Don”*. — Panowie, ruszamy za kilkanaście dni, przyspieszam wyjazd.

Motywy przyspieszenia wyjawił nazajutrz Abelmanowi, w samochodzie parkującym blisko bocznej bramy Takoma Park. Dojeżdżając, zatankował na stacji benzynowej. Młoda kasjerka miała urodę królowej piękności, korciło go, by spróbować. Zapytała:

— Może płyn do spryskiwaczy?

— Dziękuję, przed jazdą pijam tylko Jacka Danielsa — odparł tonem człowieka, który gada serio.

Abelmanowi rzekł bardziej serio:

— Graham mi mówił, że Meksyk jest ogarnięty wojną gangów, ale chyba źle go zrozumiałem, lub nie uświadomił mi skali, że to prawie wojna domowa, hekatomba, codzienna rzeź...

— Nie chciał cię wystraszyć, nie dramatyzował, rozsądny gość.

— Wystraszyć? To mnie raczej zachęca. Jeśli tam panuje superchaos, bezustanna mordercza kotłowanina, trupy dzień i noc w stolicy i na prowincji — to dla naszej misji raj! Istny las eukaliptusowy dla misiów koala, lub bambusowy dla pand, rozumiesz?

— Rozumiem — rzekł Lowa. — W mętnej wodzie pełnej wirów będziecie mieli większą swobodę, więcej możliwości. Tam, gdzie bez przerwy leje się krew, trochę więcej krwi nie zwróci niczyjej uwagi, wszystko pójdzie na konto wojny gangów.

— Dlatego się spieszę, bo jeśli nasz rząd i rząd Meksyku przyduszą kartele i zrobi się tam spokój, będzie mi dużo trudniej działać. Muszę wykorzystać czas totalnej wojny.

— Jest i drugi plus — podpowiedział Abelman. — Uruchomienie gier operacyjnych z *„Inicjatywy Mérida”* sprawi, że ONDCP, DEA i inne *„służby”*, mając nowe finanse, będą teraz nieustannie penetrować Meksyk, a to oznacza, że wasza wycieczka zgubi się w gąszczu różnych wyjazdów, skoków, przerzutów, i ruski *„kret"* wewnątrz NCS–u może się pogubić. Choćy nawet dowiedział się o waszej misji dla Ramíreza — może przeoczyć jej termin, chwilę waszego wyjazdu, i nie zawiadomi GRU w porę.

— Jeśli dowie się o naszej misji, to wystarczy, że wskaże habity mnichów, i koniec balu, piach! — westchnął Farloon. — I jeszcze jedno: czy teraz, kiedy DEA dostała fundusze z *„Méridy"*, więc będzie miała nowe możliwości operacyjne, *„Czwórka"* dalej musi tam wykonywać robotę dla nich, czy już tylko dla NCS–u?

— Dla DEA również, stary, bo oni, jako funkcjonariusze państwa, nie będą mogli zastosować każdej z metod, stąd ich szanse wyniuchania lądowiska łodzi kolumbijskich będą dużo mniejsze.

— Mówisz o torturach, Lowa? — doprecyzował Clint.

— Tak, mówię o wydobywaniu zeznań siłą, a nie siłą perswazji, pułkowniku. Jako *„nielegałowie"* możecie to robić.

— Jesteśmy *„nielegałami"* sterowanymi przez rządzącą mafię polityczną USA, proszę więc o pisemną zgodę na to.

— Na co?

— Na *„nielimitowanie środków operacyjnych"*, panie mecenasie. Mówiąc po ludzku: na bestialstwo.

— Jakie bestialstwo?

— To, do którego zachęcał mnie już wicedyrektor Drug Enforcement Administration, to samo, o którym ty, Lowa, mówiłeś przed chwilą.

— Ja? — zdumiał się prawnik. — Ja coś mówiłem przed chwilą? Żartujesz, staruszku. Mnie tu nie ma.

— Siedzę tu sam?

— Pewnie. W życiu nie popychałem kogoś do złamania prawa, a przed chwilą nie było żadnej rozmowy, bo mnie tu nie było, jestem teraz w Nowym Jorku, capisci?*

— Capisci, don Lowanio.

— To ty masz u swoich ludzi ksywkę *„Don"*, nie ja!

---

* ... kumasz?

— A ty masz długodystansowe ucho, więc choć siedzisz teraz w Nowym Jorku, nie tutaj, usłyszysz co powiem. Graham mówił, że meksykańska *„omerta"* jest silniejsza niż sycylijska, lecz powiedział również, że oni tego *„prawa milczenia"* nie łamią wewnątrz kartelu, natomiast w wojnie między kartelami rozzłoszczeni *„narcos"* sypią konkurencję, bo wszystkie środki są akceptowalne dla wykończenia rywala. Nie istnieje więc zjawisko międzykartelowej *„omerty"*, co znaczy, że łatwiej będzie uzyskać „zeznania" i sporo *„cynków"*. Taką mam nadzieję, kolego.

— Nadzieja jest matką odważnych — przytaknął Abelman.

— Źle cię słyszę, wskutek tego dystansu między Nowym Jorkiem a tą gablotą, Lowa, więc nie jestem pewien czy cytujesz porzekadło prawidłowo.

— Mówię: matką odważnych.

— To bardzo uprzejmie z twojej strony, przyjacielu. Matką odważnych, amen!

* * *

Sobota, 4 kwietnia, była dniem pięknym. Pogoda kusiła do romantycznych spacerów we dwoje, więc pułkownik Fedoruk i *„cyngiel"* Herrera wybrali się na starówkę grodu Azteków. Metys zaparkował i został w wozie, a pułkownik ruszył ku pałacowi, gdzie odbywała się międzynarodowa konferencja neurologów. Brał w niej udział rosyjski medyk, prof. Lubaszew, który podczas referatu kolegi brytyjskiego zrobił sobie przerwę gdy wybiła godzina 13^{00}, czyli akurat wtedy, kiedy Fedoruk przypadkiem mijał gmach konferencyjny. Panowie zetknęli się na chodniku i maszerując niczym dwaj turyści, rozpoczęli dialog bez powitań i bez wstępów.

— Nowe kody i instrukcje dla was są w zegarku, który wetknąłem wam przed chwilą do kieszeni marynarki — rzekł profesor.

— A co z moim raportem?

— Pański meldunek został przez centralę rozpatrzony, pułkowniku, i może pan oczekiwać kontrolera — mruknął Lubaszew, kupując sobie u straganiarza ciastko.

— Kiedy? — zapytał Fedoruk. — I kto został wyznaczony?

— Dokładnej daty nie znam, i nie wiem kto, ale wiem, że kontrolerzy z centrali to rekiny ludojady, pułkowniku, różnych Tiomkinów przełykają na sucho, bez popijania i zakąszania.

— Chcę, by zgnoili też Lacha, który bumeluje przy boku Tiomkina i bezczelnie wykpiwa wszystko, nas i naszą tutaj robotę! Ten jego ciągły szyderczy uśmieszek, taki... no, taki...

— Sardoniczny — rzucił domyślnie profesor.

— Jaki?

— Sardoniczny, czyli z Sardynii, pułkowniku. Homer pierwszy użył tego wyrazu na określenie uśmiechu ironicznego. Termin jest międzynarodowy. Tutaj, w Meksyku, o *„śmiechu sardonicznym"* mówią: *„risa sardónica"*. My, Rosjanie, mówimy: *„sardoniczieskaja ułybka"*. A Lach, który tak was denerwuje, i który jest poliglotą, wystrzeliłby jeszcze kilka terminów: greckie *„sardonios gélôs"* lub *„sardánios gélôs"*, angielskie *„sardonic smile"*, francuskie *„rire sardonique"*, włoskie *„sorriso sardonico"* czy niemieckie *„sardonisches Lachen"*.

Fedoruka zezłościł ten poliglotyczny koncert Lubaszewa, przypominający chwalby Serenickiego, więc warknął:

— Na kakij cziort pan mi o tym ględzi, profesorze?!

— Dlatego, że łacińskim terminem *„sardonicus risus"*, *„sardonius risus"*, medycy zwą coś innego: nie uśmieszek ironiczny, lecz konwulsyjny, kurczowy, a chorobę zwą: *„sardonias"*. To skurcze mimicznych mięśni twarzy, występujące choćby w tężcu i dające bolesny grymas ust, rodzaj uśmiechu makabrycznego. Dawni Sardyńczycy wywoływali go lokalną miksturą roślinną, którą truli skazańców. Lach będzie miał po wizycie kontrolera taki właśnie makabryczny skurcz warg, całkowicie s a r d o n i c z n y, lecz jak od toksyny, nie zaś od kpiarskiego humoru.

Operacja „*Sandbox*”

Część II
Misja

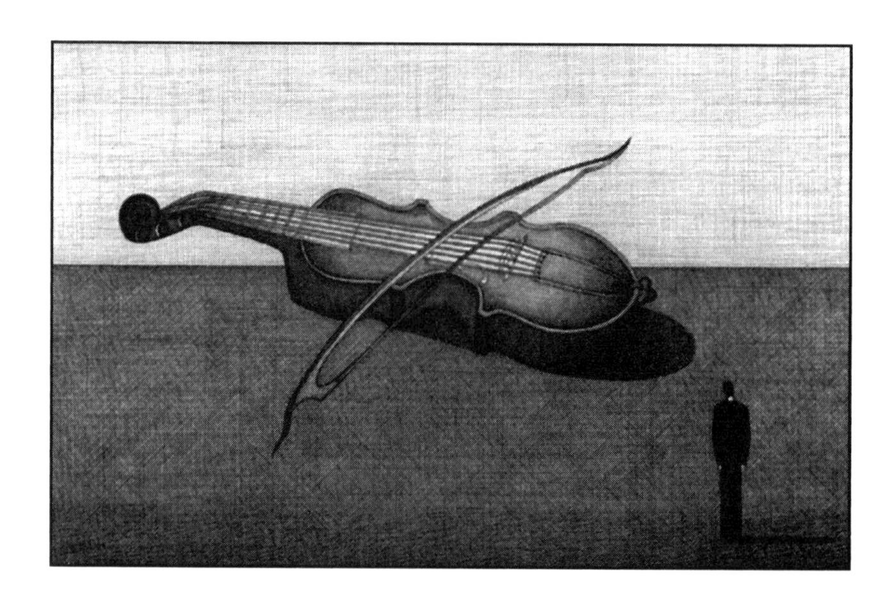

W wojenkach tajnych służb, które, jak świat światem, próbują przechytrzyć konkurentów — przechytrzanie ma dosyć często charakter trików iluzjonistycznych, zaś pożądanym efektem jest pełna złudzeniowość. Mieszczą się tu rutynowo wszelakie formy teatralne, również fałszywa scenografia. Historia zna mnóstwo zabaw typu *„wioski potiomkinowskie"* — historia współczesna takoż. Przed tworzącym Drugi Front desantem na plażach Normandii (1944) alianci wybudowali w fałszywym miejscu (vis–à–vis Calais) gigantyczny garnizon drewniano–tekturowych czołgów tudzież samolotów, co skutecznie zmyliło Hitlera, ułatwiając operację *„Overlord"*. Przez dwie powojenne dekady (do 1972 roku) w Padwie formalnie funkcjonował (choć realnie nie istniał) 30–tysięczny Trzeci Korpus Armijny, będący blefem NATO szachującym teren Bałkanów. Mistyfikacja ta obejmowała wszystko: od budowy koszar i szkolenia rekrutów, po logistykę (dostawy amunicji, paliwa, prowiantu itp.), awanse tudzież rozdział orderów, by szpiedzy wroga nie mieli wątpliwości, że fikcja to *„real"*.

Tajnosłużbowa złudzeniowość bywa szczególnie groźna gdy idzie o sprzymierzeńców, ci bowiem często okazują się fałszywymi przyjaciółmi i praktykują zimny teatr sympatii wobec partnera, któremu za plecami brużdżą nikczemnie. Jak choćby główny środkowowschodni sojusznik Ameryki w walce z talibami — Pakistan. Przed końcem marca 2009 (to jest wówczas, gdy *„4"* szykowała się już ostro do misji meksykańskiej) **„New York Times"** napisał coś, co od lat było klarowne dla każdego inteligentnego człowieka: że muzułmański Pakistan uprawia dwulicowość, formalnie będąc sprzymierzeńcem Ameryki, praktycznie zaś współpracując z muzułmańskimi terrorystami, z talibami, z Al–Kaidą. Ujawniono, że elitarna komórka pakistańskich tajnych służb, ISI (Inter–Service Intelligence — kryptonim *„S"*), dostarcza talibom broń, paliwo i amunicję, oraz podpowiada *„afgańskim komendantom"* Talibanu jak skutecznie zwalczać międzynarodowe siły NATO. Kiedy pułkownik Farloon przeczytał publikację **„NYT"**, roześmiał się, splunął i utwierdził w przekonaniu, by nie zadawać się ze specjalną jednostką meksykańską stworzoną do kooperacji między najtajniejszymi agentami służb USA i najelitarniejszymi meksykańskimi łowcami *„narcos"*.

Pierwszy kwartał 2009 przyniósł ze strony Meksyku gotowość dużego eskalowania kontrnarkotykowej współpracy z USA, czego dowodem było m. in. powołanie specjalnych–tajnych–kooperacyjnych zespołów. Równocześnie jednak dochodziło do ciągłych zadrażnień i wzajemnych oskarżeń pomiędzy obydwoma państwami. Jankesi wyrzucali Meksykanom dmuchane pseudostatystykami (rejestrami skuteczności) pozorowanie walki antykartelowej, a Meksykanie oskarżali *„gringos"* o ssący narkotyki rynek zbytu i o niedostatek wsparcia. Gdy magazyn **„Forbes"** umieścił narkotykowego barona, Joaquína *„El Chapo"* Guzmána, na liście światowych krezusów, prezydent Felipe Calderón ryknął publicznie, że Zachód reklamuje meksykańskich kryminalistów, co utrudnia walkę kontrnarkotykową. Stosunki były więc gorące, animozje, urazy i kompleksy buzowały pod skórą obu stron antynarkotykowego paktu, tylko dowodzący *„4"* miał chłodną głowę, w której tkwił zaszczepiony mu już wcześniej przez dyrektora Wesleya Grahama (szefa operacyjnego DEA) aksjomat: żadnej kooperacji z policją i z jakimikolwiek *„służbami"* Meksyku! Jedyny mundurowy mogący być ewentualnym wsparciem to *„prywatny kontakt"* Grahama, *„policjant średniego szczebla, zięć policyjnej fiszy, dygnitarza Komendy Głównej"* — inspektor Miguel Cisneros.

Przyjechali do stolicy Meksyku tuż przed świętem Wielkiej Nocy, licząc, że w Wielkim Tygodniu masy pobożnych ludzi plus rozmaici duchowni będą oblegać Sanktuarium Guadalupe, co da tłum niby stóg siana dla igły pragnącej się nie wyróżniać. Mieli słuszność — napotkali mrowie ludu. Weszli od strony Calzada de los Misterios i skręcili ku Baptysterium, a później ku Museo Guadalupe, by ominąć gęstwę, która się tłoczyła wokół Nowej Bazyliki. Przeszli wzdłuż muzeum, szukając budynków klasztornych. Clint wysforował się i widząc habit brodatego kapucyna, zaczepił brodacza, mówiąc:

— Por favor... Tengo una cita con fray Esteban e fray Hipólito.

Zaczepiony spytał:

— Dondé?

— Aquí. Me está esperando fray Esteban. Llegamos demasiado temprano...

— Vos?

— Somos quatro*.

Zbliżyła się reszta *„4”*. Brodacz obrzucił ich badawczym wzrokiem, jakby chciał przeliczyć, i uśmiechnął się:

— Nie słyszałem, aby trwał zjazd kapucynów...

— Nie przyjechaliśmy na zjazd kapucynów — rzekł Clint.

— Rozumiem, na Wielkanoc.

— Też nie — mruknął Forman.

— To w jakim celu?

— Pozamiatać — wygłosił chrypiącym szeptem nieco zakatarzony Gracewood.

— Pozamiatać? Co pozamiatać?...

— Problemy historiograficzne, bo nasze badania tyczące sakralnej sztuki zabrnęły w chaos, który trzeba uporządkować dzięki tutejszym archiwom — wyjaśnił wkurzony na Gracewooda Farloon.

— Skąd przybywacie?

— Z Quebeku, z Kanady.

— Zostaniecie długo?

— To się okaże. Gdzie znajdziemy braciszka Stefana lub braciszka Hipolita.

---

* — Przepraszam... Mam umówione spotkanie z bratem Stefanem i bratem Hipolitem.

— Gdzie?

— Tutaj. Miał czekać na mnie brat Stefan. Przyjechaliśmy trochę zbyt wcześnie...

— Wy?

— Jest nas czterech.

— Są teraz w bazylice, wśród wiernych...

— Nie przepchamy się tam, zbyt dużo tych wiernych.

— Bywa więcej, zwłaszcza każdego 12 grudnia, kiedy przypada święto Niepokalanego Poczęcia Bożej Rodzicielki, wtedy dopiero zobaczylibyście tutaj rzesze pątników... Na którą byliście umówieni, co?

— Jeszcze godzina.

— Ja idę do Casa San Lorenzo, to nasz dom gościnny dla pielgrzymów, można tam przenocować. Chodźcie ze mną, to bliziutko, będziecie mogli zjeść i ugasić pragnienie.

— Dziękujemy, bracie, ugasimy tutaj, po swojemu — odmówił Clint. — Zaczekamy na tej ławeczce, godzina minie szybko.

Rzeczywiście, minęła szybko. Punktualnie zjawił się *„fray Esteban"*:

— Hola! Que tal, amigos?

— Bien, gracias — odparł za wszystkich Farloon. — Se puede aparcar aquí?

— No, lo siento mucho*.

Przywitał się z każdym, podając dłoń, a później wrócił do tematu:

— Gdzie parkujecie?

— Furgon zamknęliśmy w garażu lokalu numer 5, a tutaj przyjechaliśmy osobowym, lecz parkujemy daleko, kilka przecznic stąd, bliżej nie dało rady.

— Bo są święta. Będziecie tutaj mieszkać, w pokojach gościnnych klasztoru, ale nie będziecie tu parkować, zbytnio zwracalibyście uwagę. Gdy święta miną, dostaniecie miejsca parkingowe blisko Sanktuarium, na zapleczu rezydencji naszego przyjaciela. A teraz chodźmy do klasztoru, muszę was przedstawić ojcu patronowi, który jest już emerytem, *„Bibliotekarzem–seniorem"*, lecz to on

---

* — Cześć! Jak się macie, przyjaciele?
— Dobrze, dziękujemy. Czy tu można parkować?
— Niestety nie.

tu rządzi „kółkiem różańcowym” będącym do waszej dyspozycji, amigos.

Nie zastali jednak *„ojca Damiana”*, byłego przeora, bo wezwał go w jakiejś pilnej sprawie Generalny Wikariusz i Rektor Sanktuarium Guadalupe, monseñor Diego Monroy Ponce. Lecz gdy zjedli kolację, szacowny emeryt zjawił się i zaprosił ich do Kaplicy Spichlerza, gdzie uklękli i usłyszeli jego rozkaz:

— *„Pater noster”*, en voz alta!*

Wydeklamowali więc chórem, trochę początkowo niespójnym, lecz szybko zestrojonym:

— Padre nuestro, que estás en el Cielo, santificado sea Tu Nombre; venga Tu reino; hágase Tu voluntad en la Tierra como en el Cielo; danos hoy nuestro pan de cada día; perdona nuestras ofensas, como también nosotros perdonamos a los que nos ofenden; no nos dejes caer en tentación, y líbranos del mal.

Wstając (z werwą dziwną u osiemdziesięciolatka), senior klasztoru tubalnym głosem powtórzył końcówkę modlitwy:

— Tak jest! Wyzwól nas, Panie, od wszelakiego zła, bośmy grzeszni bardzo!

Kwadrans później został sam z pułkownikiem Farloonem, którego zaprosił do swej celi na lampkę wina. Tam rzekł:

— Za młodu byłem, jak ty, żołnierzem. Wypełniając rozkazy, popełniłem wiele niegodziwości, dzięki którym mnie awansowano. Jednak przede wszystkim awansowałem do stopnia kolekcjonera grzechów. Tak mocno obciążyłem sumienie, że wciąż nie znajduję ulgi, choć przywdziałem habit pół wieku temu, i nie dla kamuflażu, jak wy, lecz serio.

Clinta zaatakowała myśl: „Abelman ględy tego rodzaju komentuje formułą: *«można się ze wzruszenia posikać rzewnymi szczynami»*” — ale odparł uprzejmie:

— Rozumiem.

— Co rozumiesz, synu?

---

* — *„Ojcze nasz”*, głośno!

— Że ojciec jest męczennikiem już za życia, bo mimo ciężkich rozterek moralnych jest ojciec dalej człowiekiem amerykańskich tajnych służb, kolaborantem gringos.

— Jestem nim jako niepoprawny pacyfista, marzy mi się błogosławiony pokój — wyjaśnił kapucyn.

— Mamy pokój.

— Gdzie, na Księżycu? U was wylatują w powietrze największe budynki świata, a u nas codziennie giną od kul dziesiątki ludzi, to jest pokój? Bałkany dopiero co płonęły, Kaukaz dopiero co płonął, Bliski Wschód ciągle się pali, wasze armie toczą dwie wojny daleko od domu, zaś Afryka to permanentny holocaust, dlatego nie mów mi o triumfie pokoju, nie chcę tego słuchać, Jankesie. Ludzie są kanibalami!

— Myślałem, że tylko kobiety... — rzucił Farloon.

— Przyjechałeś tu dla dowcipów? — zgromił go *„ojciec Damian"*.

— Nie, przyjechałem tu na rekolekcje, proszę więc kontynuować, świątobliwy mężu. Mówiliśmy o kanibalizmie, czyli, jak rozumiem, o prawiekowej tradycji, której trwałość oznacza brak postępu.

Emeryt kiwnął głową, dając znak, że ta interpretacja jest celna, i znowu przemówił:

— Żadne rekolekcje nic nie dały, i nie dadzą, zawsze będzie się lała krew, a świat zawsze będzie zgniłym jabłkiem, pełnym brudu. Wiesz dlaczego?

— Nie zgłębiłem tego jeszcze.

— Ponieważ żaden postęp nigdy niczego nie zmieni, nawet gdy miną tysiące lat. Zawsze będzie istniała niesprawiedliwość. Zawsze będą biedni i bogaci, zawsze będą uciśnieni i uprzywilejowani, prawo zawsze będzie łagodniejsze dla tych drugich, a słodycz życia będzie obca tym pierwszym. Póki będzie istniała ludzkość, póty będzie trwało to świństwo, nie będzie zmiłuj. To tylko czysty darwinizm, triumf kręgów faworyzowanych w walce o byt, selekcja naturalna, żołnierzu.

— Po żołniersku: odstrzał frajerów — zakonkludował pułkownik. — Rozumiem, że w ramach tej naturalnej selekcji odstrzelono również Pana Boga, więc czemu każecie ludziom recytować *„Padre nuestro"*, a zwłaszcza frazę *„hágase Tu voluntad en la Tierra como en el Cielo"**, jeśli wszelkie modlitwy nie przynoszą skutku, a wedle twojej pesymistycznej rachuby, ojcze, nie przyniosą skutku *„nawet za tysiąc lat, póki będzie istniała ludzkość"*?

— To nie tak! — krzyknął mnich. — Nie tak! Bóg jest miłosierny, i w miłosierdziu swym dał ludziom wolną wolę, mogą między dobrem a złem swobodnie wybierać, synu! I wybierają, lecz źle wybierają, ciągle źle wybierają swoje priorytety!

— Nie da się ukryć, baby wybierają zakupy, a faceci wybierają browar i zabijanie — zgodził się rozmówca.

— Znowu uciekasz w szyderstwo?!

— Ojcze, moja głowa nie została stworzona do teologii czy dialektyki, poddaję się, przerąbałem ten egzamin, ja tu tylko sprzątam! — jęknął Farloon.

— A ja mam ci to ułatwiać, co też będę robił, bo wierzę, iż pokój w broczącym krwią Meksyku może przynieść tylko współpraca z waszymi tajnymi służbami, Meksyk działający sam przegra tę bitwę. Smakuje ci wino?

„Ofiarne?", chciał zapytać Clint, lecz przemilczał ten żart, mówiąc:

— Dziękuję, może być.

— Nie znam twych konkretnych zadań tutaj, synu, lecz...

— Nie musi ojciec znać.

— To prawda, chociaż domyślam się, synu.

— I niech tak zostanie. Proszę mi teraz powiedzieć, ojcze, czy w Meksyku potrzebna jest zgoda władz na kwestę uliczną, na zbiórkę pieniędzy dla chorych lub biednych?

— Tak, na kwestę publiczną trzeba mieć zezwolenie urzędowe.

— Może je ojciec załatwić?

---

* ... bądź wola Twoja, jako w Niebie, tak i na Ziemi.

— Bez trudu.

— Jak szybko?

— Tuż po świętach. Trzeba było dać znać wcześniej, byłoby już gotowe.

— Ten pomysł przyszedł mi do głowy kiedy mijaliśmy granicę Meksyku. Kapucyni są zakonem żebraczym, więc czterech żebrzących kapucynów nie zdziwi nikogo.

Godzinę później, na kwaterze dla gości, trzej „kapucyni" zapytali swego dowódcę czego tyczył dialog z seniorem kapucynów.

— Nic ważnego — odparł Clint.

— O czym gadaliście?

— O beznadziejności tego świata, o tym, że ludzkość ma słabą wolę, i o tym, że mężczyźni i kobiety się różnią.

— W jaki sposób?

— Kobiety preferują zakupy.

— Fakt — potwierdził Gracewood. — My preferujemy karcięta, piweńko i dymanko.

— Plus baseball — dodał Forman.

— Plus jazdę konną — uzupełnił Nowik.

— Łącznie: pięć cnót, zaś u bab tylko jedna, i to wada, a nie cnota — zbilansował Gracewood. — Przewaga płciowa samców jest miażdżąca nawet statystycznie, nie tylko intelektualnie, bracia kapucyni!

* * *

Mądrzy ludzie wiedzą, że nie wolno mieszać. Alkoholi różnych rodzajów. Ten właśnie błąd popełnił młody Dima Gieworkin, sekretarz rosyjskiego ambasadora w Meksyku, gdy próbował werbować radcę handlowego nowozelandzkiej ambasady. Pili wino, później rum, wreszcie tequilę, i koktajl ten okazał się zabójczy dla Gieworkina. Nowozelandczyk wytrzymał to dużo lepiej i był bardzo uprzejmy, bo na końcu wsadził bezwładnego Dimę do taksówki, mówiąc:

— Odwieźcie go pod rosyjską ambasadę, tam ktoś wam zapłaci, któryś z Rosjan.

— Ja nie znam tych Rusków! — burknął taksówkarz, wzruszając ramionami.

— Podjedźcie pod ich główną bramę i zadzwońcie, wtedy zjawi się ktoś.

Taksówkarz podjechał gdzie trzeba, lecz nim wysiadł, by przycisnąć dzwonek, drogę zatarasowała mu *„gablota"* Jana Serenickiego, który właśnie ruszał na miasto. Meksykanin zbliżył się do kierowcy i rzekł:

— Przywiozłem waszego człowieka, pijanego kompletnie, ktoś musi mi zapłacić!

„Y"/„Wieża" wysiadł, podszedł do taksówki, rzucił okiem i rozkazał:

— Jedź za mną, człowieku. Ja ureguluję rachunek, będzie napiwek, śmigaj!

Odjechali parę kilometrów i tam, w bocznej uliczce, przenieśli pijanego do peugeota *„Wieży"*. Serenicki zapłacił taksówkarzowi pięciokrotność rachunku, grożąc:

— Nigdy mnie i jego nie widziałeś, nie robiłeś tego kursu, nie było cię tutaj. Pamiętaj o tym, jeśli chcesz żyć. Chlapniesz komukolwiek, i po tobie, amigo! Kumasz?

Przerażony taksówkarz skinął głową, wskoczył do swego auta, i zapiszczały gumy. A Jan S. wywiózł Dimę pod miasto, między kwietne grunty i staroazteckie kanały Xochimilco. Tam rozbudził nieszczęśnika, bijąc mu gębę na odlew kilka razy.

— Co... co jest?!... Cooo... — wychrypiał Gieworkin.

— Jest konieczność znalezienia dziewczyny generała Tiomkina, tej Meksykanki, pojmujesz?

— Cooo? Tej skrzypaczki?...

— Tak, tej skrzypaczki, jak jej tam było?

— No... Luisa... przecież Luisa!... — jęknął półprzytomny Gieworkin.

— A nazwisko?

— Na... nazwisko? Przecież wiadomo, Lopez...

— Jak ta piosenkarka, Jennifer Lopez?

— No... przecież małżonka żartowała... Uuuf!

Podgardle Dimy opadło na pierś, lecz soczysty klaps w buzię wybudził go znowu.

— Czyja małżonka, Dmitrij?

— No... przecież mówię, pani ambasadorowa...

— Z czego żartowała?

— No... że ta Lopez gorzej śpiewa niż tamta Lopez...

— To ona jest piosenkarką czy skrzypaczką?

— No... i tym, i tym. Grała i śpiewała.

— I co się z nią stało?

— Wyjechała do Urugwaju.

— Dlaczego?

— No... to się stało kiedy uciekł *„Kurdupel"*...

Ciężkie jak kamienie powieki Dimy opadły, więc Serenicki musiał nim trząść przez chwilę i jeszcze raz siarczyście strzelił twarz kolegi dłonią.

— Który kurdupel, Dima?... Słyszysz, który?!

— No... *„Mały"* czyli *„Karzeł"*, *„El Chapo"*, ten boss od narkotyków...

— Tiomkin miał coś wspólnego?

— Organizował to, spytajcie Fedoruka, też tam był...

— Sam?

— Nie, Kubańce z nim byli... Boże mój, chcę spać, dajcie mi spać!!

Teraz Serenicki zezwolił mu spać. Wciągnął głęboko powietrze i był bliski tego, by się uszczypnąć, zdarzył się bowiem, dzięki nieroztropnemu mieszaniu alkoholi, cud: bełkoczący półprzytomnie Gieworkin wypaplał dwa sekrety *„rezydenta"*. Oba ważne, chociaż na pierwszy rzut oka ważniejszy był ten tyczący bossa kartelu ze stanu Sinaloa, człowieka przezywanego *„Karłem"* vel *„Małym"*. Joaquín Guzmán Loera umknął z więzienia pod specjalnym nadzorem, niczym bohaterowie wielu filmów, schowany w ciężarówce wiozącej bieliznę do prania, co ośmieszyło i rozwścieczyło władze Meksyku. Kartel Loery przemycał na teren USA 120 ton kokainy rocznie, dlatego Jankesów również ogarnęła furia. Siedzącego przy pijanym agenta dwóch wzajemnie sobie wrogich tajnych służb ogarnęło zupełnie inne uczucie — euforia...

Przenocował Dimę u siebie, pewien, iż nikt z ambasady nie zauważy absencji Gieworkina, podczas świąt bowiem placówka funkcjonowała urlopowo — 60% personelu brało wolne i ruszało ku plażom Pacyfiku. Do Hattermana i Abelmana meldunek Serenickiego trafił dwa dni później, powodując krótki dialog tych dżentelmenów.

— Prawdopodobnie w Urugwaju dziewczyny już nie ma, ale sprawdzimy, od Urugwaju zaczniemy — rzekł Hatterman.

— Piorunem! — rozkazał Abelman.

— Pogonię wszystkich naszych, których da się tam pogonić. Mamy fach, hobby, imię i nazwisko, to dużo.

— Imię i nazwisko można zmienić jak kolor włosów.

— Ale skrzypiec nie! — odparł Hatterman. — Znajdziemy! Generał Tiomkin jest w dużo gorszej sytuacji, bo to jego prywatna sprawa, więc nie może szukać dziewczyny używając ludzi FSB, SWR czy GRU. Nie ma facet dobrego ruchu, zajmowanie się poszukiwaniem dupencji, która mu zwiała z łóżka, byłoby dla niego samobójstwem służbowym, zostałby błyskawicznie odfunkcyjniony i relegowany do domu. Ja wciąż się nie mogę nadziwić, a właściwie uwierzyć, że taki kagiebowski rutyniarz, stary wyga, zakochał się niczym sztubak i wariuje...

— To bunt hormonów — wyjaśnił Lowa.

— Eee tam, pieprzysz!

— Nie pieprzę. Cóż chcesz, to biologiczne, że im człowiek starszy, tym ma bardziej wyuzdane rojenia, będące kompensacją uwiądu. Sny porno, szeregi młodych dziewcząt niosą mu w darze swoje cipki. Gdy jest przy forsie i coś znaczy — któraś urojona staje się realna, i wtedy klops!

— Wiesz to z własnych doświadczeń? — spytał porucznik.

— Jeszcze nie, bo jeszcze nie mam sześćdziesiątki, ani nawet pięćdziesiątki, lecz to się zbliża, już teraz studentki czy stażystki rajcują mnie bardziej niż te wyzwolone agregaty po trzydziestce, wkrótce będę się bronił przed pedofilią.

— Nie bój nic, do tego czasu coś wykombinujemy, na przykład wynajdziemy szczepionkę dla pedofilów, będą ci się śniły same siwowłose seniorki, staruszku.

— Wal się, Derek! — prychnął Lowa, robiąc minę człowieka, który zaznał uczucia dyzgustu i ma dosyć dialogu ze złośliwą kreaturą.

— Ty się módl, Abelman, żeby jeszcze jakiś czas walił sobie Tiomkin, bo kiedy on przestanie sam sobie walić konia, gdyż poderwie kolejną muchachę, to z jego łba, a właściwie z łbów, górnego oraz dolnego, wyparuje tęsknota za skrzypaczką, i uderzymy w próżnię, w pustą tarczę, bez sensu.

— Spokojnie, trauma miłosna nie mija szybko... Facet przeżył wstrząs o dużej skali.

— Ciekawe jak to zmierzyłeś.

— Suwmiarką wiedzy filozoficznej na temat niuansów kondycji miłosnej samca o krwawiącym sercu.

— Filozoficznej? — skrzywił się porucznik.

— Tak, filozoficznej. Każdy filozof, a zwłaszcza każdy pseudofilozof, czyli każdy bałwan pragnący, by zwano go filozofem, powie ci, że *„sprawą fundamentalną jest kondycja człowieka w skali uniwersalnej”*, cokolwiek ma to znaczyć. Są różne modele tego fenomenu. Wśród nich dramat człowieczy męski według reguły: myślał, że ona jest inna, wyjątkowa, tymczasem okazała się taka sama jak inne, co sprawiło mu dojmujący ból, również fizyczny, bo zaskakująca erupcja poroża na czaszce uszkadza płaty mózgowe dwunożnego barana, kapujesz, kolego?

— Niezupełnie. Zdradzony powinien zdrajczynię przekląć.

— To teoria, natomiast praktyka życiowa bywa czymś całkowicie odmiennym. Bywa wtedy, gdy klient zaangażował w duet nie tylko śpiewającą fujarę, lecz i kwilące serducho, Dereczku. Sam seks nie wystarczy, bo wówczas — kiedy dzidzia odfrunęła — można się łagodnie schlać, nucąc: easy come, easy go, bye–bye baby, ciao amore, fuck You!*. Ale gdy przytrafia się m i ł o ś ć — zdrada dłuuugo boli, i mimo gniewu facet tęskni.

— Że przytrafiła się miłość, wiemy dzięki rymom Lermontowa, a to kupa śmiechu, żaden dowód!

— Poeci nie kłamią — wycedził spokojnie Lowa. — Generał kocha tę Ludwiczkę.

— A skąd wiesz, że go zdradziła, też dzięki prawdzie rymów?

— Ze statystyki, chłopie. Kobiety zazwyczaj rzucają faceta dla innego faceta.

— Czy jest w ogóle coś czego nie wiesz, prócz, oczywiście, tego gdzie panna Luisa aktualnie mieszka?

— Jedyne czego nie wiem, Dereczku, to po co mężczyźni mają sutki, resztę kumam bezproblemowo.

Ten wesoły dialog mógł biec bezproblemowo (czyli właśnie wesoło), gdyż jego bohater, generał Tiomkin, znajdował się daleko i nie słyszał co się o nim mówi. Jan Serenicki miał trudniej, dialogując z *„rezydentem"* o nieszczęśliwym romansie *„rezydenta"*, musiał to bowiem uskuteczniać tak, by *„rezydent"* sądził, że mowa o materii zupełnie innej. Służyły do tego aluzje wplatane przez *„Wieżę"* w różne wymiany zdań, gwoli badania reakcji rozmówcy, któremu trudno było oprzeć się skojarzeniom. Jedną z okazji dała Polakowi warstwa śniegu. Biały puch oblepił stolicę Meksyku i nie dziwił nikogo, bo dla ludzi codziennie śledzących telewizję, a więc ciągle karmionych serialem pogodowych anomalii, nie mogła już być dziwna żadna aura i żadna meteorologia, nawet śnieg zalegający Saharę lub sawannę przy równiku.

— Szkoda, że topnieje tak szybko — mruknął Tiomkin.

— Nostalgia syberyjska czy raczej kanadyjska, Igorze Pietrowiczu? — spytał Polak.

— Jedna i druga. Kocham śnieg. Ludzie często myślą, że chociaż jest piękny — jest bardzo uciążliwy. Nie wiedzą, że na Północy jest życiodajny, bo gdy mocno odbija promienie słońca, orga-

---

* ... łatwo przyszło, łatwo poszło, cześć laluniu, pieprz się!

nizmy wydzielają dość melatoniny koniecznej ludziom. Bez niezachmurzonego nieba, czyli bez melatoniny, zima staje się fabryką depresji, potwierdziły to badania u Eskimosów.

— Oni wolą, generale, gdy się mówi: Innuit, a nie Eskimos.

— Ja wolę gdy się mówi: Negr lub Czarnuch, a nie Afroamerykanin. Eskimoszczyznę też znasz, językoznawco?

— Nie, panie generale, lecz łapię pewne grepsy z ich języka. Wiem choćby to, że określają śnieg dwoma wyrazami. *„Aput"* to padający śnieg, *„kwanik"* to leżący śnieg.

— Gierki i dziwadła słowne do tego stopnia cię pasjonują, gospodin Serenicki, że ty winieneś raczej pracować dla naszej sekcji szyfrów, a nie jako agent Operacyjnego. Tam byś dopiero rozwinął skrzydła.

— Możliwe, generale... Może tam bym wreszcie pojął czemu w angielskim *„violine"** i *„violence"*** tak bardzo do siebie pasują, jakby były parą bliźniaków lub parą kochanków...

Oblicze Tiomkina stężało. Przewiercił Serenickiego badawczym wzrokiem, lecz ten miał spojrzenie niewiniątka i fizjonomię wyzbytą jakiejkolwiek aluzyjności. Generał pomyślał, że „skrzypcowa" gra słów to tylko przypadek, i wrócił do swego ostatniego sformułowania:

— Tam byś może rozwinął skrzydła, agencie *„Y"*, bo tutaj chwilowo nic ci nie wychodzi, Fedoruk już dwa razy mnie pytał na jakie licho ściągnąłem cię z Warszawy do Meksyku!

— Ściągnęliście mnie, abym tu wytropił polskich komadosów, członków Team One. Niech pułkownik Fedoruk udowodni, że oni są już w Meksyku! Bo jeśli już są, to znaczy, że ja kiepsko się staram lub brakuje mi szczęścia, lecz jeśli wciąż ich nie ma tutaj, to niech on się odpieprzy, bo nie będę ich szukał na Marsie lub na Manhattanie!

— Fakt, nic nie wiemy... — westchnął generał.

---

* skrzypce.
** przemoc.

— A *„kret"* z NCS–u?

— Sądzi, że mogli już rozpocząć swą operację, ale nie ma pewności, bo została cholernie utajniona.

— Niech Fedoruk wyda trochę pesos na jasnowidzów, tu działa paru bardzo renomowanych. Albo na spirytystów. Brazylijskie sądy przyjmują jako twardy dowód zeznanie medium spirytystycznego...

— Zły pomysł. Fedoruk jest wszechstronnym niedowiarkiem, nie wierzy ani w Boga, ani w Szatana, ani w czary–mary, ani w duchy, wierzy tylko w nieśmiertelnego ducha NKWD i w reinkarnację służbową. Czyli w SWR i GRU.

— Trudno, by wierzył w *„cuda"*, w nadprzyrodzoność, kiedy Szekspir jest mu obcy.

— Tak, nie zna tej sławnej frazy z **„Hamleta"**, którą nawet ja znam, choć nie jestem szekspiromanem — iż *„są na świecie rzeczy, o których się filozofom nie śniło"*.

Serenicki roześmiał się i zaszarżował:

— Nie zna również tej piosenki Jennifer Lopez, gdzie ona śpiewa, iż *„są w życiu rzeczy, które trudno zmienić"*, bo przeznaczenie już zadecydowało.

Ślepia Tiomkina zwęziły się:

— Piosenki Jennifer Lopez?...

— Tak jest, panie generale — brnął dalej Serenicki. — Był nawet klip z tą piosenką. Lopez przychodzi do cygańskiego obozu...

— Do cygańskiego obozu?!! — wychrypiał Tiomkin.

— Tak. Przychodzi i prosi jasnowidzącą Cyganichę o wróżbę. I Cyganicha wywróżyła jej wielką miłość.

Tiomkin przestał mieć wątpliwości:

— Kto ci doniósł, Poliak?! Gadaj!

Serenicki rozumiał, że *„rezydent"* pyta o obie sprawy — o Cyganów i o Luisę Lopez — więc ratując życie, skupił się na kochance Tiomkina:

— Ludzie w ambasadzie plotą, że nazwisko pańskiej przyjaciółki było identyczne jak nazwisko tej piosenkarki, ale ja...

— Kto konkretnie plótł?!
— Nie pamiętam.
— Agencie *„Y"*!!
— Nie pamiętam, Igorze Pietrowiczu. Nikt pana złośliwie nie obmawia, ot, buduarowe plotki, zwyczajna rzecz.
— Jakieś szczegóły?
— Jakie szczegóły?
— O Cyganach.
— Jakich Cyganach?
— A o tej Lopez?
— Żadnych szczegółów. Nawet nie wiem czy jest blondynką, czy brunetką. Nic mnie to nie obchodzi, generale.
— Jednak szutkę musiałeś sobie zrobić, skurwielu!
— Jaką szutkę! — żachnął się Serenicki.
— Nie łżyj, już ja was znam, Polaczków! Wy Ruskiego zawsze chcecie wydymać! Pieriekrasnaja gra słów: Lopez i Lopez, tak ci się skojarzyło!
— Nic nie poradzę, Igorze Pietrowiczu, to nawyk...
— Ja ci dam nawyk! — prychnął (już rozbrojony) generał.

Serenicki odetchnął w duchu. Licytował zbyt brawurowo i stanął na krawędzi niełaski *„rezydenta"*, jednak szczęśliwie udało się wykaraskać z tego dołu. Dzięki Bogu (oraz dzięki hamulcom będącym częścią rozumu) nie rzucił tytułu przywołanej piosenki Jennifer Lopez o Cyganach — **„Ain't it funny?"** (**„Czyż to nie śmieszne?"**) — bo mogłoby się skończyć gorzej niż się skończyło.

* * *

Tuż po świętach Wielkiej Nocy *„4"* rozpoczęła pracę na ulicach stołecznego Miasta Meksyk. Mieli habity tudzież przyklejone brody, i bali się, by ktoś nie odkrył, że są maskującymi się agentami jankeskich tajnych służb, gdyż tubylcy tolerowali jedynie dinerodajnych jankeskich turystów (też coraz niechętniej), a każdy jankeski urzędnik łatwo mógł się spotkać z ostracyzmem wyrażonym pięścią, śliną bądź czubkiem buta. Pod ambasadą USA (na chodnikach i na jezdni Paseo de la Reforma) inicjowano coraz gorętsze demonstracje antyamerykańskie. Zupełnie się już ulotniła latynoska miłość do nowego jankeskiego prezydenta, Baracka Obamy, który, prowadząc swą kampanię wyborczą, kokietował meksykańskich imigrantów („ — *Todos somos Americanos!"**), lecz kiedy zwyciężył, wytoczył nielegalnej imigracji wojnę. Amerykańskim dowódcą w tej wojnie została niecierpiąca Meksykanów i niecierpiana przez Meksykanów gubernatorka Arizony, pani Janet Napolitano. Obama mianował ją ministrem, szefową Departamentu Bezpieczeństwa Wewnętrznego (Homeland Security), a ona rozwinęła bezzwłocznie *„Plan Meksyk"*, zwany też *„Inicjatywą Mérida"*. Formalnie projekt ten dawał Meksykanom sprzęt o wartości 1,6 miliarda dolarów (helikoptery Bell 412, samoloty Cessna 208, środki łączności, technologie telekomunikacyjne etc.) plus wspomaganie systemowe o wartości 500 milionów dolarów (infrastrukturalna reforma aparatu sądowniczego), co miało ułatwić zwalczanie karteli narkotykowych tuczących się Północną Ameryką (rokrocznie do kieszeni meksykańskich bossów narkotykowych i meksykańskich polityków trafia z USA 15 miliardów narkodolarów). Ale Homeland Security *„w pakiecie"* obejmującym *„Plan Meksyk"* zaprojektowało również 4–metrowej wysokości mur graniczny (według wzoru izraelskiego), kopiący prądem i patrolowany przez Gwardię Narodową stanów Arizona i Texas. Ta mająca kosztować 2 miliardy dolarów inwestycja wzbudziła w Meksyku duży gniew; meksykańskie gazety przezwały ją *„pleksiglasową kurtyną"*, która *„uczyni z Rio Grande nową Linię Maginota"*. Kontrimigracyjna i kontrnarkotykowa wojna Jankesów stała się dla Meksykanów ich własną wojną przeciwko *„imperialistycznej polityce gringos"*.

Dlatego chłopcy z *„4"* musieli uważać. Gdy dojeżdżali do celu (Plaza Rio de Janeiro), *„Woody"* wygłosił:

— Radio podało, że władze Meksyku oferują 2 miliony dolców za informacje, dzięki którym będzie można aresztować 24 szefów

---

* — Wszyscy jesteśmy Amerykanami!

gangów narkotykowych, i 1 milion dolców za informację o 13 zastępcach szefów. Co wy na to?

— Ramírez płaci lepiej, nie zbieramy drobnych — splunął Forman.

— Przeciwnie, za chwilę będziesz zbierał drobniaki do puszeczki, bracie Hanku — rzekł *„Pole"*.

— To co innego, za chwilę będę braciszkiem miłosierdzia zbierającym na ofiary tropikalnych chorób — odwinął *„Husky"*.

— Za chwilę będziesz gadał tylko po hiszpańsku! — upomniał go *„Don"*. — Przypominam, że na ulicy nie wolno wam mówić po angielsku, ani pół słowa!

— Cera i akcent zdradzają, że nie jesteśmy Latynosami — rzekł Gracewood.

— O tym już była dyskusja, trzymajmy się tego co ustalone. Gdy zajdzie konieczność, przedstawiamy się jako Kanadyjczycy, ale ze sobą gadamy tylko po hiszpańsku.

I tak robili, spacerując wokół placu Rio de Janeiro, ulicami Durango, Puebla, Colima, Córdoba, Mérida, Jalapa i głównie Orizaba, przy której mieszkał inspektor Miguel Cisneros, zięć generała Bartolomé Vázqueza z Komendy Głównej PJF (Policía Judicial Federal, pracująca dla Prokuratora Generalnego, zajmująca się przede wszystkim mordercami i handlarzami narkotyków). Robiąc kwestę uliczną, śledzili Cisnerosa i dom Cisnerosa — chcieli sprawdzić czy nie jest inwigilowany. Po kilku dniach założyli mu w samochodzie *„pluskwę"* z GPS, mogli więc śledzić jego ruchy gdziekolwiek się udał. Towarzysząc Cisnerosowi jak cień, „zwiedzali" miasto i uderzyła ich wszechobecna (dominująca ulice, place, gmachy, stragany oraz witryny) kultura śmierci — wszechobecność czaszek i szkieletów. Byli speckomandem, żołnierską elitą, rutynowanymi zabójcami, których przerazić lub zbulwersować mogło niewiele aspektów ziemskiego padołu, lecz gdy zobaczyli pierwszego berbecia wiszącego w szalu na plecach matki i ssącego lukrowaną czaszkę z cukru — osłupieli, coś im ścisnęło gardła. Kolejne dzieciaki bawiące się szkieletami i jedzące czekoladowe, piernikowe bądź cukrowe czaszki — nie wywoływały już szoku u czwórki pseudokapucynów.

Śmierć była od zawsze przyjaciółką i powierniczką mieszkańców terytorium zwanego Meksykiem. To tradycja prekolumbijska. Aztecy wyrażali kult śmierci głównie rzeziami i rzeźbami — zostały po nich kamienne ołtarze do masowego wycinania bijących serc jeńców i kamienny motyw czaszki, dawany figurom bóstw oraz ścianom budynków. Również w ceramice prehiszpańskiej, w biżuterii z jaspisu i w dawnych tubylczych kodeksach (malowanych księgach) króluje czaszka jako symbol. Aztecki poeta sprzed stuleci tak ujmował indiańską filozofię życia (złudna marność) i śmierci (wrota prawdziwego życia, czyli raju):

„Przyszliśmy tu tylko odpocząć,
śnić tylko przyszliśmy,
nieprawdą jest bowiem, nieprawdą,
że przyszliśmy żyć na Ziemi,
to właśnie jest nieprawdą".

Ta filozofia życia/śmierci, oznaczająca głęboki kult śmierci, przetrwała Azteków, stając się meksykańską codziennością nowożytną i współczesną. Meksykański eseista–beletrysta–poeta Octavio Paz pisze: *„Dla mieszkańców Nowego Jorku, Londynu, Rzymu, Wiednia czy Paryża śmierć jest słowem, którego unikają, gdyż się go boją. Dla Meksykanina śmierć to przyjaciółka, kuzynka, kochanka. Meksykanin ją czci, wielbi, pieści, sławi, śpi z nią, dworuje sobie z niej, czyni z niej zabawkę, kumpelkę, pupilkę. Śmierć stanowi zwierciadło, które odbija całe życie Meksykanów"*. Wielu rymopisów meksykańskich poświęciło śmierci całą swoją twórczość (exemplum Xavier Villaurutia) lub swoje *„opus magnum"* (exemplum José Gorostiza). Wielu latynoskich socjologów publikowało naukowe dzieła, które tłumaczą fenomen bycia przez Meksykanów za pan brat ze śmiercią, a pokolenia *„mariachis"* (ulicznych grajków/wokalistów) sławiły melodiami ludowymi jej kult.

Ów kult miał, aż do końca XX wieku, trwałe normy, ramy lokalne i klamry czasowe. Główną stałą jego erupcją był przełom października i listopada (Wszystkich Świętych i Zaduszki), natomiast głównymi erupcjami okazjonalnymi były wielkie fety, jak chociażby olimpiada roku 1968. Dia de Todos los Santos (Dzień Wszystkich Świętych, 1 listopada) i Dia de los Muertos (Dzień Zmarłych, 2 listopada) przynosiły szaleństwo dawania czemu tylko można — od spinek do krawatów i broszek do biustów, po czekoladki, słoiki, garnki, kandelabry, pudernice, cukiernice i świece — kształtu czaszki, trumienki, szkieletu et cetera. Turystów szokował chleb mający kształt kości ludzkich, a tubylców zachwycał. Podczas olimpiady szkielety we wszelkich witrynach sklepowych kopały czaszkę jako piłkę, skakały przy użyciu piszczeli jako tyczki, pływały trumnami, wiosłowały piszczelami, miotały czaszkami itp. Kupienie wówczas ciastka o kształcie niefuneralnym było rzeczą bardzo trudną.

Na początku XXI stulecia meksykański fenomen kultu śmierci doznał deifikacji, vulgo: wytransformował się w codzienny główny kult Meksyku, zwany *„kultem Świętej Śmierci"* — *„Santa Muerte"*. Wiosną 2001 nobliwa dama, señora Enriqueta Romero, postawiła przed swym domem prowizoryczny ołtarz Świętej Śmierci, pełen tęczowo dekorowanych czaszek i szkieletów. Rychło znaleźli się naśladowcy, więc już kilka lat później wszystkie miasta, miasteczka oraz wioski meksykańskie roiły się od takich publicznych ołtarzy i domowych ołtarzyków, jak również od straganów ze szkieletami i czaszkami we wszelkich możliwych wersjach zdobniczych. Ołtarze publiczne są normalne lub triumfalne (bywa, że kilkumetrowej wysokości), a królująca na nich bogini, Santa Muerte, także jest różnokalibrowa, czasem szkielet ma 3 metry wzrostu. I dostaje rozmaite konfiguracje oraz rozmaite barwy szat. Gdy siedzi na tronie — symbolizuje transcendentną władzę, mądrość i sprawiedliwość. Gdy stojąc rozpościera ramiona — symbolizuje opiekuńczość. Gdy ma anielskie skrzydła — symbolizuje łaskawość. Gdy nosi ślubną suknię — jest kapłanką miłości. Zielone szaty kościotrupa Santa Muerte sygnalizują jej pomoc w sprawach zdrowia i zatrudnienia. Czerwone — pomoc w kłopotach sercowych. Złote — pomoc dla biznesmenów. Niebieskie — pomoc dla studentów. Czarne — pomoc dla ludzi, których trzeba bronić przed *„złym urokiem”*. Kult kostuchy Santa Muerte to megainteres — od T–shirtów z jej podobizną do periodyków **„Devoción a la Santa Muerte”** czy **„La Santissima”**. Miliony wiernych czczą ją na równi z Trójcą Świętą i Madonną lub bardziej, zwąc nie tylko *„Najświętszą”*, lecz i czule: *„Prześliczną”*, *„Chudziutką”*, *„Białą Dziewczynką”*, etc. Chłopcy Farloona co i rusz mijali ludzi klęczących na asfalcie lub na bruku wokół ołtarza Santa Muerte i modlących się żarliwie do boskiej kostuchy, mającej pióropusz, aureolę gwiaździstą, koronę bądź mnisi kaptur.

Którejś nocy Clint zapytał *„brata Stefana”* czy hierarchom Sanktuarium Guadalupe nie doskwiera konkurencja ze strony kultu Santa Muerte, a kapucyn westchnął:

— To jest, istotnie, ciężki problem, pułkowniku, bardzo ciężki. Tak pod względem duchowym, jak i pod względem finansowym, co widać choćby na przykładzie periodyków. **„Boletín Guadalupano”** sprzedaje się gorzej niż **„Devoción a la Santa Muerte”**. Mieliśmy już dwie wewnętrzne dyskusje w tej sprawie, które zorganizowało biuro wicerektora Sanktuarium, monseñora Jorge Palencii Ramíreza de Arellano.

— Ramíreza? — zainteresował się Farloon. — Czy to krewny tego miliardera przemysłowca, bracie?

— Nie, to tylko zbieżność nazwisk... A wracając do problemu Santa Muerte... Madonna Guadalupe ciągle króluje, tak sądzę, ale też boję się, że władze Kościoła robią zwycięską minę, choć przegrywają grę, mają duży kłopot. Nie wiedzą co robić — wykląć czy wchłonąć muertystów. Według jednych — cały ten kult Santa Muerte jest bardzo katolicki, konserwatywnie katolicki. Propaguje go sekta zwąca się Tradycyjnym Katolickim Kościołem Meksyku i Stanów Zjednoczonych, której przewodzi były ksiądz, David Romo Gullien, bardzo kontrowersyjna figura, o poglądach przypominających antysoborową doktrynę lefebrystów. Z drugiej strony — Santa Muerte bywa łączona z czarną magią i z satanizmem, według jej przeciwników to kult mordu. Mówi się, że Santa Muerte została patronką świata przestępczego, zwłaszcza karteli narkotykowych. Członek kartelu nosi w kieszeni figurkę Santa Muerte jako talizman.

— Podobno wielu Meksykanów robi dokładnie to samo — rzekł Farloon.

— Niestety, to prawda, bracie. Tylko że szary człowiek nosi figurkę z malowanego drewna, gipsu lub plastiku, a żołnierz kartelu figurkę ze srebra, oficer kartelu figurkę ze złota, zaś wyżsi sztabowcy kartelu figurkę z platyny nabijaną brylancikami. I te figurki członków kartelu mają u spodu jego symbol: rybę, gwiazdkę, półksiężyc, imadło lub topór.

— Jeśli dobrze rozumiem, ten kult ułatwia członkom kartelu zabijanie przeciwników bez jakichkolwiek oporów czy wyrzutów sumienia — skonstatował Clint.

— Tak, pułkowniku, czują się rozgrzeszeni, gdyż szerzą śmierć w imię bóstwa zgonu.

— Raczej szerzą mord w imię kultu gaszenia życia.

— Zgadza się, pułkowniku.

— No to my ich wyprowadzimy z błędu.

— Z jakiego błędu?

— Z błędu pychy. Pycha to więcej niż grzech, to błąd.

— Z jakiej pychy?

— Z mylnego przekonania, że są arcykapłanami tego kunsztu. Sztuki odstrzału, bracie.

Zaś Larry'emu, Hankowi i Johnowi powiedział:

— To świat łatwej zbrodni. Nie przeżyjemy tej misji, jeśli wyrugujemy z naszych serc bezwzględność. Im okrutniej będziemy działać, tym szybciej misja się skończy i wrócimy do domu. Żadnych wahań, no mercy, not at all!*

---

* ... żadnej litości, nic a nic!

Gracewood wzruszył ramionami:

— Zawsze powtarzam, że i małe dziecko naciśnie spust klamki bez trudu, więc to, że te narkognoje łatwo strzelają, wcale nie znaczy, iż są tacy twardzi. Dopiero walcząc wręcz można się przekonać.

— Lepiej uważaj, mają dużo bokserskich czempionów! — przypomniał *„Pole"*.

— Mają też swój własny wrestling, słyszałem od Hipolita — dodał *„Husky"*. — Zwie się to *„lucha libre"*, wolna walka zapaśnicza, naparzanka bez specjalnych reguł.

— Ale to jest mordopralnia lokalna, jak w Japonii sumo, a boks to coś międzynarodowego, daje dużo większy prestiż — skwitował Polak. — Meksykanie twierdzą, że mają najlepszych torreadorów i bokserów.

— I największych Rasputinów! — parsknął *„Woody"*.

— Że co? — spytał Forman.

— Lubią się chwalić, iż mają kutasy najdłuższe... Ten kioskarz z placu, jak dziś kupowałem gazetę, chciał mi wcisnąć *„świerszczyka"*, i żeby mnie zachęcić, opowiedział mi kawał o Meksykaninie, Rusku i gringo. Piją we trzech. Amerykanin mówi: „ — *U nas to są takie windy w drapaczach chmur, że mogą jeździć nie tylko do dołu lub do góry, lecz i w bok, wszerz!"*. Na to Rosjanin: „ — *A u nas to jest tyle żarcia, że zupę gotujemy w kotłach większych niż kopuła cerkwi. Wrzucamy do takiego kotła wszystkie rodzaje mięsa i warzyw, zalewamy wodą, przylatuje garnizonowy helikopter, odwraca się nad kotłem do góry nogami i miesza zupę śmigłem!"*. Wreszcie Meksykanin: „ — *A mój wujek, który postawił sobie dwupiętrową willę w centrum stolicy kraju, ma taką fujarę, że jak ją wystawi ze spodni, to dziewięć wron może na niej usiąść jedna obok drugiej!"*. Po pewnym czasie, kiedy butelka tequili jest już pusta, Amerykanin mówi cicho: „ — *Skłamałem. U nas windy jeżdżą tylko w górę i w dół"*. Na to Rosjanin: „ — *Ja też skłamałem. U nas jest charaszo, jak znajdą się dwa kartofle, żeby zrobić obiad"*. Na to Meksykanin: „ — *Ja też skła-*

małem. Mój wujek nie mieszka w Ciudad de México, tylko we wsi pod Puerta Vallarta”.

Trzech się roześmiało, a Farloon rzekł:

— Słyszałem to w Europie, chłopcy z bałkańskich kontyngentów NATO lubią ten dowcip. Lecz tam wujkiem jest Chorwat, a gorzałą rakija. Reszta się zgadza, dziewięć wron.

— *„Pole”* ma dużo krótszego! — rzucił *„Husky”.*

Nowik przytaknął mu:

— Fakt, Polacy mają średnią dużo krótszą. Tylko pięć wron... Ciekawe czy u ciebie, jankeski kurduplu, zmieściłoby się choć jedno pisklę wrony!

Tak luzacko sobie gaworzyli podczas maskowanego kwestą śledzenia Cisnerosa, a sama kwesta przyniosła im ledwie jeden niestandardowy dialog. Zaczepił żebrzących „kapucynów” okularnik mający plakietkę organizacji humanitarnej szczycącej się patronatem ONZ–u, pytając:

— Jakim prawem tu kwestujecie? Ta strefa miasta została wyznaczona dla nas, dla wolontariuszy BSC działających pod patronatem ONZ–u!

Zrobiło się cicho. Ale cisza trwała tylko chwilę. *„Woody”* rzekł do Formana:

— Słyszałeś?

— Słyszałem. Kolejny ONZ–owski gang pedofilów.

— Skąd to wiesz, bracie mój?

— Z gazety. Dopiero co pisali o działających w Laosie aktywistach norweskiej organizacji humanitarnej NCA i francuskiej AFC, jedna i druga ma patronat ONZ–u. Świadkowie twierdzą, że spośród każdych dziesięciu członków tych organizacji przybywających do jakiejś wioski siedmiu żąda na noc chłopczyka lub dziewczynkę.

— Rozumiem — pokiwał głową Gracewood. — To humanitarność.

I wyciągnąwszy zza habitu nóż, zwrócił się do członka BSC:

— Błogosławieni, którzy dziatek nie krzywdzą, albowiem im przypadnie Królestwo Niebieskie. Jeśli cię tedy organ twój gorszy, utnij go, wejrzawszy pierwej w duszę swoją, człowiecze. Napisane jest bowiem: biada tym, którzy z dziecięciem nierząd czynią, a światłość wiekuista nie będzie im dana. Zaprawdę, powiadam ci: miłujemy każdego bliźniego swego, wyjąwszy sukinsynów. Przeto goń się stąd, faryzeuszu, bo urżniemy ci kapucyńskim scyzorykiem twoje humanitarne pedofiucisko!

Aktywista BSC zbladł i nie podjąwszy dyskusji zwiał.

* * *

20 kwietnia 2009 Jan Serenicki i John Nowik spotkali się w piwnicach Museo Nacional de San Carlos. „*Wieża*” od razu wsiadł na majora:

— Co wy wyrabiacie! Taka wpadka po kilku dniach od rozpoczęcia misji! Ten dupek z BSC złożył skargę, i jego szefowa zawiadomiła gliniarnię meksykańską!

— Jak się o tym dowiedziałeś?

— Ambasada ma z glinami układ, codziennie otrzymuje rejestr incydentów, rozrób, skandali, które się wydarzyły w stolicy. Przegląda to Fedoruk lub jego sekretarz, ale kopie otrzymują też Tiomkin i kapitan Gorito, Kubaniec. To jest ta bardzo zła wiadomość.

— A ta lepsza?

— Są dwie lepsze. Gliniarnia ma zwracać szczególną uwagę na polakopochodnie wyglądających lub gadających Jankesów oraz na Polaków. No i liczba wszelkich incydentów jest znaczna, samych nożowniczych kilkanaście każdej doby.

— Tylko kilkanaście?

— Kilkanaście z udziałem cudzoziemców, głównie turystów, choć i transportowców, szoferów, biznesmenów. Problem w tym, że pierwszy raz z udziałem mnichów.

— To zwróciło uwagę?

— Nie wiem, nie chodzę za ludźmi Fedoruka. I nie mam pewności co do kubańskiej DGI, tam możliwe jest wszystko. Natomiast sama policja palcem nie kiwnie, to dla nich śmieszny pryszcz, drobiazg bez sensu. Jednak Kubańczycy mogą niuchać...

— Więc mamy pyrgnąć habity i zwinąć się z Guadalupe?

— Broń was Bóg! — syknął Jan. — To właśnie, dokładnie to, wasze zniknięcie, zwróciłoby uwagę, a jeśli ambasada lub Kubańczycy będą węszyć w Guadalupe, od razu nabiorą podejrzeń, usłyszawszy o waszym zniknięciu! Lepiej spokojnie czekać, zobaczymy jak się rozwinie sytuacja. I już żadnych publicznych awantur! Wprost trudno mi uwierzyć, że zawodowcy tej klasy robią taki kretyński numer!

— Mnie oraz *„Donowi”* też trudno uwierzyć, nie było nas przy tym. To numer Gracewooda i Formana, zwłaszcza Gracewooda, on wyjął nóż. Pułkownik się wściekł, mało go nie pobił, zagroził mu degradacją i odesłaniem do domu. Ale jest jak jest, cofnąć tego nie możemy. Przyczaimy się teraz, będziemy prowadzili badania scjentyczne w archiwum, zaś nasi kapucyni z Guadalupe będą pilnie baczyli czy ktoś nie próbuje nas tam wywąchać.

— Kubańców, jak już mówiłem, boję się bardziej niż Fedoruka i Tiomkina — rzekł Serenicki.

— Dlaczego?

— Dlatego, że Fedoruk i Tiomkin są zajęci wojną między sobą, wkrótce w ambasadzie zrobi się gorąco jak we wnętrzu wulkanu.

Dowiedział się o tym tuż przed świętami, 8 kwietnia. Tiomkin, wyjeżdżając na dubeltowy weekend, zostawił mu parę dyspozycji i gorzko zażartował:

— Chcę się fest popławić w Pacyfiku, bo to może być już ostatni raz.

— Dlaczego, generale?

— Dlatego, że pragnie mnie żywcem zeżreć Fedoruk.

— Dlaczego?

— Jest kilka przyczyn, wśród nich mój pupil, agent *„Y”*, którego ściągnąłem tu z Warszawy, żeby się byczył jako wielbiciel lalkowych teatrów.

— Igorze Pietrowiczu, bardzo chętnie wrócę do Warszawy!

— Ty jesteś drobnym pretekstem, prawdziwy powód to wodzowskie ambicje Fedoruka.

— Cały personel ambasady wie, że Fedoruk marzy o waszym stanowisku, chce zostać szefem *„rezydentury”*, jednak od samego chcenia i mieszania herbata nie robi się słodka, to też wszyscy wiedzą.

— A czy ty wiesz co to jest Zarząd „S”? — spytał Tiomkin.

— Zarząd „S”?

— Bo co to jest SWR, wiesz chyba?

— Rosyjska Służba Wywiadu Zewnętrznego, to przecież moja *„firma”*, Igorze Pietrowiczu.

— Ale o Zarządzie „S” nie słyszałeś?

— O tym mnie nie informowano.

— Zarząd „S” to tajna, elitarna komórka SWR, obsługująca najważniejsze sprawy i prowadząca najtajniejszych agentów. Niedługo przyjedzie do nas kontroler z Zarządu „S”...

— Rewizor! — uśmiechnął się Serenicki. — Pan Gogol się kłania!

— Będzie trochę mniej wesoło niż w **„Rewizorze”**, gospodin Serenicki. On przyjedzie, aby badać czy skarga Fedoruka, że *„rezydentura”* kiepsko pracuje, jest uzasadniona, taką dostałem wiadomość.

— Dziwne, że powiadamiają o kontroli...

— Nie powiadamiają. Dostałem cichą wiadomość, od kumpla ze sztabu SWR, razem kończyliśmy kagiebowski kurs. Powiedział, że mam przerąbane, bo wysyłają pułkownika Pimena Mojzesowicza Grynberga, który mnie nie lubi.

— Ma powód?

— Nie lubi antysemitów, tymczasem ja kiedyś, jeszcze w Akademii, należałem do zgrywusowskiego Klubu Antyjewrejów, taka była moda, czy raczej *„linia”*. Robiło się głupie żarty, psikusy, opowiadało kawały, wtedy władza przymykała wzrok, popierała, taki był partyjny trend. Grynbergowi nie było wówczas łatwo. A dzisiaj tacy jak on trzymają cichą władzę. Głupi Żydzi, jak Chodorkowski, idą do pierdla, zaś cwani, jak Grynberg, do prawdziwej wierchuszki systemu. Zresztą nie tylko u nas — u Amerykanów jest identycznie. Pechowiec Madoff do pierdla, rozprowadzający do rządzenia, wot szto!

— To się chyba zwie *„spiskową teorią dziejów"*, Igorze Pietrowiczu? — rzucił Serenicki, chcąc pchnąć generała ku głębszym wynurzeniom na temat *„deep state"*.

— Nie, to jest spiskowa praktyka dziejów, gospodin Serenicki. Prezydent Kennedy wygłosił w kwietniu 1961 przemówienie piętnujące działalność tajnych stowarzyszeń, gromiąc zwłaszcza jakąś *„monolityczną i bezwzględną konspirację, która jest tajną, wpływową, wysoce skuteczną machiną"*, ale nie ujawnił nazwy, było to uderzenie zawoalowane, dał tylko do zrozumienia, iż ma pełną świadomość. Dwa lata później został odstrzelony. Charakterystyczne są również prezydenckie wolty à propos Izraelczyków. Kennedy jednym ze swych pierwszych przemówień krytykował antypalestyńską politykę Izraela, i to była ostatnia jego krytyka Żydów, nigdy później już tego nie zrobił, widocznie oberwał mocnego klapsa za swój nierozważny spicz. Dokładnie taka sama historia wydarzyła się z Obamą. Na wiecu przedwyborczym w Iowa Obama współczuł Palestyńczykom, mówiąc, że cierpią bardziej niż ktokolwiek inny, a gdy został prezydentem, pierwszy zagraniczny telefon wykonał do szefa Autonomii Palestyńskiej, Mahmuda Abbasa. I to był koniec propalestyńskich karesów. Obama głosi teraz chwałę Izraela jako głównego sojusznika USA, gdyż został solidnie przez kogoś skarcony za propalestyńskość. Przez krasnoludki, agencie *„Y"*?

— Rozumiem, generale, że przez jankeskie lobby Żydów.

— Słyszę sarkazm w twoim głosie, Poliak...

— Sarkazm? — zdumiał się Serenicki.

— Opowiem ci coś, co się wydarzyło miesiąc temu. Gdzieś tu mam tę gazetę, zacytuję...

Tiomkin odszukał pośród stosu papierzysk leżących przy biurku wycinek prasowy z **„The Washington Post"** i machając nim, perorował:

— Obamie się marzyło, że szefem Narodowej Rady Wywiadu będzie Charles Freeman, dyplomata i rutynowany szpieg. NRW jest ważna dla bezpieczeństwa USA, bo koordynuje pracę wszystkich 16 agencji wywiadu. Gdy ogłoszono kandydaturę Freemana, lobby izraelskie dostało szału, a żydowskie media, czyli główne media amerykańskie, rozszarpały faceta, przypominając kilka jego krytycznych wypowiedzi na temat izraelskiej polityki. Zacytuję ci co powiedział pan Freeman wycofując swoją kandydaturę: „ — *Taktyka lobby izraelskiego sięga głębin podłości i nieuczciwości, obejmując potwarz, wybiórcze stosowanie cytatów, umyślne przeinaczanie wypowiedzi, fabrykowanie kłamstw i całkowity brak szacunku dla prawdy. Celem tego lobby jest kontrolowanie procesu politycznego”*. Chwytasz? Kontrolowanie procesu politycznego. Elektorat amerykański regularnie zmienia mieszkańców Białego Domu, ale to nie ma znaczenia, bo kontrolerzy czuwający za kulisami, prawdziwi sternicy, nie są podatni na werdykty motłochu, sami się tasują. Ani jeden spośród pupilów Obamy, których ten chciał zrobić dygnitarzami imperium, nie dostał stołka! Ani jeden! Obama, zgrzytając zębami, musiał całą wierchuszkę waszyngtońską utworzyć z narzuconych mu pupilów *„deep state”*, gospodin Serenicki.

— A pan się dziwi, Igorze Pietrowiczu, że ja teatr lalek traktuję jako metaforę życia politycznego! Tylko że u was *„deep state”* to chyba nie Żydzi...

— Próbowali, za Jelcyna, pamiętasz Bieriezowskiego? Nie wyszło, Sorosowi na Ukrainie też nie wyszło. Więc u nas to nie Żydzi, chociaż tylu jest żydowskich oligarchów — u nas to dawne *„służby”*, GRU i KGB, stara gwardia, której młodsze klony sprawują władzę bezpośrednią. Putin, pułkownik KGB, jest symbolem Układu.

— A ten Grynberg?

— Wykonawca, zamiatacz, czyści szlamowate rury. Jest groźny, bo ambitny, i wie, że szczeble jego drabiny to żywe trupy ofiar. Im więcej pechowców zgnoi, skasuje, zdymisjonuje, tym szybciej awansuje. Ja mam być kolejną zwierzyną. Słyszałeś o *„pociągu Kastnera”*?

— Nie.

— Grynberg jest wnukiem uratowanego Żyda z *„pociągu Kastnera"*. Doktor Israel Kastner był przed II Wojną wpływowym budapeszteńskim działaczem syjonistycznym, a wiosną 1944 roku został szefem organizacji Komitet Pomocy i Ratunku. Chodziło o ratunek dla węgierskich Żydów. Niemcy mieli już wówczas duże kłopoty techniczne, zaproponowali więc aliantom rodzaj targu wymiennego, dzisiaj zwanego barterem: uwolnią milion węgierskich Żydów, jeśli Zachód przekaże Berlinowi 10 tysięcy ciężarówek. Kastner pośredniczył w tych rozmowach, które się jednak ślimaczyły, bo alianci niezbyt palili się do takiego barteru i nie ufali hitlerowcom. Rzesza, pragnąc przełamać tę nieufność, zrobiła *„gest dobrej woli"*: wypuszczono 1700 budapeszteńskich Żydów. Niemieckim operatorem Holocaustu był Adolf Eichmann, i to on dał Kastnerowi pociąg, zwany później *„pociągiem życia"* vel *„pociągiem Kastnera"*. Nie za darmo, Kastner wręczył Eichmannowi okup. Były to pieniądze, diamenty i złote precjoza wartości kilkudziesięciu milionów dolarów, a Kastner prócz pociągu uzyskał prawo dowolnej selekcji ocalonych. Wybierał przede wszystkim ważnych Żydów, naukowców, kupców, artystów, intelektualistów, rabinów, lekarzy, ludzi znaczących. Odwieziono ich do neutralnej Szwajcarii, natomiast mierzwa węgierskich Żydów poszła do lagrów śmierci, gdyż alianci nie zawarli z Rzeszą barterowego układu. Trzynaście lat później Kastner został zastrzelony w Tel Awiwie przez mścicieli, według których był zdrajcą i sługusem Eichmanna. Lecz rodziny tych, których *„pociąg życia"* wywiózł z Budapesztu, uważają Kastnera za świętego. Grynberg żyje, bo jego dziadek wsiadł do pociągu *„nach Zürich"*, a nie do pociągu *„nach Auschwitz"*.

Serenicki zbliżył się ku drzwiom balkonowym i patrząc przez szybę, spytał:

— Czy ten pański kumpel ze sztabu SWR może pana uwiadomić którego dnia samolot wiozący pułkownika Grynberga wyląduje w Meksyku?

— Pewnie tak, lecz cóż to mi da? — wzruszył ramionami Tiomkin.

— Dużo, generale. Grynberg sądzi, że jego przyjazd będzie zaskoczeniem dla pana i całej ambasady. Jeśli zobaczy *„komitet powitalny”* na lotnisku, zgłupieje i straci rezon, zrozumie bowiem, że to my kontrolujemy grę, a nie pański wróg. Resztę proszę mnie zostawić.

— Tobie? Jak to?...

— Proszę wyznaczyć *„komitet powitalny”* marki *„Y”*, Igorze Pietrowiczu. Mój dialog z pułkownikiem Grynbergiem nie ucieszy pułkownika Fedoruka.

Tiomkin wykrzywił wargi sceptycznie:

— Znając twój niepohamowany dryg do wygłupów, jajcarzu, boję się, że zamiast mi pomóc, jeszcze bardziej namieszasz i zupełnie mnie pogrążysz...

— Obiecuję być komitetem bardzo kulturalnym, Igorze Pietrowiczu.

Tiomkin machnął ręką:

— Wątpię czy Grynberg ulegnie syrenim rymom Szekspira.

— Szekspir to nie jedyny kuglarz, którym można skutecznie manipulować, cytując rymy — mruknął agent *„Y”*. — No więc co?... Niech się pan decyduje, Igorze Pietrowiczu. Może pan skorzystać z oferty *„jajcarza”* lub nie, wolna wola. Lecz jeśli pan odrzuci moje jajcarstwo, zostanie panu tylko magia voodoo, szpileczki i dwie laleczki, figurki Grynberga i Fedoruka, ale kto panu zagwarantuje skuteczność? Niedawno, gdy zbliżał się mecz eliminacyjny futbolowych mistrzostw świata, Meksykanie kupowali tysiące laleczek voodoo przedstawiających amerykańskich piłkarzy i bezlitośnie kłuli gringos, jednak to dało tyle samo ile daje ulubiony wielkanocny zwyczaj Meksykanów, palenie kukły Judasza — Jankesi wygrali dwa do zera, voodoo zawiodło. Radzę przyjąć moją propozycję: chcę być jednoosobowym *„komitetem powitalnym”* rewizora.

21 kwietnia 2009 roku dwuosobowy kapucyński *„komitet powitalny”* (*„fray Esteban”* i *„padre Damiano”* będący *„Bibliotekarzem–seniorem”*) rozmawiał przy guadalupiańskiej Kaplicy Klauzuli z kapitanem Raulem Gorito (Kubańczykiem udającym ofice-

ra PJF) i z porucznikiem Martinem Sanchezem, prawdziwym funkcjonariuszem Policía Judicial Federal. Ten drugi rzekł:

— Nachodzimy was wskutek skargi złożonej przez organizację humanitarną...

— Idzie o ten mały nóż? — domyślił się *„brat Stefan"*.

— Skąd wiecie, że o nóż?

— Ze spowiedzi — wyjaśnił *„Bibliotekarz–senior"*. — Bracia zakonni mają obowiązek spowiadać się regularnie, co drugi dzień, i nie wolno im taić żadnych grzechów, a ten grzech był szczególnie paskudny, więc kara musiała być surowa, to się u nas trafia bardzo rzadko.

— Kara? — zdziwił się Kubańczyk. — Jaka kara?

— Pokuta, panie oficerze, bardzo surowa pokuta — wyjaśnił senior klasztoru. — Ciemnica, chleb i woda, modlitwy i samobiczowanie pleców.

Porucznik spojrzał na kapitana i rzekł niepewnym głosem:

— Właściwie to... to winniśmy sprawcę aresztować, bo w takich przypadkach... Użycie noża to poważne przestępstwo...

— Panowie oficerowie! — zapiszczał *„brat Stefan"*. — Jakie przestępstwo! To nie był nóż, tylko scyzoryk, i jeśli ten scyzoryk nazywacie przestępstwem, to znaczy, że mój dziadek był groźniejszym przestępcą niż Pedro, bo kradł jaja w kurniku! W swoim kurniku. Babcia pilnowała każdego jajka, dla wnucząt, nie zezwalała mężowi podbierać, ale kilka razy mu się udało, przechytrzył ją i podebrał, i wtedy zawsze zostawiał na miejscu zbrodni karteczkę z sygnaturą: *„Arsène Lupin"*. Kochał kryminały, zwłaszcza europejską literaturę, Wallace'a, Leblanka czy Gastona Leroux...

— Mnichu, co ty nam tu chrzanisz, skończ nas zagadywać, dosyć! — ryknął Gorito. — Ten wasz nożownik to niezły chuligan, żul w habicie!

— Gdzie tam, jaki chuligan, jaki żul! Braciszek Pedro to baranek Boży, człeczyna pokornego serca. Zwyczajnie wyszedł z nerwów, gdyż przeczytał, że pracownicy organizacji humanitarnych szczycących się patronatem ONZ–u masowo uprawiają pedofilstwo, a czyż to nie sodomia? Tfu! Brzydzimy się wszelakimi poczynaniami pedofilów, którzy przybierają rozmaite maski organizacyjne, bardzo wzniosłe, humanitarne, by molestować niewinne dziatki we wszystkich zakątkach świata. To rak naszej ery! Czy panowie nie sądzicie, że mam słuszność?

— Tak... — wybąkał porucznik Sanchez. — ... Ale ten nożownik...

— Jaki nożownik?! Brat Pedro to uosobienie łagodności, muchy by nie skrzywdził, nie tknąłby nikogo.

— Ale złożono oficjalną skargę...

— Zaraz go tu przyprowadzę, panowie, weźcie go ze sobą do tych, co złożyli skargę, a on ich kornie przeprosi, i wszyscy będą ukontentowani, panie oficerze, z pomocą Boską. Możemy tak załatwić sprawę?

Porucznik spojrzał na kapitana, a ten splunął, burcząc:

— Tym razem wam darujemy, szkoda czasu dla głupka, lecz żeby to się więcej nie powtórzyło, bo wasz krewki Pedro wyląduje w pierdlu!

I odeszli ze złością, iż tylko tracili czas. A senior pokręcił głową z niedowierzaniem:

— Publicznie straszyć ludzi nożami, na ulicy! Matko Boska, dzięki — więcej szczęścia niż rozumu! Amerykańskie kierownictwo mówiło, że przyślą asów, zawodowców! Jeśli oni są takimi samymi zawodowcami jak kapucynami, których udają, to niech się Pan Bóg nad nami wszystkimi zlituje...

* * *

Walka z bykiem (*„corrida de toros”*) ma tradycję liczącą ponad tysiąc lat. Saracenowie i rycerze hiszpańscy walczyli z bykami na ogrodzonych wybiegach już w IX stuleciu. Dzisiaj ten rzeźniczy pseudosport, pełen nierównych szans bydlęcia, któremu przed walką z matadorem banderilierzy i pikadorzy zadają swymi ostrzami wiele kłutych ran, jest uprawiany, prócz Półwyspu Iberyjskiego, na terenie Francji południowej i w niektórych krajach Ameryki Łacińskiej, szczególnie euforycznie w Meksyku. Właśnie tam, w Ciudad de México, znajduje się największa bycza arena świata: Plaza México. Formalnie 40 tysięcy miejsc; praktycznie nieomal 60 tysięcy — szalejący tłum.

Chcąc trafić do Plaza México, trzeba ruszyć tyłek na południe miasta, jadąc najdłuższą ulicą Ameryki Łacińskiej, Avenida Insurgentes (30 kilometrów), a konkretnie jej południową częścią, Avenida Insurgentes Sur. Za Plaza California skręcamy w ulicę Holbeina i dojeżdżamy do ulicy Rodina, gdzie pod numerem 241 jest wejście główne i można kupić bilety. Podziwiamy rzeźby figuralne upamiętniające sławnych torreadorów — Manuela Rodrígueza („*Manolete*") i innych. Później wspinamy się amfiteatralnie ku górnym rzędom miejsc gorszej części widowni, zwanej „*sol*" (słońce), gdyż ten, którego szukamy, był oszczędny i nie wykosztował się na droższe miejsca w zacienionej strefie („*sombra*"). Jest czwartek, godzina 17^{30} — od kilkudziesięciu minut na kolistej arenie pseudobohaterowie dźgają nieszczęsne zwierzaki aż do skutku. Tłum zapełniający „*plaza te toros*" wyje ze szczęścia; turyści (zwłaszcza Anglosasi) są bardziej powściągliwi, czasami wykazując rezerwę, która bywa kontreufemistycznie zwana niechęcią lub wzgardą. Rozglądamy się. W 60–tysięcznym morzu głów niby trudno znaleźć jedną, lecz gdy się wie gdzie konkretnie szukać — nie ma problemu. Czekamy na przerwę, facet wstaje, wychodzi pod trybuny kupić sobie colę i tortillę lub siknąć — i wtedy zbliżamy się doń, mówiąc tłumionym głosem:

— Moje hasło: I have a dream*... Przysyła mnie Wesley, twój „*handler*" z DEA, wielbicielu walk byków. Czy możesz być jutro w parku Alameda o dziesiątej rano?

— Nie — wybąkał zaskoczony Cisneros, rozglądając się płochliwie.

— Bez nerwów, przyjacielu! — szepnął Clint. — O której możesz być tam jutro lub pojutrze?

---

* Mam pewien sen...

— Jutro o czternastej, wcześniej mam wizytę u dentysty.

— Spaceruj aż zobaczysz mnie na ławeczce, będę się wachlował gazetą. Przejdź blisko obok, bez pośpiechu, nie zerkając ku mnie, lecz słuchając, rzucę ci krótki namiar. Do jutra!

I zniknął w tłumie kibiców.

Kolejnego dnia, kilka minut po 14^{00}, idący alejką parkową Cisneros usłyszał *„namiar"* od strony mijanej ławeczki:

— Granatowa duża furgonetka przy rogu Mora i Hidalgo, ma wymalowane logo SCV.

Róg ulic Doctor Mora i Avenida Hidalgo jest narożnikiem parku Alameda, więc inspektor Cisneros musiał zrobić pieszo jeszcze tylko kilkadziesiąt kroków, zaś skrót SCV wziął się na furgonie z żartu *„ojca Damiana"* wspominającego, dzięki brewiarzowi noszącemu inicjały SCV, swą młodzieńczą bytność w kolegium watykańskim:

— SCV to inicjałowy skrót od Stato della Citta del Vaticano, czyli Państwo Miasto Watykańskie. My, młodzi alumni, którym nie wszystko się tam podobało, zwłaszcza ostentacyjny luksus niektórych książąt Kościoła, przerobiliśmy treść SCV, kpiąc: Se Cristo Vedesse! — *„Gdyby Chrystus mógł to zobaczyć!"*.

Janowi Serenickiemu ta idea przeróbkowa bardzo się spodobała, więc zachęcił członków *„4"*, by umieścili skrót SCV na furgonie do *„uzyskiwania zeznań"*, którego wewnętrzne ściany obite były wyciszającą warstwą wojłoku. Kiedy Cisneros wsiadł i zobaczył materacową czeluść wnętrza, przeraził się:

— Do czego to służy?!

— Do transportowania mebli i do głuszenia dźwięków, przyjacielu — wyjaśnił mu Forman. — Widziałeś SCV na karoserii? Znaczy: So Calm Van*. Lub, jeśli przesłuchiwany okaże się zatwardziały: So Callous Van**.

— Będziecie tu torturować?

---

* Bardzo Cichy Furgon.

** Bardzo Nieczuły Furgon.

— Tylko jeśli zajdzie konieczność. To, co lubimy, kiedy przesłuchujemy, to też SCV — So Candid Verbosity*.

— Chcecie mnie torturować?!... — wyszeptał drżący ze strachu Cisneros.

— Ciebie nie, amigo, bo ty jesteś naszym amigo, zaś amigos nie mają przed sobą sekretów — rzekł Clint. — Ty nam wszystko ujawnisz por la buena**.

— Co mam ujawnić?

— Wszystko co wiesz, przyjacielu. Zacznij od siebie.

— Od siebie?

— Tak. Powiedz nam czemu, będąc zięciem tutejszej policyjnej szychy, nawiązałeś skrytą kolaborację z DEA? Dlatego, że kochasz gringos, czy dlatego, że kochasz zielone banknoty rozdawane przez gringos?

— Nigdy nie wziąłem od was ani centa! — burknął Meksykanin. — Graham nigdy mi nie płacił, spytajcie go!

— O tym, że pracowałeś dlań za darmo, nie mówił ani słowa, natomiast mówił, że jesteś lewakiem. To trochę dziwi...

— Co was dziwi?

— No, że lewak kocha Jankesów.

— Jest odwrotnie, nienawidzę Jankesów! Kiedyś zapłacicie za wszystkie krzywdy wyrządzane ludziom!

— Znaczy: *„ludom”*, ergo: *„masom pracującym”*? — uprecyzyjnił pytajnikiem *„Pole”*.

— Właśnie tak!

— Sumując: światem winna rządzić lewica, towarzyszu inspektorze...

— Tak!

— Ciesz się więc, bo przecież ona już rządzi wokół tego padołu. Spójrz na cztery główne mocarstwa świata: na USA, Rosję, Chiny i Unię Europejską. W Ameryce lewak Obama, w Rosji kagiebista

* Bardzo Szczera Gadatliwość.
** ... dobrowolnie, po dobroci.

Putin, w Chinach partia komunistyczna, w Europie pełno różnych goszystów, jak Hiszpan Zapatero, więc czego jeszcze chcesz? A organizacje międzynarodowe, przyjacielu? Międzynarodowy Fundusz Walutowy i Światowa Organizacja Handlu są dziś kierowane przez francuskich socjalistów, panów Lamy'ego i Strauss–Kahna, szefem NATO zostanie duński socjaldemokrata Rasmussen.

— To wszystko jest pseudolewica! — zaprzeczył Cisneros. — Ja mówię o prawdziwej lewicy!

— U Chińczyków też pseudolewica?

— Tak, u nich panuje kryptokapitalizm, czerwone sztandary to tylko fasada systemu. Chiny są waszym głównym wierzycielem, gdyby nie oni, wasza gospodarka i wasza finansowość zbankrutowałyby już dawno. Teraz, kiedy dziki kapitalizm wszędzie trzeszczy w szwach, autentyczna lewica winna powstać i zrobić porządek z całym tym gównem. Tymczasem co się dzieje? Prawie wszędzie nic. Azja śpi, Australia śpi, Europa śpi, Północna Ameryka śpi, lewica wszędzie chowa głowę w piasek. Prawie wszędzie. Tylko Ameryką Łacińską rządzi teraz lewica. Chávez, Moralez, Lugo, Lula, Ortega i inni. Serce mi pęka, że to się jeszcze nie dokonało w Meksyku!

— Więc dlatego, żeby się dokonało, podjąłeś regularną współpracę z amerykańską tajną służbą? Sam mówisz, że Jankesi to nie lewicowcy.

— Afgańscy talibowie podjęli współpracę z Ameryką, żeby wykopać Sowietów, a później wykopali Jankesów, używając broni otrzymanej od Jankesów dla wykopania Sowietów. Nie chcę, żeby Meksykanami rządziła narkolewica, trzeba wytłuc handlarzy narkotyków, bez waszej pomocy to nie jest możliwe. Kartele muszą zniknąć, bo budują świat piekła, ludzkie inferno.

Przez chwilę milczał, a oni nie zakłócali mu milczenia, widząc, że zmaga się z czymś, co za chwilę jego krtań wyrzuci ustami niby lufą rewolweru. Tak właśnie się stało:

— Wy, gringos, jesteście i chorobą, i lekarstwem, bez was nie byłoby tego piekła i bez was nie da się usunąć tego piekła. Gdyby nie wasz narkotykowy rynek zbytu, popyt w waszym kraju, kartele nie miałyby żadnego sensu istnienia, co zresztą władze Meksyku ciągle głoszą, lecz wy argumentujecie, że źródłem zła jest Meksyk, a nie Stany, i tak trwa ten ping–pong. Rio Grande to siatka, nad którą rządy przerzucają piłeczkę odpowiedzialności, my mówimy, iż gangrena kwitnie po północnej stronie rzeki, wy zaś wskazujecie stronę meksykańską. Kwitnie i tu, i tam, po obu stronach trzeba zdusić zło. Po naszej trzeba likwidować kartele, dlatego wspierałem waszą DEA ze wszystkich sił. Teraz nie mam już sił, nie będę dalej ryzykował.

— Czy to znaczy, że nie masz już snu? — zdziwił się pułkownik.

Cierpliwie słuchał wymiany zdań między Polakiem a Meksykaninem, widząc, że znowu spotkał nawiedzonego idealistę, choć trochę innego niż *„padre Damiano"* — idealistę, któremu Meksyk się marzy jako kraina błoga, sielska, latynoski przedsionek mitologicznej Arkadii lub biblijnego Raju. Wiceszef DEA, Wesley Graham, powiedział Clintowi, że Cisneros sam wybrał głośną frazę pastora Kinga *„I have a dream"* na hasło kontaktowe. Drugie już milczenie inspektora domagało się jaśniejszej deklaracji, dlatego Farloon rzekł:

— Wiem od dyrektora Grahama, że ty sam zaproponowałeś *„I have a dream"*. O który sen ci chodziło? O Meksyk lewicowy, czy o Meksyk bezkartelowy, przyjacielu?

— O dublet — wyjaśnił Cisneros. — Ale trwająca prawie rok rzeźnia ukradła mi śmiałość, nie będę dalej walczył. Mam żonę i dziecko, nie chcę, by dostali moją głowę w plastikowym worku, nie chcę skończyć jak większość tutejszych agentów DEA. Wszystkich ludzi Grahama zabito, zakatowano, prócz mnie. Być może dlatego mnie oszczędzono, iż mój teść to szycha policyjna, a także mafijna, lub może dlatego mnie nie namierzono, iż miałem łut fartu. Chyba to drugie. A wy przychodzicie żądać, bym współpracą z wami pozbył się resztek fartu!

— Błąd, amigo, nikt cię nie będzie kaptował do tej roboty.

— Więc czemu tu przybyliście?

— Pozamiatać! — wycedził swój stały refren Gracewood.

— Uważajcie, by was nie zamieciono, tu nie ma zmiłuj!

— Wyznajemy tę samą dewizę, amigo — dokończył *„Woody"*.

— Nie chcemy twojej współpracy operacyjnej, a tylko informacji, przyjacielu — rzekł Clint.

— To wszystko?

— Wszystko. Powiedz nam co wiesz, niczego nie zamilczając, i masz nas z głowy.

— Dobrze, pytajcie.

— Mówiłeś, że twój teść, generał Vázquez, to szycha policyjna i szycha mafijna...

— To okropny skurwiel! — westchnął Cisneros. — Nie lubi mnie, i dawno już by mnie załatwił, ale widać nie chce czynić swej córki wdową, a wnuka półsierotą, więc chwilowo toleruje durnego zięcia...

— Czemu durnego?

— Bo nie zgodziłem się robić dlań na styku policja–mafia, co uznał za głupotę. Sam fakt, iż proponując mi to wygadał się, budzi jego stałą do mnie nienawiść.

— Z jakim kartelem się związał?

— On się zawsze wiąże ze zwycięzcami, więc teraz ma duży kłopot, bo trwa wojna karteli i jest paru równorzędnych przeciwników. Dlatego jego lawirowanie między nimi przypomina taniec wśród mieczy, nie zazdroszczę mu, to bardzo ryzykowny hazard.

— Ale bardzo dochodowy — rzucił Gracewood. — Czy prócz ciebie jest w tym kraju drugi glina, który nie bierze, amigo?

— Są tacy, nawet więcej niż moglibyście przypuszczać, lecz jest ich coraz mniej, bo giną bez ustanku. Miesiąc temu szef policji w Ciudad Juárez złożył dymisję, gdyż wcześniej tamtejszy kartel zażądał tej dymisji i zapowiedział, że póki komendant ze stanowiska nie ustąpi, co 48 godzin będą mordowali jednego policjanta. I tak robili — co 48 godzin jeden glina ginął, komendant nie miał wyboru. Ich terror jest naprawdę potworny. Rząd wysłał wówczas do Juárez 5 tysięcy żołnierzy, to nowa taktyka, zastępowanie policjantów wojskiem.

— Coś daje? — spytał Clint.

— Niewiele daje, oni nie boją się wojska... Półtora miesiąca temu w kurorcie Cancún znaleziono zwłoki generała Mauro Tello, który organizował tam specjalną jednostkę antynarkotykową. Wcześniej, do grudnia 2008 roku, był szefem okręgu wojskowego w stanie Michoacán, a tam ma swoje gniazdo i swoje imperium jeden z dwóch głównych karteli, Familia Michoacána. Kontroluje 113 powiatów, kilkanaście miast i kilkadziesiąt miasteczek, setki wsi, wielki port Lázaro Cárdenas... Robią co chcą, hurtowo produkują syntetyczne narkotyki dzięki niezliczonym laboratoriom, i bezkarnie mordują swych przeciwników. Przy tym bardzo chętnie filmują egzekucje, zwłaszcza obcinanie głów. Wrzucają to do internetu lub wysyłają mediom, które są kompletnie zastraszone. Większość redaktorów naczelnych instruuje swych podwładnych, by nie uprawiali dziennikarstwa śledczego przeciw kartelom: *„ — Żadnych śledztw w sprawie narcos, chcę jeszcze pożyć!”*. Kto chce tam pożyć, ten pamięta, że milczenie jest złotem. Zapominalskim przypominają. Niespełna pół roku temu szefa policji w 45–tysięcznym miasteczku michoacáńskim Pátzcuaro zastrzelono rankiem na ulicy, jak psa. Szefa policji w Cárdenas odstrzelono również. No to co się dziwić, że wszyscy się trzęsą? Ci, którzy się nie trzęsą, gwałtownie umierają.

— Ludzie Grahama umarli, bo ktoś ich wydał, a nie dlatego, że się nie trzęśli! — rzekł Farloon. — Wiesz kto ich wydał?

— Nie wiem, może mój teść lub jakiś sprzedajny antynarkotykowy urzędas, tylko kartel wie. W listopadzie zeszłego roku aresztowano Noégo Ramíreza Mandujano i kilkudziesięciu jego pracowników. Ten człowiek kierował całą walką rządu z przestępczością narkotykową. Spece waszych *„służb”* wykryli, że cały kontrkartelowy aparat władz meksykańskich jest opłacany przez kartele. Prześwietlili tajne konto señora Mandujano, na które wpłynęło 450 tysięcy dolarów od kartelu Pacífico, i tak wpadł. Ten, kto go zastąpi, będzie brał jeszcze więcej. Mnóstwo policjantów i żołnierzy przechodzi do karteli, bo one płacą piętnastokrotnie większy żołd niż państwo. A wy pytacie kto wydawał ludzi DEA! Ktoś wydawał, tylko że główną przyczyną ich śmierci było nie to, lecz zadufanie. Mieli sukcesy, były liczne aresztowania narkobaronów, były ekstradycje, premie i nagrody. Sądzili, że mogą tę wojnę wygrać. Że są już blisko. Widzieli światełko w głębi tunelu. A to był pociąg pędzący z naprzeciwka, panowie. Rozumiecie?

Znowu zapadła cisza. Przerwał ją Farloon:

— Który kartel utrzymuje lądowisko kolumbijskich łodzi podwodnych na wybrzeżu zatoki Tehuantepec?

— Nie wiem... Może każdy, lądowisk może być kilka. Słyszałem, że Familia Michoacána kontroluje 200 kilometrów dzikiego wybrzeża Pacyfiku...

— A dokładniej to gdzie?

— Nie wiem. Zapytajcie mojego teścia.

— Zapytamy.

— Tutaj, w tym wozie?!

— W tym omateracowanym wozie, jak już mówiłem, lubimy przewozić mebelki, bo tu się nie poobijają, lecz jeśli będzie okazja, wniesiemy tu również twego teścia, amigo — zapewnił Forman.

— Nie wierzę, jest strzeżony dzień i noc, nie porusza się bez silnej obstawy.

— Jak silnej?

— Sześciu, czasami ośmiu desperados z bronią automatyczną, banda asiorów. Nie dacie rady, chyba że macie pułk i czołg.

— Założysz się, przyjacielu? — spytał „*Husky*". — Potrafimy upodabniać desperatów do denatów...

— Fakt! — potwierdził Gracewood. — Se Christo vedesse, wysłałby nas kopem do piekła.

— Daj jakiś namiar, adresy, miejsca gdzie twój teść się porusza, gdzie bywa, gdzie się rozluźnia i bawi, gdzie pije... — rzekł Farloon.

— Nie znam, ale może...

— Co?

— Może *„Violetta"*. To druga ksywka jego dziewczyny, bo ona zawsze nosi fioletowe paznokcie, nazywa się Catalina Couto.

— A pierwsza ksywka?

— *„Cesaria"*, bo ona wariuje na punkcie Cesarii Évory.

— Czyli kogo?

— To taka piosenkarka z Wysp Zielonego Przylądka, śpiewa ballady romantyczne. *„Violetta"* była kiedyś kumpelką mojej żony, dzięki temu Vázquez ją poznał. Ale już od dawna nie utrzymujemy z nią stosunków. Słyszałem, że on ją bije, i że sam lubi być chłostany, to zbok. Ma krótki kauczukowy pejcz ze złotą rękojeścią, właśnie do tych chłostań... Zapytam żonę, może zna jej dzisiejszy adres lub telefon...

— Puede arreglar esto rapido?* — spytał Farloon.

— Spróbuję.

— Jeszcze trzy pytania. Porwany wnuk przemysłowca Ramona Ramíreza, słyszałeś o tym porwaniu?

— Tak, ale nie znam detali.

— Generał Tiomkin, dygnitarz ambasady rosyjskiej.

— Teść się z nim kontaktował. Ale nie poznałem żadnych szczegółów.

— Człowiek mający długą perukę blond i dużą bliznę na brodzie.

— Słyszałem o nim. Ma dwie ksywki, *„Albino"*** i *„Cicatrizmentón"****. Jest figurą w Tepito, to najniebezpieczniejsza dzielnica stolicy. Nic ponadto o tym zbóju nie wiem.

— Hasta pronto**** — rzekł Farloon, otwierając drzwi furgonu SCV.

* * *

---

* — Czy możesz załatwić to szybko?

** *„Albinos"*.

*** *„Bliznobrody"*.

**** — Do zobaczenia wkrótce.

Pułkownik Pimen Mojzesowicz Grynberg, wysłannik sekcji „S" Służby Wywiadu Zewnętrznego vel Zagranicznego (SWR) Federacji Rosyjskiej, przyleciał do Mexico City 24 kwietnia 2009 roku, z Madrytu, liniami Aero México. Był znudzony lotem trwającym 12 godzin, lecz zarazem pełen tej adrenaliny, którą czują myśliwi, kiedy zwierzyna się przybliża. Każde upływające kilkadziesiąt minut, które skracało dystans, polepszało mu humor. Sądził, że nikt go w stolicy Meksyku nie oczekuje, więc trzeba będzie wziąć taksówkę na lotnisku, przesiąść się gdziekolwiek w śródmieściu do innej taksówki, kilka minut później jeszcze raz, i wysiąść 200 metrów od ambasady, żeby dalej wędrować piechotą, dźwigając dwie duże walizki i mały plecak. Nieznajomość języka hiszpańskiego nie mogła sprawiać tu kłopotów, gdyż każdy meksykański taksiarz zna (dzięki turystom lub dzięki emigracyjnej pracy u jankeskich gringos) podstawowe słówka angielskie. Wieczorem się wypocznie, wypije się z ambasadorem i z *„rezydentem"* kilka stakanów, a nazajutrz wdroży się procedurę speckontroli, czyli trudnej operacji kasowania generała Tiomkina, gwoli przemeblowania *„rezydentury"* w Meksyku. Rozkoszne uczucie niehierarchicznej, prawdziwej władzy — tylko kontroler, a jednak *„pan much"*, mający prawo do *„dziel i rządź"*. Co nie znaczy, że wszystko musi pójść łatwo, wykańczalnia bowiem zawsze najeżona jest kolcami, gdyż wykańczani stawiają twardy opór. Znał metody łamania oporu, wiedział co robić, by dać sobie radę. Miał dobry, perfidny plan, lecz stare żydowskie przysłowie mówi: *„Nie martw się o jutro, bo nigdy nie wiesz co cię spotka dzisiaj"*.

W tłumie wypełniającym halę przylotów Aeropuerto Benito Juárez co druga osoba nosiła plastikową maseczkę na twarzy, zakrywającą usta i nozdrza, a nim Grynberg zrobił kilkanaście kroków, podeszło doń dwóch wojskowych, którzy mieli dużą paczkę zielonych maseczek. Jeden wyciągnął dłoń z maseczką, pytając:

— Quieras, señor?*

---

* — Chce pan?

Chwilę wahania przerwał Grynbergowi głos zza pleców:

— Wazmitie, gospodin pałkownik, nada, zdies' carit *„swinyj gripp"**.

W Meksyku rozpoczynała właśnie swój epidemiczny spektakl *„świńska grypa"* (wirus łączący wirusy grypy świńskiej, ptasiej i ludzkiej), więc odezwanie się nieznajomego było uzasadnione pod względem merytorycznym, lecz czymś bardzo bulwersującym było użycie przezeń języka rosyjskiego. Nieznajomy o twarzy półzasłoniętej białą maseczką wyjął zieloną maseczkę z rąk żołnierza, podziękował, i gdy żołnierze odeszli, założył ją na twarz pułkownika, mówiąc:

— Rozdają każdemu kto chce, a kiedy się zrobi gorzej, pewnie wprowadzą przymus noszenia. To draństwo szerzy się metodą kropelkową, poprzez usta, dlatego trzeba uważać, panie pułkowniku. Chcą zamknąć szkoły, teatry, kina, muzea, stadiony oraz kościoły, a złodzieje i bandyci mają fart, bo teraz każdy może być figurą anonimową.

— Jak wy! — odezwał się Grynberg.

— Owszem, ale nie dla pana. Nazywam się Bond, James... pardon, Serenicki, Jan Serenicki. Po angielsku: John Seren. Witamy w Meksyku!

Grynberga zatkało. Miał oto przed sobą prawą rękę Tiomkina, czyli agenta *„Y"* — *„Poliaczisz kę"*, którego też należało *„odstrzelić"*, bo raport Fedoruka prezentował go jako pasożyta trudniącego się w Meksyku teatrami lalkowymi za pieniądze płacone przez Federację Rosyjską. Sponad białej maseczki lustrowały *„rewizora"* jasne, śmiałe oczy, które trudno było rozpoznać precyzyjnie: więcej bezczelności, czy więcej figlarnego, dylsowizdrzałowskiego sprytu? Wytrącony z równowagi Grynberg prychnął dla zniwelowania przewagi, którą *„Y"* zyskał zaskoczeniem:

— Wielkie nieba! Attaché kulturalny rosyjskiej placówki w Meksyku, naczelny szekspirolog *„rezydentury"*, przyboczny kalambu-

---

* — Niech pan weźmie, pułkowniku, trzeba, tu panuje *„świńska grypa"*.

rzysta oraz anagramista generała Tiomkina, fenomenalny poliglota, mistrz gierek słownych i semantycznych dowcipów! Ja oczień rad![*]

— Tego akurat nie jestem pewien, pułkowniku — rzekł chłodno Serenicki. — Ma pan taką minę, jakby kopnięto pana w *„dwóch panów z Werony”.*

— Co?! — zdumiał się *„rewizor”.*

— Po hiszpańsku: *„cojones”*[**] — objaśnił bezczelniak.

— Nie znam hiszpańskiego!

— Nie ma przymusu znania hiszpańskiego, ale według mnie winien istnieć wszechświatowy przymus znania twórczości Szekspira... Tamto było żartem, to dowcip na bazie pierwszej lub drugiej sztuki Szekspira, **„Dwóch panów z Werony”**, pułkowniku. Nie mój, zasłyszałem go gdzieś. Chodzi o kop w jaja.

Chodziło o pragmatyczną, planowaną butę, o zimną arogancję, vulgo: o duży hazard wynikający z determinacji Serenickiego. Postanowił bowiem iść na całość — szarżować. Grynberg nie był tego jeszcze pewien, więc spytał, akcentując nutę gniewu:

— Chcecie mnie obrazić, znieważyć czy zezłościć, agencie *„Y”*?

— Gdybym chciał to zrobić, pułkowniku, sięgnąłbym do innych metafor Szekspira. U niego żeńskie narządy rodne to *„klekotka”*, *„kuciapka”*, *„niewidoczne puzdro”* lub *„gniazdo aromatu”*...

Grynberg nie zdołał wyhamować nerwów. Oburącz chwycił Serenickiego za klapy marynarki i gwałtownie przyciągnął jego twarz do swojej, sycząc:

— Pieprzona swołocz, czego ty chcesz?!!

I błyskawicznie uświadomił sobie, że dookoła jest tłum, pełno policji i żołnierzy, więc nie wolno mu tak reagować. Puścił klapy aroganta, klnąc siebie w duchu od bałwanów. Już się skompromitował — ten wybuch był wbrew wszelkim regułom, które się wpaja agentom specjalnym, przełożeni darliby zeń pasy za taką nieprofesjonalność. Dyszał ciężko, starając się łagodzić rytm oddechu. Zo-

* Bardzo mi miło!

** jaja.

baczył, że patrzy na nich młoda stewardesa. Uśmiechnął się sztucznie, szczerząc sztuczne zęby:

— W moim kraju jest taki zwyczaj, że niżsi rangą zwracają się do wyższych rangą z szacunkiem, pełni respektu, czy was to nie dotyczy, agencie *„Y"*, nie pracujecie dla naszych służb?

— Ależ pracuję, panie pułkowniku, chociaż pan pułkownik Fedoruk uważa, że pracuję dla Mossadu i dla CIA, czyli dla służb żydowskich, *„gudłajskich"* według niego. A jeśli chodzi o zwyczaje zwracania się do przełożonych, to w waszym kraju bazują one raczej na przymiotniku *„pokornie"*, niż na rzeczownikach *„respekt"* i *„szacunek"*, zgodzi się pan ze mną, panie pułkowniku?

— Rzeczownik czy przymiotnik, panie językoznawco, tak czy owak: w naszym pięknym kraju jest piękny zwyczaj nieobrażania rangi wyższej! — oznajmił twardo przybysz, coraz bardziej tracący pod nogami twardy grunt.

— Fakt, jest tam niepiękny zwyczaj gnojenia rangi niższej, będący *„falą"* hierarchiczną! — walnął autentycznie twardo Serenicki. — Ten nasz dialog o regionalnych zwyczajach przypomina mi pewną historyjkę z młodości, panie pułkowniku. Zanim wyjechałem do Kanady, studiowałem przez rok anglistykę w Warszawie. Miałem tam na uniwerku kolegę Nigeryjczyka, wabił się Kwano. Otóż pewnej nocy ten Kwano wracał tramwajem do akademika. Tramwaj był prawie pusty, jechało kilka osób. Gdzieś po drodze wsiadła sędziwa dama, i chociaż było wiele miejsc wolnych, stanęła obok Kwano. Chwilę czekała, wreszcie trąciła go parasolką i wyrecytowała: „ — *Młody człowieku, w moim kraju jest taki zwyczaj, że młodzi ustępują miejsca starszym!"*. Kwano rozejrzał się i odparł czystą polszczyzną: „ — *A w moim kraju jest taki zwyczaj, że staruchów się zjada!"*.

Cała ta brawura była blefem. Jednak nie sądził, że można tu przeciągać strunę samym chamstwem, butą, wulgarnością lub zjadliwością — konieczny był jakiś pancerz ochronny. Spekulował, że ma pancerz, wiedział bowiem, iż Grynberg musi brać pod uwagę sferę logiczną, a wedle tradycyjnej ruskiej, sowieckiej i kagiebowskiej logiki (notabene całkowicie racjonalnej i zawsze usprawiedliwionej, mającej faktograficzny *„background"*): podwładny nigdy nie szura przełożonemu jeśli nie ma za sobą figur silniejszych od przełożonego. Grynberg z całą pewnością już czuł chłód na karku i już myślał: „Co się za tym kryje?! Kto za nim stoi?!", i bez wątpienia już sobie przypomniał jak podczas Wojny Ojczyźnianej pułkownicy i generałowie prężyli się na baczność przed prostymi komisarzami politycznymi, których wysyłała wierchuszka NKWD. A prócz tego Jan S. miał świadomość, iż grozi mu niewiele, bo jeśli blef się nie uda, zostanie tylko wykopany z Meksyku i wróci do domu, co będzie raczej premią niż karą, czysta satysfakcja. Przerwał osłupienie Grynberga, schylając się po jego walizki:

— Chodźmy, zbyt długo sterczymy w jednym miejscu, to zwraca uwagę. Wnętrze taksówki może być klatką zawirusowaną, bo wśród pasażerów mogli już być świniogrypujący, a mój samochód jest czysty, będzie mi przyjemnie dowieźć was gdzie trzeba, pułkowniku.

Wiózł pułkownika zatłoczoną Rio Consulado do jeszcze bardziej zatłoczonej Paseo de la Reforma, więc mieli czas pogadać swobodnie:

— Cały personel ambasady omaskowano? — spytał pułkownik.

— Na miasto nie wolno wyjść bez maseczki, i to dobrej. Pan też zamieni swoją, wojskowa tandeta jest kiepska, dostanie pan maskę profesjonalną, taką, jaką nosi personel medyczny szpitali zakaźnych. Ale gwarancji skuteczności pan nie dostanie. Proszę nie podawać rąk nikomu, zwłaszcza tubylcom. Proszę też nie jeść barowych czy straganowych placków albo innych lokalnych frykasów. Jankesi nie bez powodu przezywają Meksykanów *„karaluchami"*. Meksykanie to brudasy, rzadko się kąpią, rzadko myją dłonie, zwyczajowo ciskają w kąt ubikacji papier, którym wytarli dupę po sraniu. Taki folklor. I ten folklor, na przykład żółtaczka i gruźlica, przekracza granicę wraz z nielegalnymi imigrantami, 2 miliony ludzi co roku, dlatego amerykańskie stany graniczne, choćby Kalifornia, są zagruźliczone i zażółtaczkowane rekordowo.

— A te kolory?

— Które kolory?

— Wy założyliście maseczkę białą, ja otrzymałem zieloną, większość ludzi na ulicach nosi niebieskie, czemu? — dociekał pasażer.

— Bo jesteśmy w wolnym kraju, pułkowniku Grynberg — odparł kierowca. — Chociaż wedle norm gringos Meksykowi daleko do cywilizowanych standardów. Ale Meksykanie nie przejmują się takimi sądami, mają te normy gdzieś, podobnie jak mają gdzieś wszystkich gringos, gardzą nimi, proszę to zapamiętać, pułkowniku, bo to dotyczy i was.

— Mnie? Gringos to Jankesi...

— Nie, pułkowniku, gringos to wszyscy biali, aczkolwiek ów termin wziął się chyba od żołnierzy armii USA podczas wojny lat 1846–1848. Ci żołnierze mieli zielone mundury, a Meksykanie wołali do nich: *„ — Zieloni precz!" — „Green go!"*. Stąd się zrobiło *„gringo"*. Inna wersja mówi, że *„gringo"* jest lokalnym skrótem refrenu piosenki **„Green, green grass of home"**...

— Tej, którą Tom Jones śpiewał?

— Tak, pułkowniku. W XVIII stuleciu śpiewali ją anglosascy marynarze wizytujący portowe tawerny Ameryki Łacińskiej, zaś tubylcy skrócili refren do dwóch sylab.

— Widzę, że nie bez racji uprzedzono mnie, iż lubicie się popisywać jako językoznawca — mruknął Grynberg.

— O czym was jeszcze uprzedzono à propos szpiega *„Y"*, panie pułkowniku?

— Że zna wszystkie języki globu, lecz to chyba nieprawda?

— Nie, to byłoby osiągnięcie ekstremalne. Prawda leży pośrodku, jak u łacinników: *„In medio stat veritas"*.

— Czyli znacie połowę języków świata, gospodin Serenicki?

— Prawdę mówiąc: też nie bardzo. Ale kilka znam. Jestem jak ta żydowska papuga ze sklepu, słyszeliście o niej?

— Papuga ze sklepu? — zdziwił się pułkownik.

— Z zoologicznego sklepu. Kosztowała krocie. Kiedy klient spytał czemu jest aż taka droga, subiekt odparł, że dlatego, iż włada wszystkimi językami globu. No więc klient zaczął to sprawdzać. Pyta papugę: „ — *Sprechen Sie Deutsch?"*. Papuga odpowiada: „ — *Natürlich, mein Herr"*. Klient: „ — *Do You speak English?"*. Papuga: „ — *Sure, I do"*. Klient: „ — *Parlez-vous français?"*. Papuga: „ — *Naturellement, monsieur, je parle"*. Klient: „ — *Parla italiano?"*. Papuga: „ — *Si, signore"*. Klient: „ — *Habla español?"*. Papuga: „ — *Si, con mucho gusto"*. Zaszokowany klient miał już tego dosyć, więc wrzasnął: „ — *Lecz po żydowsku ta papuga na pewno nie umie!"*. A papuga: „ — *Co, ja miałabym nie mówić po żydowsku? Z takim nosem?"*.

— Niezłe — uśmiechnął się krzywo pułkownik. — Pijecie tym do kogoś?

— Tylko do siebie, pułkowniku, bo ja jestem poliglotą, moja babcia była frankistką z domu Werblatt, a jeden mój pradziadek był rabinem o nazwisku Serenower — skłamał Serenicki.

— Więc macie krew żydowską?

— I cały napletek, pułkowniku. Krwi trochę zostało, choć procentowo to się zmienia, zależnie od tego co akurat piję. Gdy piję szwabskie piwo, procent żydowskiej krwi mi się obniża, lecz gdy ciągnę pejsachówkę — wzrasta.

— Bardzo dowcipne, gospodin Serenicki! — zawarczał Grynberg. — Podobno macie cichą ksywkę „*Jajcarz"*, tak o was mówią.

— I co jeszcze mówią, panie pułkowniku?

— Różne brzydkie rzeczy, słowem: źle mówią.

— Proszę nie brać tego wszystkiego serio, pułkowniku. Ludzie zazwyczaj mówią różne głupie rzeczy, czasami trudno się połapać. Niech pan spojrzy: jedni uczeni mówią, że światu grozi globalne ocieplenie, a drudzy gadają, iż nadciąga tak samo straszne oziębienie. Lub GMO, rośliny genetycznie modyfikowane i pochodna żywność. Według jednych uczonych to prawdziwe cuda, a według innych — kompletny syf. Człowiek baranieje. Lub problem antysemityzmu, identyczna sprawa.

— Dlaczego identyczna? — zdumiał się Grynberg.

— Bo jedni mówią, że generał Tiomkin to wróg Żydów, a drudzy gadają, że nikagda, przeciwnie, wcale nie on, lecz pułkownik Fedoruk to antysemita *„zoologiczny”*.

— Skąd ci *„drudzy”* to wiedzą?

— Zależy którzy *„drudzy”*, Pimenie Mojzesowiczu. *„Drudzy”* członkowie personelu ambasady nieraz słyszeli jak pułkownik Fedoruk pluł na Żydów — na żydowskość *„generała Eitingona–Kotowa”* ze Smiersza, który organizował zabójstwo Trockiego w Meksyku, lub na żydowskość *„Felipe”* Grygulewicza, który był gwiazdą NKWD w Meksyku. A *„drudzy”* okołokremlowscy to chyba genetycy, bo wskazują dziedziczenie antysemityzmu przez ukraińskie pokolenia. Dziadek pułkownika Fedoruka był oficerem zaporoskiej dywizji SS Galizien, po ukraińsku SS Hałyczyna, oni rżnęli Żydów masowo. To tradycja ukraińska, pan o tym nie wie? Wbrew dzisiejszej propagandzie szerzonej przez polakożerców, to nie Polacy robili pogromy przed I i II Wojną, lecz Ukraińcy, ludobójstwo jest ich sportem narodowym, jak baseball u Jankesów.

— Wymieniliście *„«drugich» okołokremlowskich”*, czyli kogo? — zapytał desperacko Grynberg.

— Czyli tych, którzy nakazali mi zabrać was dzisiaj z lotniska i przywrócić do rozumu. Są poinformowani o szczegółach waszej durnej misji.

— A czy są dość mocni, by stawić czoła tym, którzy kazali mi wyciąć was i Tiomkina?

— Są dosyć mocni, aby urwać każdy łeb, jakiekolwiek czoło wieńczyłoby ten łeb — zełgał Serenicki. — Popatrzcie, pułkowniku, oto właśnie wasz Wojskowy Urząd Śledczy rozbił międzynarodowy gang sutenerów dowodzony przez oficera GRU, i cała prasa o tym pisze, GRU jakoś nie pomogło, nie dało rady. Panimajetie? Inni śledczy wzięli się właśnie za Nikołaja Wołkowa, gubernatora Żydowskiego Okręgu Autonomicznego, chociaż miał bardzo solidne umocowanie w resortach siłowych. Szef moskiewskiej milicji, Władimir Pronin, dostał właśnie kopa. Panimajetie o co tu biega?

— Nie bardzo... — wychrypiał Grynberg.

— U nas w Polsce się mawia, że *„jak nie wiadomo o co chodzi, to chodzi o pieniądze"*, po tutejszemu: *„dinero"*. Póki nie było kryzysu, starczało dla wszystkich służbowych i resortowych gangów, ale teraz koryta i żłoby się skurczyły...

— Wasz widać puchnie, skoro pozwalacie sobie na taką tupeciarską hardość! — zaryzykował Grynberg. — Uważacie się za ognioodpornego, gospodin Serenicki?

— Coś w tym rodzaju, podobno mam *„syndrom Stirlitza"*, niezniszczalność, tak generał Tiomkin powiedział Fedorukowi na wieczorku zapoznawczym, kiedy postawiłem pierwszy krok w ambasadzie. Lecz pułkownik F. nie wziął sobie tego do serca, a to błąd. Trzeba uważać...

— Wy i Tiomkin straszycie tylko mnie, czy również moich szefów?

— Nikogo nie straszymy, chcemy pokoju, ale łatwo nie dajemy ciała. Jako językoznawca przytoczę wam, pułkowniku, kolejną łacińską sentencję: *„Si vis pacem, para bellum"* — *„Gdy pragniesz pokoju, szykuj się do wojny"*.

— Wy, agencie *„Y"*, wojnę mieliście tutaj prowadzić przeciwko waszym rodakom z Team One!

— Czekamy na ich przyjazd. Gdy wszyscy tu zaczną nosić maski antygrypowe, będzie jeszcze trudniej znaleźć tych Polaków wśród 9 milionów ludzi.

— Słyszałem, że w Mexico City mieszka ponad 20 milionów.

— Tak, wewnątrz obszaru metropolitalnego zwanego aglomeracją. W samym mieście tylko 9 milionów. Wśród nich wielu zawodowych killerów...

I tak sobie uprzejmie gawędzili aż do wjazdu na parking ambasady FSR: co drugie zdanie Serenickiego było zawoalowaną groźbą pod adresem *„rewizora"*. Dawny prywiśliński wic o sarmackich rebeliantach mówi, że *„jak Polak rozpina spodnie, to wypadają granaty"*...

* * *

Usiadła przed dużym elipsoidalnym lustrem, którego barokową ramę XVIII-wieczny mistrz pokrył mnóstwem płatków meblarskiego złota, i rozpoczęła codzienne pacykarskie misterium każdej kobiety, zapewniające na jeden dzień seksapilowość fizjonomiczną. Dzięki rosnącej perfekcyjności dwóch pozostałych *„ch"* (chemia i chirurgia) — współczesne damy trochę lepiej udają młodość aniżeli rozkosz orgazmu (ów rytualny *„teatr jednego aktora"* naszych prababek i babć), wszelako również białogłowy autentycznie młode, potrzebujące tylko mydła i szamponu, a nie perfum i makijażu, stosują całe worki (chciałem rzec: całe toaletki) kosmetyków upiększających, bo taki rytuał już w erze Jaskini stał się babską religią. Catalina Couto miała kwitnący wiek (26 lat), śliczną buzię i pełną blizn duszę starej kobiety, lecz duszy nie można umalować szminką lub upudrować.

Zaczęła od rozczesania swoich długich kasztanowych włosów szczotką ze srebrnym okuciem. Później przemyła twarz tonikiem czyszczącym pory. Następnie korektorem zlikwidowała resztkę sińca blisko prawego oka. Zielonym cieniem przykryła powieki. Wydłużyła rzęsy specjalnym tuszem. Sypnęła trochę pudru brodzie i policzkom, które dostały także delikatny róż. Wreszcie umalowała wargi krwistą szminką, i już mogła wziąć się do fioletowego lakierowania paznokci rąk tudzież nóg. Na końcu założyła dźwigający perłę łańcuszek i otwarła szafę z garderobą. Wybrała kwiecistą sukienkę plus czerwone szpilki bez nosków, a lustro orzekło: *„muy bien!"**.

Pod domem, jak zawsze, czekali *„chłopcy"* generała, by przewieźć ją gdzieś (centrum handlowe, kościół, klub fitness, fryzjerka, rezydencja generała — wszędzie gdzie było trzeba). Tym razem miała odwiedzić kuzynkę, ale się nie udało. Nim zrobiła dwa kroki ku krawężnikowi, przy którym stał samochód, na chodniku pojawił się brodaty gringo z maseczką, trzymający rozłożoną szeroką mapę, i spytał:

---

* bardzo dobrze!

— Dondé queda la oficina de correos más próxima?

— Fuera! — ryknął *„goryl"*.

— Por qué? — zdziwił się gringo.

— Vete al diablo! — powtórzył *„goryl"*.

— Al diablo?... Señores, Yo soy diablo. Mi direccíon es el inferno*.

Spod szeroko rozłożonej płachty planu Ciudad de México wyfrunęło prawie bezgłośnie sześć ołowianych piskląt, dziurawiąc mapę w sześciu miejscach i ciała trzech *„goryli"* w tyluż miejscach (sprawiedliwie: dwie dziurki dla każdego *„zamiecionego"* dożywotnio). Czwarty ochroniarz znajdował się po drugiej stronie ulicy, gdyż wracał ze sklepu, gdzie kupił kilka puszek jakiegoś napoju. Trzymał je prawą ręką, a ponieważ był praworęczny, musiał je puścić, by chwycić spluwę. Chwycić zdążył, lecz nie zdążył odbezpieczyć — tłumik „turysty" przestrzelił mu czoło tuż nad linią oczu. Wtedy u krawężnika zatrzymała się brązowa *„gablota"*, morderca wepchnął do środka wystraszoną Catalinę, i chwilę później wokół czterech trupów rozciągała się już szeroka zona ciszy oraz spokoju, przechodnie bowiem czmychnęli, wiedząc, że lepiej nie być *„świadkiem"* — ciąganym po urzędach świadkiem egzekucji narkobiznesowej lub jakiejkolwiek innej.

W samochodzie, który miał przyciemnione szyby, założono porwanej przepaskę kryjącą wzrok. Kołowali ulicami godzinę i kwadrans. Stanęli na wewnętrznym dziedzińcu jednopiętrowego gmachu, wprowadzili dziewczynę do środka i tam odzyskała wzrok. Pokój nie miał okien, tylko drzwi balkonowe zasłonięte ciężką kotarą. Zobaczyła czterech mężczyzn. Nie nosili masek, co było złą prognozą, bo fakt, że ujrzała ich oblicza, stanowił groźbę zgonu. Patrzy-

---

* — Gdzie znajduje się najbliższy urząd pocztowy?

— Zjeżdżaj!

— Dlaczego?

— Wynoś się do diabła!

— Do diabła?... Panowie, ja jestem diabłem. Mój adres to piekło.

li, nic nie mówiąc, jakby czekali aż ona coś powie. Rosnący strach pchnął ją do tego, zapytała tonem chojrackim:

— Z którego jesteście kartelu, z której bandy, co?

— Z czwórkowo czworokątnie kwadratowego — palnął Gracewood.

— Takiego nie ma!

— Jak to nie ma? A my czterej?

— Nie to nie, możecie nie mówić!

— Nie musimy mówić. Ty masz mówić!

Ten, który się jej najbardziej podobał (Clint), spytał łagodnie:

— Usiądziesz, czy wolisz stać, Catalino? Będę się tak do ciebie zwracał, chyba że chcesz, bym się zwracał per *„Violetta”*, lub *„Cesaria”*, lub *„señorita Couto”*.

Tembr jego głosu uspokajał, lecz to mogło być złudne. Odparła:

— Jestem Catalina, proszę się zwracać do mnie po imieniu.

— Usiądź, to będzie trochę trwało. Chce ci się pić?

— Nie, dziękuję. Jak długo będziecie mnie tu trzymać? I co ja tu robię, czemu mnie uprowadziliście? Żeby szantażować generała, zmusić go do współpracy lub wziąć za mnie okup?

— A jeśli tak?

— To tracicie czas, on się już mną znudził, nie da wam grosza, i nie da się wam kupić za zwrot mojej osoby, nie jestem dla niego warta ani peso. Kręcą go teraz młodsze lalki, dużo młodsze. Więc albo mnie wypuśćcie, albo trzepnijcie od razu!

— Nie chcemy cię zabić, Catalino, nie zabijamy kobiet. Chcemy zabić generała Vázqueza.

— Czemu?

— Choćby dlatego, że cię lał.

— A ja tłukłam jego.

— Tak, wiem, to sadomasochista, zwyrodnialec. Kochasz tego człowieka, Catalino?

Opuściła głowę, a kiedy upłynęło kilkadziesiąt sekund milczenia, zobaczyli łzy cieknące wzdłuż jej nosa ku wargom. Farloon podał dziewczynie papierową chustkę i rzekł:

— Proszę się wypłakać, nic już więcej ci nie grozi od niego, przyszedł kres jego rządów, a ty rozpoczniesz nowe życie.

— Jakie nowe życie? — spytała przez łzy. — Tutaj?!

— Tutaj byłabyś dalej maltretowana, dzidziu — oznajmił Gracewood. — Zostaniesz wywieziona do Stanów Zjednoczonych Ameryki Północnej, i zmienisz nazwisko.

— Nie zostawię moich rodziców! — krzyknęła.

— Okay, wywieziemy ich razem z tobą, równocześnie.

— Razem ze mną?...

— Tak, możesz mi wierzyć.

— Wierzyć?... Kim pan jest, kim wy jesteście, panowie z czworobocznego kartelu?

— Jesteśmy aniołami zemsty, panno Couto — rzekł trzeci mężczyzna (John Nowik). — Mścimy słabych i krzywdzonych, karcąc spasionych i rozwydrzonych. Tak rozwydrzonych jak generał Bartolomé Vázquez. Szef zapytał panią czy pani kocha tego policyjnego bossa, i wciąż czekamy na odpowiedź.

— Nienawidzę go! Brzydzę się nim! Gardzę nim! Modlę się, by zdechł w mękach!

— To codzienna modlitwa większości żon, rytualny żeński lament ślubnego padołu... — zauważył cierpko czwarty mężczyzna (Forman).

Clint spiorunował go wzrokiem, pochylając się nad kobietą:

— Czemu nie uciekłaś od tego bydlaka?

— Bo skrzywdziłby moich rodziców. Są starzy i bezbronni. Vázquez płaci im co miesiąc groszową pensję, zwie to: *„honorarium”*. Za moje ciało. Byłam jego sługą, jego dziwką, jego niewolnicą, musiałam spełniać jego perwersyjne zachcianki!

— Kauczukowym pejczem ze złotą rękojeścią... — mruknął Forman.

— Wszystko wiecie na temat mojej osoby?

— Prawie wszystko — przytaknął Farloon. — Nawet to:

Dał znak ręką *„Woody'emu”*, i ten uruchomił odtwarzacz CD. Z głośnika wypłynął kojący głos starej–grubej–bosej damy, która przed laty, za młodu, w portowych knajpach Mindelo na zielonoprzylądkowej wyspie São Vicente, śpiewała taneczne *„coladery"* i dużo wolniejsze, nostalgiczne *„morny"* (smutne ballady o klimacie *„sodade"*, czyli melancholii kraszonej szczyptą romantyzmu), a później podbiła cały świat. Nowik wziął ze stolika okładkę płyty i patrząc na zdjęcie piosenkarki, szepnął:

— Święta prawda, że wszystkie kobiety są piękne, tylko u niektórych nie widać tego.

— To tak jak z inteligencją u facetów — zadrwił Forman.

— Goń się, *„Husky"*! — warknął *„Pole"*.

Catalina pierwszy raz uśmiechnęła się — leciutko, delikatnie, płochliwie, lecz mimo wszystko:

— Kto wam powiedział, że Évora jest dla mnie boginią śpiewu?

— Usłyszeliśmy to na mieście, całe miasto o tym mówi — wyjaśnił Forman.

— Nieprawda, wcale tak nie jest!

— Nie jest boginią, czy miasto nie mówi?

— Miasto nie mówi!

— Ale jest prawdą, iż nam się będzie rozmawiało dużo przyjemniej — rzekł Polak. — To sprawa muzycznego klimatu.

— Miło z waszej strony, lecz cóż ja jestem warta dla tych męskich spraw, panowie? I chyba wy dla mnie możecie zrobić też nie tak dużo jak mówicie, przeceniasz się, czworoboczny kartelu.

— Skąd ten pesymizm, panno Catalino? — zapytał Nowik.

— Bo... bo ja znam tutejsze życie, tutejsze realia, proszę panów. Tutaj bydlaki ciągle są górą. To niesprawiedliwe...

— Owszem, to bardzo niesprawiedliwe, dzidziu — zgodził się *„Woody"*. — Dlatego istnieje tylko jeden sposób walki z tym cholerstwem: trzeba stosować bestialskie metody, płacić złem za zło! Odwrotnie niż w Biblii, kochana, za policzek szczęka i całe uzębienie, chirurgia szczękowa i kilka łopat piachu! My czterej mamy taką zasadę, że albo bydlak kooperuje z nami po dobroci, albo po amputacji, zero miłosierdzia. To się sprawdza. I jeszcze wiemy, że musimy zabijać szybciej, sprawniej, dokładniej. Wtedy jest szansa, że to nie oni zwyciężą.

Wysłuchała tego i pokręciła głową tyle sceptycznie, co energicznie, zmuszając włosy (celowo) do kuszącego falowania:

— Czy na mieście nie mówi się jaką obstawę ma generał, proszę panów?

— Mówi się, ale damy sobie radę, być może dzięki pomocy, której nam udzielisz — oznajmił Forman.

— Każdy, kto udziela pomocy przeciwko nim, lub działa przeciwko nim, lub stawia opór, ginie, a jego odcięta głowa trafia do worka plastikowego. Widziałam to na własne oczy, jak rżną ludzi, nie chcę, by ucięli mi głowę.

— Gdzie widziałaś?

— W mieście Uruapán, dwa i pół roku temu. Vázquez miał tam swoje interesy z Familią, zabrał mnie, pojechaliśmy razem, a wieczorem wziął mnie do dyskoteki „Sol y Sombra", mówiąc, że zobaczę *„spektakl pierwszego gatunku"*. Minęła już północ, kiedy w dyskotece zjawiło się kilkunastu gliniarzy. Ale to nie byli prawdziwi gliniarze, tylko przebrani *„desperados"* kartelu. Weszli na parkiet, rozwalili kilku ludzi, ucięli im głowy, wsadzili je do plastikowych worków, worki zawiązali, i kopali te głowy jak piłki, udawali, że grają nimi mecz. Ci zabici to byli członkowie kartelu Del Golfo, a ci mordercy byli z Familia Michoacána, bo Familia zaczęła wówczas eliminować Golfo ze swego terytorium. Nim wyszli, zostawili na parkiecie ostrzeżenie mazane krwią ofiar: *„Tak wygląda boska sprawiedliwość!"*. Nie chcę, żeby mi ucięli głowę, Vázquez specjalnie mi to pokazał. Pokazał co czeka zdrajców...

— A teraz my pokażemy jemu co czeka zwyrodnialców — rzekł Clint. — Przysięgam na Boga i na mój honor, Catalino, że już nie musisz się bać! Włos ci z głowy nie spadnie, od tej pory jesteśmy twoją tarczą, a Vázquez to już żywy trup, wkrótce będzie to zimny trup. Lecz musisz dać nam trochę informacji. Czy słyszałaś o porwaniu wnuka przemysłowca Ramona Ramíreza?

— Nie.

— Zupełnie nic?

— Zupełnie nic. Ale generał słyszał z pewnością, on zna wszystkie takie sprawy, wie wszystko co robi policja i co robią kartele. Pływa między nimi, bierze pieniądze od obu stron, od kilku stron, czasami jest rozjemcą, załatwia kontrakty i łagodzi spory, lub aresztuje konkurentów swoich kon... swoich kontraktynów...

— Kontrahentów — podpowiedział Nowik.

— Tak, kontrahentów, swoich przyjaciół od biznesu — dokończyła Catalina, która nie znała słów trudnych.

— Językoznawstwem nie zrobisz na niej większego wrażenia, *„Pole"* — szepnął Nowikowi do ucha Gracewood. — Takim lalom imponuje coś innego.

— Niech zgadnę: bieganie na rękach i sikanie w biegu? — odszepnął *„Pole"*. — Zademonstruj jej swoją sprawnościową specjalność, *„Woody"*, ale szanse masz niewielkie, bo chociaż ona się podoba każdemu z nas, lecz jej podoba się wódz. A co do tamtego słówka, to *„Wieża"* tak ich nazywa, mówi o nich: *„cc"*, czyli: *„compeditores de contratistas"* albo *„compeditores de contratantes"* — konkurenci kontrahentów. Tę konkurencję odstrzeliwują gangi i skorumpowane gliny.

Tymczasem Farloon dalej indagował señoritę Couto:

— Jak Vázquez się ubiera?

— Federales chodzą po cywilnemu. On lubi nosić jasne garnitury, choć ma i dwa czarne, na pogrzeby, kocha ceremonie pogrzebowe. Ma też dwa galowe mundury generalskie, ale rzadko je zakłada. Czarnych okularów prawie nie zdejmuje. Wszystko, co nosi, śmierdzi cygarami, wypuszcza cygaro z gęby tylko do jedzenia i do łóżka, dymi nawet w kiblu.

— Nosi przy sobie broń?

— Dwie sztuki, pistolet pod pachą i pistolet nad kostką, a nad drugą kostką sztylet.

— Czy zdarza mu się jeździć gdzieś bez obstawy?

— Chyba nie. Zdarza mu się brać mniejszą, dwóch lub czterech zamiast ośmiu.

— Kiedy?

— Gdy wyjeżdża gdzieś inkon... inko...

— Incognito?

— Tak. Ciekawa jestem czy tam, gdzie mu przywożą dziewczynki z przedszkola, również pilnuje go ośmiu, czy tylko dwóch lub czterech. Zresztą teraz, gdy łatwo wybiliście goryli, którzy mnie strzegli, powiększy swoją obstawę i wzmoże czujność.

— Z przedszkola? — zdumiał się Farloon. — Przedszkolanki?

— Nie, dzieci, małe dzieci — wyjaśniła panna Couto. — Pięcioletnie, sześcioletnie, siedmioletnie.

— Z którego przedszkola?

— Z żadnego. Tylko tak powiedziałam, myślałam o ich wieku. To dzieci z bardzo biednych rodzin, z rodzin menelskich, ze slumsów, albo porywane.

— Kto mu je dostarcza?

— Przywozi je gorylujący adiutant *„Bliznobrodego"*.

— Człowiek noszący sygnet z zębatym oczkiem, na środkowym palcu?

— Skąd wiecie?

— Od jasnowidzącej — rzekł prawdę Clint, zdumiony talentami pani Morgan. — Znasz *„Albinosa"*, czyli *„Bliznobrodego"*?

— Widziałam go kilka razy u generała.

— Gdzie mieszka?

— W dzielnicy Tepito.

— To już wiemy! Gdzie konkretnie?

— Nie znam adresu.

— A gdzie mieszka jego goryl?

— Jego adresu również nie znam. Ale wiem kto mu wykonał ten kastetowy sygnet, jubiler, który ma warsztat w Tepito, przy targowisku niedaleko rogu Calle Matamoros i Calle Toltecas. Jubiler nazywa się Orduz, chyba Enrique Orduz. Robił mi pierścionek, goryl albinosa zaprowadził mnie i generała do jego warsztatu.

— Bardzo trafna nazwa: Matamoros, ulica Zabójców! — palnął *„Woody"*.

— Brawo, znasz hiszpański jak albański, ciapciaku! — skarcił go *„Pole"*.

— Bo co?

— Bo *„Matamoros"* to fanfaron, taki jak ty, a nie żadni zabójcy, choć też zaczyna się od *„mata"*.

— Bierzesz lekcje hiszpańskiego u *„Wieży"*?! — spytał wkurzony Gracewood. — Czy wszyscy Polacy muszą grać poliglotów, nie wystarcza wam renoma polonanistów?

— Kolego Masturwood... — zaczął ripostować Nowik, i tym zakończył, uznając, że powiedział już wszystko.

— On się naprawdę upodabnia do naszego nieocenionego kolegi *„Wieży"*! — klasnął Forman. — Wcale nieźle mu idzie.

— I ty, Brutish?!* — jęknął Gracewood, piorunując Formana dubeltówką oczu.

„Husky" nie darował:

— I ty, licha karykaturo Cezara, zaraziłeś się szekspirowaniem od *„Wieży"*?! Wszyscy tu świrują, to chyba przez tę *„świńską grypę"*! Niektórym rzuca się nie na nos, płuca, oskrzela czy gardło, tylko na jęzor i mózg!

Cała ta szelmowska przytykanina nie docierała do Clinta i do Cataliny, którzy kontynuowali indagowanie (Farloon wziął m.in. adres jej rodziców, by ich ewakuować), coraz bardziej zainteresowani nie serią pytań i odpowiedzi, lecz milczącą wzajemną komunikacją ich gałek ocznych, które uprawiały samowolną indagację w zupełnie innym duchu, bo zupełnie na inny temat. To się często zdarza wbrew ludzkiej woli, decyzją hormonów, feromonów tudzież reszty biologicznych farmazonów, o których łatwo czytać (jeśli ktoś lubi), lecz które bardzo trudno kiełznać (a kto to lubi?). Chcąc zostać członkiem Team One, należało być twardzielem, zaś do szefowania *„4"*: supertwardzielem, jednak bez przesady, nie aż takim. W pewnej temperaturze topi się nawet skała.

* * *

---

* Bydlaku?!

Ze słowem *„miłość”*, lub z frazą *„uczucia miłosne”* bądź *„miłosne porywy”*, wiąże się cała gama znaczeń zatrącających o romantyzm — romanca, romans, romantyk, Romeo, melodie romskie, romansowy, romantyczność, romansidło, etc. Wśród ludzi wcale nie ma tak dużo romantyków. Większość, by zobaczyć gwiazdy, musi dostać pięścią w szczękę lub pałką w czaszkę. Zazwyczaj jednak romantycznieją ludzie, których ustrzelił skrzydlaty bobas łucznik (Kupidyn vel Eros vel Amor). Ci ustrzeleni — choćby mieli IQ 200, byli koryfeuszami, noblistami, mędrcami, olimpijczykami intelektu — ni stąd, ni zowąd zachowują się jak rycerze–harcerze, jak smarkacze, jak półidioci, nie ma na to rady, biologia jest bezlitosna. Tuż przed ustrzeleniem sądzili, że nigdy nie zniżą się do takich *„harlequinowych”* zachowań, tymczasem życie spłatało im figla, bardzo słodkiego, choć później męczącego i bulwersującego, a jeszcze później dyskomfortującego, dyzgustującego, wkurzającego, kiedy już poetyczny *„szał uniesień”* (vulgo: *„szał ciał”*) przemija z wiatrem prozy nazywanej rutyną, codziennością i nudą. Widać tu oczywistą zbieżność (zbieżność procesów psychomentalnych, strukturalnych i technologicznych) między miłością, jako chorobą gorączkującą człowieka, a ekonomią, jako dziedziną nauki ścisłej. Za taką mają ekonomię ekonomiści (a meteorologię meteorolodzy, itp.), co nie znaczy, że mają słuszność, czego dowiódł globalny kryzys gospodarczo–finansowy, który eksplodował ze schyłkiem 2008 roku. Jeżeli ekspercka/noblistowska ekonomia przełomu XX i XXI wieku okazała się nie racjonalną nauką/pragmatyką, lecz szamaństwem/szalbierstwem, gdyż życzeniowo/spekulacyjnie, a nie rozumowo/precyzyjnie kreowała gospodarkę światową na nierealnych/wirtualnych fundamentach finansowych — to doprawdy trudno się dziwić, iż najrozsądniejsi z pozoru faceci, kiedy trafi ich tzw. *„strzała Amora”* (coś à la *„ukąszenie Heglem”* wywołujące ślepą adorację marksizmu/bolszewizmu), przestają traktować rzeczywistość racjonalnie/rozsądkowo i miast taką, jaką ona jest, widzą ją życzeniowo/marzycielsko (zatem równie spekulacyjnie co bankierzy, maklerzy lub giełdziarze), patrząc przez *„różowe okulary"*. Dama może być skończoną ladacznicą, i on może świetnie o tym wiedzieć, a mimo to wali do niej niczym ćma do ognia. Nawet kiedy resztka jego rozumu buntuje się przeciwko temu. Exemplum: wybitny Anglik XVII stulecia, sekretarz Admiralicji i pamiętnikarz, Samuel Pepys. Któregoś dnia odnotował w swym diariuszu: *„Nigdy więcej nie będę spał z tą dziwką"*. Kilka dni później przyznał: *„Znowu spałem z tą dziwką"*. Mógłby ktoś rzec, iż jest to wyborna ilustracja egzegezy Pascala: *„Serce ma swoje racje, których nie zna rozum"*, ale ktoś drugi mógłby kontestować tę myśl suponując, iż chodzi nie o serce, tylko o inny męski organ. Biliony dowodów dała nam historia na płciową słabość rozumu, a że niniejsza powieść dzieje się wśród Latynosów, weźmy spośród owych bilionów (jako przykład kolejny) samca latynoskiego, generała Mirandę. Miranda, należący (obok San Martina, Bolivara, Juáreza, Zapaty i paru innych) do legendarnych herosów Ameryki Łacińskiej, rewolucjonistów i twórców państw — nim utworzył Wenezuelę, walczył we Francji dla tamtejszej Rewolucji i oszalał wówczas *„amoroso"* dla tamtejszej piękności, *„Delfiny"* (markizy de Custine), mimo że wiedział, iż ukochana posiada opinię nimfomanki, która — jak szydzono — *„kocha wszystkich, nawet męża własnego"*.

Czyż możemy się więc dziwić, że generał Igor Pietrowicz Tiomkin, mimo całej swojej kagieboistycznej pancerności (będącej mieszaniną twardzielstwa, skurwielstwa i cynizmu), postradał głowę dla panny Luisy Lopez, którą ofiarował mu jako *„bonus"* (uzupełnienie *„doli"* z handlu tonami narkotyków) generał Bartolomé Vázquez? Tiomkin wiedział, że ten rozkoszny prezent był *„okiem"* Vázqueza, i że lala zniknęła kiedy przestała być potrzebna Vázquezowi. Nie miał sercowych złudzeń. A mimo to serce romantycznie mu krwawiło z tęsknoty za uciekinierką, i nie pomagały nawet ulubione miętówki *„rezydenta"*. Dla tej cudownej dziewczyny gotów był rozwieść się, lekceważąc kłopoty, które taki akt przyniósłby mu na końcowym etapie kariery, jednak kiedy zaproponował pannie Lopez małżeństwo, ta wymówiła się twierdząc, że jest zbyt młoda do ślubu. Ale raczej była zbyt sprytna do małżeństwa ze starzejącym się już rosyjskim zamordystą, jakby czytała historiograficzny tekst Bronisława Szwarcego, polskiego dziejopisa–patrioty, o przedślubnej i poślubnej naturze Rosjan: *„Polki, znające uprzejmość Polaków, myślały idąc za Moskali, że przedślubne adoracje i po ślubie trwać będą. Wcale nie. Moskal, dopokąd nie otrzyma ręki, o którą się stara, ubóstwia, udaje (a umie udawać) zakochanego, lecz po ślubie zaraz zmienia się, staje się najbrutalniejszym despotą (...) Los tych pań, co powychodziły za Moskali — najsmutniejszy. Niektóre z rozpaczy zaczęły się upijać..."* (1894). Być może Luisa Lopez przez skórę tę groźbę czuła, a może miała inne motywy, gdy zniknęła z życia *„rezydenta"* jak złoty sen. Ból dręczący Tiomkina nie był wszakże warunkowany treścią jej motywów, lecz wyłącznie goryczą faktów.

Ostatnie dni kwietnia 2009 roku zrobiły się dla *„rezydenta"* jeszcze bardziej nerwowe wskutek przyjazdu moskiewskiego kontrolera o żydowskim pochodzeniu i żydowskiej diabelskiej perfidii. Tiomkin miał wcześniej pewność, że ten człowiek będzie dlań bardzo nieprzyjemny (złośliwy, może arogancki, lub przynajmniej oschły), i postanowił się *„nie łamać"*, to jest odpowiadać hardo na każdą brutalność, sarkastyczność czy brak szacunku, wedle zasłyszanej w Kanadzie frazy piosenkarza Merle'a Haggarda: *„Man, you're walkin' on the fightin' side of me!"* — *„Facet, uważaj, zadzierasz ze mną!"*. Tymczasem pułkownik Pimen Mojzesowicz Grynberg od samego przyjazdu był dla *„rezydenta"* bardzo miły i podejrzanie często się uśmiechał, co staremu pracownikowi tajnych służb mówiło, iż sytuacja może być gorsza niż prognozy. Zapytał agenta *„Y"*:

— Coś ty z nim wykręcił, Poliak?!

— Jak Boga kocham, nic!

— Zupełnie nic?

— Zupełnie nic.

— O czym gadaliście jadąc z lotniska do ambasady, co?

— Żartowaliśmy, Igorze Pietrowiczu.

— Na jaki temat?

— Opowiedziałem mu parę szmoncesów, i lekko, zawoalowanie, aluzyjnie straszyłem. Żeby dał nam spokój.

— Nie podoba mi się ten spokój, to może być cisza przed burzą! — mruknął Tiomkin.

— Zobaczymy w kogo walną burzowe pioruny, może nie w pana. A jak w pana, to również i we mnie, utoniemy razem, Igorze Pietrowiczu.

Pułkownik Fedoruk tego właśnie pragnął, marzył bowiem o posadzie szefa *„rezydentury"*, ale takie ruchy kadrowe nie zależały od niego, ino od wierchuszki moskiewskiej, na którą wpływ mógł mieć kontroler *„gudłaj"*. Fedoruk tym mianem zwał go w myślach, lecz jawnie łasił się do Grynberga bez wstydu, judząc przeciwko spółce Tiomkin–Serenicki — zarzucając jej wszelkie możliwe grzechy, a głównie brak rezultatów śledczych wobec meksykańskiej operacji amerykańskich komandosów z Team One. Gdy Grynberg zauważył, że według Tiomkina tych komandosów nie ma jeszcze na terenie Meksyku, Fedoruk eksplodował gniewem:

— Są! Już działają! Kilka dni temu porwali kochankę generała Vázqueza! Zawodowcy pierwszej klasy. Goryle dziewczyny nie zdążyli sięgnąć po spluwy i każdy dostał dwie kule w łeb. W łeb, panie pułkowniku, strzały omijające kamizelkę kuloodporną, profesjonalna precyzja.

— A wasz wniosek, że to robota tych Jankesów, to spekulacja logiczna czy precyzja informacyjna? — spytał Grynberg.

— To drugie, panie pułkowniku. Dostałem *„cynk"* od informatora. Mówi, że na razie przyjechało czterech tych Chucków Norrisów.

— Dziewczynę mogła porwać konkurencja narkotykowa señora Vázqueza, porwania są tutaj obrzędami rytualnymi...

— To byli ci Amerykanie, mój informator jest pewien tego!

— Dane informatora.

— Danych nie mogę ujawnić nawet wam — odpowiedział Fedoruk. — Chyba że dostanę rozkaz z samej *„góry"*.

— Ja tu jestem *„górą"*, pułkowniku Fedoruk!

— Wy tu reprezentujecie *„górę"*, pułkowniku Grynberg, a mnie *„góra"* zakazała ujawniać komukolwiek lokalnych informatorów, bez rozkazu z centrali nie odkryję danych informatora.

— Dobrze, ten rozkaz z centrali przyjdzie niedługo — zapewnił Grynberg.

Gdy wyjeżdżał na kontrolę do stolicy Meksyku, wskazano mu dwa *„kontakty specjalne"* w ambasadzie: *„numer 1"* i *„numer 2"*. *„Numerem 2"* był Metys Cristóbal Herrera, formalnie *„cyngiel"* działu operacyjnego ambasady, nieformalnie zaś strażnik służbowej prawidłowości kontaktów między kubańską DGI a *„rezydenturą"*. Wąsaty drab z ospowatym pyskiem i wzrokiem rakarza, miał zawsze broń krótką przy prawym boku i prawą dłoń zawsze wolną, a gdy palił, trzymał papierosa schowanego w zgiętej lewej dłoni, co stanowiło frontowy nawyk, bo podczas wojny kongijskiej trzeba się było nocą wystrzegać snajperów celujących do ogników. Grynberg zapytał go o istotę konfliktu Fedoruka z Tiomkinem:

— Czemu się żrą te dwa psy?

— Problemy ambicjonalne, towarzyszu, bez znaczenia.

— Co Kubańczycy o tym sądzą?

— Mają to w dupie. Z całej ambasady interesuje ich głównie ten Polak. To dziwny gość — zbyt inteligentny, zbyt rozbrykany, spryciarz i hucpiarz, leje na wszystko prócz lalkowych teatrów. Kubańce uważają, że to maska, mówią o *„maskirowce"*, ale brak dowodów.

— Maska czego? Zdrady, służby dla wywiadu wroga?

— Cholera wie.

— Trzeba go śledzić!

— Śledzimy, towarzyszu, ja i dwaj ludzie majora Mirandy, śledzimy codziennie.

— I nic?

— Właściwie nic, chociaż...

— Co?

— No, były pewne dziwne zdarzenia...

— Jakie? Gadaj, durniu!

— Kiedyś ten gość spotkał się w parku Alameda z jakimś mnichem, poszli do sąsiedniego kościoła San Juan de Dios, i zniknęli.

— Polacy to fanatyczni katolicy, więc bardzo często przychodzą do kościołów — rzekł Grynberg.

— Ale z nich wychodzą, a ci dwaj nie wyszli już.

— Co?!

— Kilkanaście godzin pilnowaliśmy wyjścia. Serenicki zjawił się w ambasadzie tego samego wieczoru. Którędy z kościoła wyszedł?

— Może od tyłu.

— Może... — mruknął Metys. — Tylko po co od tyłu?

— Jeśli nic więcej nie macie, to nic nie macie — zakonkludował pułkownik.

„Numerem 1” była Larysa Dałko, sekretarka ambasadora. Kobieta bardzo atrakcyjna, z punktu widzenia kulturystyki, gdyż jej bicepsy *„dmuchane”* na siłowni mogły robić wrażenie. Znalazła się wśród pierwszych panienek, które przyjęto do Wozduszno–Diesantnych Wojsk (Sił Powietrzno–Desantowych), i spędziła w *„Desancie”* cztery lata. Wyeliminował ją pechowy skok ze spadochronem: kulała wskutek owej kontuzji. Jako cywil ukończyła RGSU (moskiewski Rossijskij Gosudarstwiennyj Socjalnyj Uniwiersytiet), trafiła do FSB (Federalnej Służby Bezpieczeństwa), później do SWR (Służby Wywiadu Zewnętrznego), i wylądowała po drugiej stronie Atlantyku ze skromnym oficjalnym etatem sekretarki, tudzież nieoficjalnym etatem figury mocarnej — figury gnoma służbowo szpiegującego przełożonych i mającego własny awaryjny kanał łączności poza rosyjską ambasadą, dzięki służbowej życzliwości szyfranta ambasady Bułgarów. Pułkownik Grynberg u ambasadora zameldował się grzecznie, natomiast u Larysy Dałko czołobitnie, vulgo: stosując realną, a nie formalną skalę hierarchiczną.

Major Dałko nie chciała gawędzić z pułkownikiem w ambasadzie. Kazała mu wyjechać podczas weekendu północną autostradą 57D i przed sennym miasteczkiem Tepotzotlán (parę kilometrów od stolicy) skręcić do parkingu ośrodka sportowego. Zawiózł pułkownika Metys i czekał w samochodzie, Grynberg tymczasem ruszył alejką parku sąsiadującego z ośrodkiem i wędrował alejkami póki nie zobaczył Larysy siedzącej na ławeczce niby señorita wyczekująca umówionego caballero.

— Spóźniliście się prawie godzinę, pułkowniku! — warknęła.

— Dobrze, iż tylko tak, bo mieliśmy po drodze aż dwie kontrole wojskowe! — odparł, wycierając chustką spocone czoło nad maseczką przeciwko *„grypie meksykańskiej"*. — To już szaleństwo, jakby panował stan wojenny!

— Panuje stan wojenny, chociaż formalnie niezadekretowany, pułkowniku — rzekła Larysa. — Policja jest zbyt słaba i przekupna, *„narcos"* robią co chcą, dlatego prezydent rzucił wojsko na ulice, by nie dać się kartelom, lecz armia niewiele zdziała, bo wojskowi są równie źle opłacani jak policjanci, więc też są przekupni. To rzeczywiście szaleństwo, gdy gliniarze muszą sami kupować sobie amunicję do służbowych pistoletów, a który się spóźni rano na komisariat, nie będzie miał tego dnia kamizelki kuloodpornej, bo nie starcza dla wszystkich. Lecz jeszcze większe szaleństwo panuje w stosunkach między gliniarzami, bo uczciwy gliniarz nigdy nie wie którzy kumple są już wrogami, ludźmi kartelu. Te wzajemne badawcze spojrzenia...

— To trochę tak, jak i w naszym fachu... — zauważył Grynberg. — Nigdy nie wiemy który kumpel już pracuje dla CIA, czy MI 6, czy innych służb wroga.

— Ale u nas to są wyjątki, tymczasem wśród tutejszych państwowych funkcjonariuszy to masówka, gromadnie przechodzą na kartelowy żołd, pułkowniku. Jeśli szef meksykańskiej sekcji antynarkotykowej okazał się zdrajcą... Mnie już nic tutaj nie zdziwi, nawet gdyby się okazało, że prokurator generalny Meksyku, Eduardo Medina Mora, to agent kartelu Familia czy kartelu Juárez.

— Czego oni chcą prócz pieniędzy, ci bossowie narkotyków, przejąć państwową władzę, rządzić Meksykiem?

— Byli bardzo blisko. Amado Carrillo Fuentes, szef kartelu Juárez, nosił przydomek *„Władca Niebios"* i już pukał do pałacu Los Pinos, siedziby prezydenckiej. Miał kilkanaście boeingów 727, którymi przerzucał kokainę na teren USA, zarabiał miliardy dolarów. Nie żyje, a jego sukcesorzy nie pchają się po władzę formalną, wolą sprawować faktyczną. I sprawują. Kiedy cały kraj słucha piosenek o baronach narkotykowych jako szlachetnych rycerzach, to znaczy, że tu panuje kartelokracja, pułkowniku. Kontrole wojskowe nic nie dadzą. Owszem, pada dużo trupów z obu stron, lecz pod tym względem kartele są jak Matuszka Rossija, która nigdy nie szczędziła *„mięsa armatniego"*, bo *„ludiej u nas mnogo"*, miliony. Młodzi Meksykanie bez przerwy słuchają *„narcocorridos"*, piosenek o kodeksie honorowym *„narcos"*, o przekupnych gubernatorach, o chwale służenia kartelowi, i hurtem garną się do narkosłużby, marzą o zostaniu *„żołnierzem"* kartelu. Idąc tu, mijaliście bar przy centrum sportowym, przez okno bębniła muzyka...

— Tak, na cały regulator.

— To były *„narcocorridos"* zespołu Tigres del Norte, lub zespołu Tucanes de Tijuana, lub innego podobnego, cały kraj słucha tych ballad bez przerwy. Są najmodniejsze, bo szerzą legendę kartelokracji, a rząd boi się zabraniać, by nie wytknięto mu cenzuralnego totalitaryzmu. Kartelowi dziennikarze rozszarpaliby administrację państwową.

— Kartelowe media? — zdumiał się Grynberg.

— Mają kupionych sędziów, prokuratorów, polityków, to czemu miałoby im brakować kupionych żurnalistów, radiowców, telewizyjniaków? Każdego można kupić.

Spojrzał na nią bacznie:

— Każdego?

— Wyjąwszy mnie i was, pułkowniku — zaszczebiotała drwiącym tonem.

— Mnie interesuje czy ktoś kupił tego Polaka, pupila generała Tiomkina, Laryso Borisowna, to dziwny gość.

Jednak Larysa Dałko (która skrycie *„czuła miętę"* do Serenickiego) zbyła Grynberga wzruszeniem ramionami:

— To wesoły filut, poetycki umysł, nie sądzę, by trzeba się nim było przejmować.

— Groził mi swoją „*kryszą*"*...

— Każdy ma jakąś „*kryszę*", Pimenie Mojzesowiczu... Wokół Kremla bez przerwy tańczą różne siłowe i służbowe frakcje, dobrze wiecie o tym.

Grynberg zrozumiał, że ów temat jest zamknięty, przynajmniej chwilowo. Poruszył więc inną kwestię tyczącą personelu:

— Laryso Borisowna, centrala chce mieć pełny raport o współpracy Tiomkina z „*narcos*".

— Pełny raport może przedstawić tylko Tiomkin, bo tylko on zna każdy detal. I chyba składa takie raporty swojej „*kryszy*". O ile wiem, centrala zezwoliła „*rezydenturze*" zarabiać brudne pieniądze na gry operacyjne, bo teraz kasa moskiewska jest pusta, a koszty działań rosną. Był tylko jeden warunek: nie może być wpadki, czyli hałasu. I nie ma hałasu, czyli punkt dla Tiomkina. Spójrzcie, jakie dwa piękne ptasiory, o tam, pod tą grubą gałęzią! Co to za gatunek, znacie się, pułkowniku?

Pułkownik Grynberg był analfabetą ornitologicznym, więc chociaż rozmawiali jeszcze godzinę i kwadrans, lecz temat dialogu stanowiły już tylko ptaszki zwane „*homines sapientes*".

* * *

Jubiler Enrique Orduz był mężczyzną jeszcze młodym (40 lat), przystojnym, zmyślnym i zamożnym (w tej kolejności lub innej, bez znaczenia), dlatego podobał się szukającym męża kobietom, gdyż płeć piękna ceni na dłuższy dystans walory konkretne, a tylko na krótszy i mniej zobowiązujący kocha cnoty fikuśne, efemeryczne i romantyczne, jak duszoszczipatielna poetyckość, liryczna trunkowość, czarująca luzackość, et cetera. Przez finalną dekadę XX wieku i pierwszą dekadę wieku kolejnego Orduzowi dopisywało też szczęście, które jest w życiu czymś bardzo ważnym, ale wiadomo: gdy od nieszczęścia do szczęścia droga zazwyczaj wyboista i długa, to od szczęścia do nieszczęścia mały kroczek. Enrique

---

* Dosłownie: dach; przenośnie: patron, protektor, „*plecy*".

sądził, że zrobił ten kroczek przed Wielkanocą 2009 roku, kiedy dał pierścionek zaręczynowy ognistej Manueli Diaz. Rodzina Enrique'a kategorycznie nie akceptowała tych zaręczyn. Zwłaszcza jego żona, Carmen, miała na ten temat do powiedzenia dużo i grubo. Tak więc meandry losu i ludzka małostkowość stworzyły jubilerowi codzienne piekło, choć w rzeczywistości był to ledwie przedsionek piekła, ale Enrique nie wiedział o tym. Dowiedział się, kiedy koło jego warsztatu zatrzymała się karetka pogotowia ratunkowego. Dwaj noszący maski pielęgniarze przekroczyli próg i oznajmili, że Enrique musi bezzwłocznie jechać z nimi do ambulatorium, bo wśród klientów jego sklepu były dwie osoby zarażone *„świńską grypą"*, więc trzeba go zbadać.

— Którzy klienci? — spytał Orduz.

— Nie wolno nam podawać personaliów osób zarażonych wirusem. Idziemy, señor!

— Macie dziwny akcent, to akcent gringos, prawda?

— Tak. Jesteśmy kanadyjskimi wolontariuszami, którzy wspierają waszą służbę epidemiologiczną na mocy porozumienia między resortami zdrowia obu krajów. Panie Orduz, rozmawiać to możemy w samochodzie, nie traćmy czasu, czeka nas dzisiaj jeszcze sporo wizyt. Proszę zamknąć warsztat.

— Kiedy wrócę do domu?

— O tym będą decydować lekarze, gdy przeprowadzą panu badanie krwi na obecność wirusa A/H1N1, my tylko podwieziemy pana do ambulatorium szpitalnego. Vamos!*

W samochodzie jubiler wyjął komórkę i rzekł:

— Zadzwonię do siostry...

Gracewood odebrał mu telefon i wyrzucił na ulicę, kpiąc:

— Lo siento mucho, señor**.

Wtedy Enrique Orduz zrozumiał, że ci trzej panowie nie są pracownikami służb medycznych, więc pech z Manuelą Diaz to dro-

---

* Idziemy!

** — Bardzo mi przykro, proszę pana.

biazg. Należał wszelako do tych dziwnych facetów, co nie boją się śmierci — facetów o tak zawyżonym poczuciu honoru, iż strach przed śmiercią paliłby ich wstydem. Dlatego spojrzał prosto w oczy człowieka, który ukradł mu telefon, i wycedził bez strachu:

— Ty pieprzony zabójco!

Dłużej nie mógł hardo patrzeć, bo przewiązano mu oczy, ale nie użyto knebla, więc mógł powtórzyć swój refren:

— Pieprzeni zabójcy!

Odpowiedział mu Forman:

— Gadasz głupstwa, amigo. Ten fach wcale nie jest pieprzony, jest raczej, wbrew wielu innym profesjom, nieśmiertelny. Nosi godło: wieczność. Przeminęli nie tylko fortyfikatorzy, zecerzy, zduni czy druciarze reperujący garnki, lecz nawet szewcy i kuśnierze. W przyszłości mogą przeminąć piekarze. Lecz killerzy będą wiecznie potrzebni, machiny wcześniej zastąpią medyków niż killerów. Zawsze trzeba będzie gdzieś posprzątać, amigo.

— Ale nie zawsze trzeba klienta odstrzeliwać — dodał Gracewood. — Ty masz szansę przeżyć, amigo.

— Que pasa?* — spytał jubiler.

— Znasz człowieka o ksywkach *„Albinos”* i *„Bliznobrody”*?

— Znałem go kiedyś.

— Kiedyś?

— Kiedy był starszy, pół roku temu.

— Jak to: starszy? Odmłodniał?

— Tak, skalpelem.

Nowik, który się wraz z kolegami uśmiechnął, rzekł pełen uznania:

— Ma poczucie humoru! Inni w analogicznej sytuacji zasrywają slipy, tymczasem on sobie dowcipkuje!

— Nie dowcipkuję. Pancho zmienił długą blondperukę na czarną i krótszą, bo był zbyt rozpoznawalny, a przy okazji usuwania blizny odmłodził sobie rysy twarzy u chirurga.

---

* — O co chodzi?

— Jak się nazywa? — zapytał Gracewood.
— Dalej tak samo, Pancho Jimenez.
— Gdzie mieszka?
— Nie wiem, zmienił lokum, wyprowadził się z Tepito.
— A jego adiutant-goryl?
— Rodrigo Gonzales?
— Ten, któremu zrobiłeś sygnet-kastecik.
— Nie robiłem takiego sygnetu nikomu.

Myślał, że padną dalsze pytania, lecz oni popatrzyli po sobie i zamilkli, jakby byli nazbyt zdegustowani, aby kontynuować dialog z kłamcą. Enrique czuł, że niezbyt dobrze wróży mu ta cisza.

Godzinę później wylądował w mrocznym pomieszczeniu, gdzie ćmiło się światło słabej żarówki. Nim przywiązano go do krzesła, kopnięto mu jądra butem, tylko raz, lecz to bardzo bolało. Dyszał przez ściśnięte zęby, starał się nie jęczeć. Usłyszał:

— Oberwałeś za kłamstwo na temat sygnetu... Każde kłamstwo będzie cię kosztowało drogo, szanuj swoje ciało, Enrique!

Przywiązali go do krzesła i dwaj wyszli, a trzeci (Nowik) pochylił się nad nim, mówiąc:

— Facet... wyczuwam w tobie twardziela, człowieka honoru, człowieka pełnego dumy. Ale wobec tortur nie ma bezkompromisowych twardzieli, cierpienia fizyczne łamią każdego. Wytrzymasz chwilę dłużej, chwilę krócej, jakie to ma znaczenie? Pękasz tak czy owak, śpiewasz. Ludzie twojego pokroju cierpią wszakże nie tylko wtedy, kiedy są męczeni, ale i dużo później, bo ciągle pamiętają swój skowyt, całe to żałosne miauczenie wskutek nieznośnego bólu. Muszą z tym żyć do końca życia, każdej nocy słysząc własną słabość. Normalną ludzką słabość, bo Stworzyciel nie dał nam przeciwbólowego hartu, więc jak każde zwierzę cierpimy, płaczemy, wyjemy, tylko że niektórych ta słabość napawa wstydem i wstrętem do siebie samego. Jesteś jednym z takich dumnych ludzi, oszczędź sobie i bólu, i wstydu. Nie będziesz kablował przeciwko aniołom, tylko przeciwko łotrom, te gnoje to oprychy patentowane. Będziesz, czy mam wezwać kolegów?...

Enrique Orduz nie bał się śmierci, ale nawet ludzie, co nie boją się śmierci — boją się cierpienia fizycznego. Rozumiał, że ból złamie go bardzo szybko, nie było sensu milczeć. Kiwnął głową:

— Będę mówił.

— Dobrze — odparł Nowik. — Nie zrób jednak przy tym głupiego, częstego u przesłuchiwanych błędu.

— Jakiego błędu?

— Ludzie zmuszeni do zeznań liczą, iż można się wywinąć śpiewając rzeczy trzeciorzędne, podając półprawdy, ćwierćprawdy lub bzdury udające prawdy, a zatajając rzeczy fundamentalne, sedno tego co interesuje przesłuchiwacza. Jeśli wyczujemy cień takiego krętactwa w twoim śpiewie, natychmiast rozpoczniemy procedurę dawkowania ci stymulującego bólu. I już nie będzie zmiłuj, amigo, nie pohamują nas twoje błagania i jęki. Gorzej — nie pohamują nas również mówione przez ciebie prawdy. Kiedy człowiek zacznie torturować drugiego człowieka, nie umie skończyć, bo ciągle myśli, że tamten, pomimo cierpień, jeszcze wszystkiego nie wypluł, więc kolejny ból da kolejny zysk, i tak da capo al fine, jak w diabelskim młynku, infinito. Oszczędź tego sobie i nam, Enrique, proszę cię, przyjacielu! Zaczynamy. Ty gadasz, ja oceniam czy szczerze gadasz. Decyduje mój nos, mój instynkt.

— A jeśli twój nos cię zawiedzie? — spytał Orduz.

— Jeśli szepnie mi, że taisz lub kłamiesz, gdy ty będziesz całą prawdę śpiewał?

— Tak.

— Cóż... To będzie znaczyło, że masz pecha, przyjacielu. Zaczynamy. Pierwsze pytanie: Pablito Ramírez, wnuk przemysłowca, dzieciak, którego porwano.

— Małego Ramíreza porwali *„golfiści”* dysydenci.

— Kto taki?! — zdumiał się *„Pole”*.

— Gangsterzy będący niegdyś członkami kartelu Golfo, frakcją jego zespołu egzekucyjnego, Los Zetas, lecz się wyemancypowali, a ich poprzedni szefowie dali im spokój, bo mają na głowie wojnę z Familią. Ta grupa lubi porywać dla okupu.

— *„Bliznobrody"* maczał w tym palce?

— Tak.

— Szczegóły!

— Nie znam żadnych szczegółów.

— Zła odpowiedź, amigo!

— Przysięgam, że nie znam szczegółów, nie zwierzają mi się, nie jestem członkiem ich gangu, jestem... jestem dla nich... jubilerem.

— Czuję, że swędzi mnie nos, jubilerku! — zagrzmiał przesłuchujący. — Tylko jubilerem?

— I... i paserem — wydusił z siebie Orduz. — Upłynniam precjoza, które *„chłopcy"* rabują, czasami też topię biżuterię na sztabki. Jestem ich kooperantem, a nie członkiem gangu.

— Jak możemy dotrzeć do *„Bliznobrodego"*?

— Nie mam pojęcia.

— A do jego goryla, do Rodrigo?

— Też nie znam adresu, lecz...

— Lecz co?

— Jestem z nim umówiony. Ma przyjść pojutrze, odebrać pukawkę, która się zacinała.

— Więc jesteś też rusznikarzem, jubilerku?

— Gdy defekt nie nastręcza trudu, bawię się i w to.

— Generał Vázquez. Ten dźwięk coś ci mówi?

— Szycha policyjna, bonza u federalnych, ciemny typ.

— Jakieś szczegóły jego ciemnych interesów?

— Nic, za wysokie progi dla mnie, nie moja liga.

— Drugi generalski dźwięk: generał Tiomkin.

— Nie wiem nawet kto to jest.

— Zatem może z dziewczynami pójdzie ci lepiej, amigo. Luisa Lopez.

— Kto?

Przesłuchujący zamilkł i spojrzał w sufit. Enrique wystraszył się tego milczenia i tego gestu, więc krzyknął:

— Naprawdę, nie znam kobiety!

— Czemu krzyczysz, ja ci wierzę — mruknął Nowik, wracając wzrokiem ku przesłuchiwanemu. — Zakończyliśmy, jesteś wolny, amigo.

— Co?!

— Widzisz, u dentysty byłoby gorzej, chociaż tam nie wypytują i nie przywiązują do fotela.

Gdy zdjęto mu więzy, Enrique roztarł przeguby i dostał puszkę piwa, by zwilżyć gardło.

— Odwieziemy cię teraz do warsztatu — rzekł Nowik. — I damy ci nową komórkę. Tamtą należało wyrzucić, bo mogłaby posłużyć komuś jako GPS, a to byłoby...

Przerwał mu dźwięk telefonu. W mrocznym kącie piwnicy, gdzie blade światło ledwie sięgało, brzęczał staroświecki aparat. Nowik podniósł słuchawkę i zaraz przytaknął:

— Tak, oczywiście, już proszę.

Wyciągnął dłoń ze słuchawką ku Orduzowi:

— To do ciebie, jubilerku.

— Do mnie?!

— Tak. Jakaś dama, ciut nerwowa, nie wiem czemu roni łzy.

Enrique wziął słuchawkę drżącą ręką, przytknął do ucha i rzekł:

— Tu Orduz...

Ze słuchawki popłynęło kwilenie Manueli Diaz:

— Enrique, ratuj mnie, boję się tych ludzi!!

— Jakich ludzi, gdzie jesteś, Manuelo?!

Usłyszał jęk, a później męski głos (głos Clinta Farloona):

— Señorita Manuela jest pod dobrą opieką, przyjacielu. Wkrótce się znowu zejdziecie, chyba że będziesz niegrzeczny...

Trzask odłożonej słuchawki, a z tyłu głos Nowika:

— Chodźmy, wracasz do domu i do sklepu, gdzie będziesz wyczekiwał Gonzalesa, który za dwa dni przyjdzie odebrać broń. Módl się, by po drodze dziwnym trafem gdzieś nie zabłądził i nie zniknął, bo moglibyśmy źle to zrozumieć...

Nazajutrz (29 kwietnia) zniknął ktoś inny — Jan Serenicki zniknął chwilowo swemu *„ogonowi"*, którym był młody Kubańczyk, podwładny majora Mirandy z kubańskiego wywiadu. Stało się tak nie wskutek sprytu rosyjskiego agenta *„Y"* vel jankeskiego agenta *„Tower"*, tylko wskutek faktu, że meksykański kodeks drogowy jest doraźnie (improwizacyjnie) ustalany przez meksykańskich kierowców, olewających znaki drogowe i każdy administracyjny przepis. Dlatego trzeba być tubylcem, by móc jeździć po ulicach Ciudad de México bez ryzyka większego niż 50%; cudzoziemcy mają 90% szans na stłuczkę już pierwszego dnia, kiedy uprawiają ten sport ekstremalny. Kubańczycy, dzięki rutynie (dłuższa akredytacja) dawali sobie radę brawurowo, lecz żaden fart nie jest wieczny — funkcjonariusz DGI trącił się z ciężarówką i śledzony pracownik ambasady rosyjskiej odpłynął mu w tzw. siną dal. Serenicki wykorzystał to bezzwłocznie — wezwał Farloona do ogrodu przy Museo Nacional de San Carlos, gdzie mogli prowadzić nieskrępowany dialog przez kilkadziesiąt minut.

— Cześć, bałwochwalco Szekspira! — zaczął pułkownik. — Co nowego u Billa ze Stratfordu?

— Stara bieda, ciągle nie żyje.

— A mimo to jest nieśmiertelny, i ciągle modny, został dyżurnym, nieodstrzeliwalnym celebrytą. Duży numer, być wiecznym celebrytą!

— To prawie tak samo jak ja — pochwalił się Serenicki.

— Też zostałeś celebrytą?

— Nie, ale według Tiomkina mam *„syndrom Stirlitza"*, czyli nieodstrzeliwalność. Ze wszystkich jego żartów ten lubię najbardziej. I to tyle żartów, bo nie mam wiele czasu, pogadajmy serio: co nowego u Luisy Lopez, została odnaleziona?

— Agenci Hattermana łyknęli ślad w Montevideo, lecz dziewczyny nie dopadli. Nasza skrzypaczka wokalistka wyfrunęła, prawdopodobnie daleko, do Europy.

— Aż tak się boi... — skonstatował *„Wieża"*.

— Poznała zbyt dużo sekretów. Była i przy Vázquezie, i przy Tiomkinie. Ludzie któregoś kartelu mogą sądzić, że da recital.

— Szukają jej?

— Nie wiemy, lecz mogą szukać, a ona jest chyba pewna, że ktoś ją ściga, *„narcos"* lub *„służby"*, dlatego uciekła gdzie pieprz rośnie.

— Hatterman musi się spieszyć z poszukiwaniami, bo u nas sytuacja robi się gorąca jak cholera. Przybył *„rewizor"*, pułkownik Grynberg, Pimen Mojzesowicz Grynberg z sekcji „S" Wywiadu Zewnętrznego, i węszy, ma odstrzelić Tiomkina plus mnie.

— Ciebie nie odstrzeli, bo ty masz *„syndrom Stirlitza"*, cokolwiek to znaczy — zakpił Farloon.

— Bardzo dowcipne! — zgrzytnął Serenicki.

— À propos, kto to jest ten Stirlitz, superman z komiksu?

— Superman z serialu telewizyjnego, bohaterski Rusek, który wygrał II Wojnę, bo udawał hitlerowca.

— Rzeczywiście, bardzo dowcipne — zgodził się Farloon.

— Jeśli CIA lub NCS mają coś na tego Grynberga, to niech Hatterman przekaże to możliwie szybko. Już pana *„rewizora"* postraszyłem, lecz straszyłem blefując, a wolałbym mieć kij konkretny. Jeśli Grynberg i Fedoruk usuną Tiomkina, cały nasz plan weźmie w łeb.

— Jeśli Kubańcy lub Ruscy wyśledzą, że się spotykamy, to obaj dostaniemy w łeb z odległości kilku metrów — uprzedził partnera pułkownik. — Masz pewność, że zgubiłeś *„oko"*?

— Tak, pocałował się z ciężarówką, biedak.

Clint przesunął sobie lekko antygrypową maseczkę i rzekł:

— Słyszałem, iż te maseczki nic nie dają oprócz psychicznego komfortu, epidemiologicznie są nieskuteczne, to zwykły pic i duża kasa dla producentów tego gówna. Lecz moim zdaniem są bardzo dobre, bo gdy rozmawiasz na otwartej przestrzeni, nie można cię fotografować z dalekiego dystansu, by potem spece od czytania ruchu warg mogli rekonstruować dialog. No i dają większą anonimowość, ostatnio robimy nie za mnichów, tylko za sanitariuszy zwalczających epidemię. Viva *„la gripe cochinera"*!*

---

* Niech żyje *„świńska grypa"*!

— Robicie postępy?

— Dowiadujemy się coraz więcej, jesteśmy coraz bliżej, wkrótce zrobimy narkobiznesowi spektakularne „*bum*". Pokaże to telewizja. Niestety, nas nikt nie zobaczy na ekranie, bo zrobimy „*bum*" anonimowo. Na ekranie, jako gwiazdorzy, wystąpią same skurwysyny. Zaboli!

— Prezydent Calderón będzie bardzo rad. Kiedy ogłaszał wojnę antykartelową, uczciwi ludzie życzyli mu zwycięstwa tradycyjnym gwiezdnowojennym „*May Force be with You!*"*. A ja mu życzę: „*May Four be with You!*"**. Dajcie popalić bydlakom!

Pułkownik spojrzał zdziwiony:

— Nie pracujemy dla señora Calderóna, tylko dla señora Dinero...***

* * *

Pułkownik Farloon był — tak w ogóle — dziwnym przedstawicielem gatunku, co Czytelnicy tej książki dostrzegli bez wątpienia. Przy rzadkiej wśród „*homines sapientes*" sile woli, stałości zasad i twardości charakteru, przejawiał normalną ludzką ambiwalencję uczuć, i ta dwoistość własnej jaźni czasami martwiła go. Wobec kobiet z kręgów przestępczych zawsze czuł rodzaj łagodnej pogardy, jak wobec prostytutek, tymczasem — nie wiedzieć czemu — sam widok metresy generała Vázqueza, señority Couto, wzbudził w pułkowniku instynkty samcze eliminujące wszelkie uczucia, które wadzą chuci, i wszelkie myśli, które kontestują rozwiązłość.

Coś sui generis analogicznego („*toutes proportions...*" itd.) miało miejsce w stosunku Clinta wobec patriarchy Sanktuarium Guadalupe, „*ojca Damiana*". Ich pierwszy dialog trochę wkurzył pułkownika („ — *Ojcze, moja głowa nie została stworzona do teologii czy dialektyki*"), gdyż pacyfistyczne, podszyte filozofią tyrady eksprzeora kapucynów kłóciły się z racjonalnym myśleniem ko-

---

* Niech Moc będzie z tobą!

** Niech Czwórka będzie z tobą!

*** — Nie pracujemy dla pana Calderóna, tylko dla pana Pieniądza.

mandosa realizującego trudną bojową misję. Lecz każdy kolejny kontakt między tymi dwoma ludźmi, których metryki dzieliło prawie pół wieku, sprawiał, iż Clint Farloon coraz częściej tęsknił do owych spotkań i owych tyrad. Rendez–vous tej dwójki w ostatnim dniu kwietnia roku 2009 miało stricte wybuchowy charakter, aczkolwiek nie wskutek temperatury dialogu, lecz wskutek jego meritum. Mnich zameldował:

— Jest już nowy detonator. Tamten był uszkodzony, może transportem, a może fabrycznie, to teraz bez znaczenia, ważne, iż nowy jest dobry, sprawdziliśmy. Radiowy impuls natychmiast odpali masę eksplodującą, przy założeniu, iż prawidłowo wmontujecie detonator. Dacie radę?

— Gracewood się na tym zna, nie popełni błędu.

— Ja się modlę, synu, byś ty nie popełnił błędu dużo większego.

— Co masz na myśli, ojcze Damianie?

— Mam na myśli tę klarowną prawdę, że choć cel uświęca środki, to z pewnością nie daje alibi, gdy ludzie przypadkowi znajdą się wśród ofiar.

— Nasze cele są czyste, celujemy tylko do bandziorów! — warknął Clint. — Nie będzie żadnych przypadkowych ofiar!

— Co do tego nigdy nie ma pewności, synu, kiedy eksplozja jest tak duża i ma taki zasięg.

Farloon chciał jeszcze raz protestować, lecz kapucyn odebrał mu głos gestem dłoni nakazującym milczenie, i rzekł:

— Pozwól, że opowiem ci bolesny fragment historii tego kraju. Byłem oseskiem, gdy to jeszcze trwało. Czy wiesz jak bardzo Kościół katolicki w Meksyku był gnębiony przez lewicę i masonerię?

— Wiem, ojcze, to nastąpiło między wojnami światowymi, ale nie wiedziałem, że robiła to masoneria.

— Głównie masoneria. Międzywojenni prezydenci Meksyku, i ci przed I Wojną, byli masonami, a pięciu spośród nich miało trzydziesty trzeci, czyli najwyższy wolnomularski stopień Rytu Meksykańskiego. Ten Mexican Rite znajdował się pod silnym wpływem francuskiego Wielkiego Wschodu, czyli drapieżnie antykościelnej lewicy francuskiej, która zateizowała do szczętu *„Najstarszą Córę Kościoła"*. Już konstytucja meksykańska z 1917 roku brutalnie laicyzowała Meksyk. Kościołowi anulowano osobowość prawną, zniesiono zakony, majątek kościelny przeszedł pod kontrolę państwa, kapłani też mieli państwowy nadzór. Nosić szaty kościelne, robić procesje czy inne celebry wolno było tylko wewnątrz świątyń, księży nauczycieli wypędzono ze szkół, duchownym zakazano parać się dobroczynnością i nauką. Kler strajkował, protestował, buntował się przeciwko tym drakońskim represjom, więc kolejny prezydent, mason Calles, wydał w 1925 roku dekret zwany *„prawem Callesa"*, dociskający antykościelną śrubę. Wybuchło wtedy wielkie powstanie ludowe przeciwko temu dyktatowi. Powstańcy zwali się Cristeros, bo ich zawołaniem bojowym było: *„ — Viva Cristo Rey! Viva la Virgen de Guadalupe!"**. Szczególny mir wśród przywódców rebelii miał ksiądz José Reyes Vega. Święty człowiek. Ale w 1927 roku popełnił straszny błąd. Zdobyli pociąg rządowy, oblali go benzyną i spalili. Przez pośpiech i chaos spaliło się też 51 niewinnych pasażerów. Gdy władze to nagłośniły, sympatia mas dla Cristeros runęła, i bunt zaczął gasnąć. Partyzantka Cristeros kąsała jeszcze do 1929 roku. Pokój przyniosło pośrednictwo amerykańskie. Dyplomaci amerykańscy wynegocjowali zawieszenie broni i złagodzenie represji wobec Kościoła. Ja to pamiętam, synu. I ten straszny błąd wielebnego Vegi, i tę amerykańską pomoc, co zakończyła tutejszą wojnę domową. Dlatego wam służę, bo ufam, że bez pomocy Waszyngtonu nie da się zdławić dzisiejszej wojny w Meksyku, tak jak za obydwu wojen światowych nie udało się Europejczykom zwyciężyć Germanów bez pomocy amerykańskiej.

Clint wysłuchał, nie przerywając. Kiedy prelekcja została skończona — rzekł:

— Rozumiem, ale jak już mówiłem: będzie zero przypadkowych ofiar, dopilnuję, by wybuch skosił tylko bandziorów.

---

* — Niech żyje Chrystus Król! Niech żyje Najświętsza Dziewica z Guadalupe!

— Staraj się, synu, to ważne... Ludowa mądrość powiada, że wejść jest zawsze łatwiej niż wyjść.

— Skąd wyjść?

— Ze swojej lub cudzej krzywdy, ze zła, z kłopotu lub bólu. Pamiętaj o tym przyciskając czerwony guzik, to naprawdę ważne, bardzo ważne!

— Będę pamiętał. A czy wy pamiętacie, że señority Cataliny trzeba pilnować dzień i noc?

— Jest pilnowana dzień i noc, tak jak miało być. Dzisiaj strzeże dziewczyny brat Hipolit, a brat Stefan za chwilę dowiezie im obiad w menażkach.

— Za chwilę?

— Za kilka minut kucharz skończy pichcić i nałoży porcje do pojemników.

— Więc nie fatygujcie brata Stefana, ja to wezmę, mam kilka nowych pytań do tej pani.

Nie miał żadnych nowych pytań do señority Couto, a jedynie chciał ją zobaczyć, z przyczyn, którym się czasami daje miano: *„zew krwi”* lub *„zwierzęcy zew”*. Ona czuła to samo. Gdy zostawił kapucynowi obiad na parterze i wszedł drabiną na poziom strychu, nie padło żadne słowo, choćby *„cześć!”* lub *„witam!”*. Przez chwilę milcząco patrzyli sobie w oczy, później wolno podeszli do siebie, jakby to wszystko było dawno umówione, a nie tylko wyczekiwane, i odtąd już nic nie działo się wolno, bo ich ubrania zrywał wicher rąk. Dla niego to była burza zmysłów; dla niej to było coś dużo większego — zabieg psychologiczny, rodzaj psychoablucji ducha i fizjoablucji ciała. Gdyż zderzenie: przymus versus wolność (albo vice versa) finalizuje się w stosunkach erotycznych tak samo gwałtownie jak w systemach politycznych — buntem strony uciskanej, bezhamulcową eksplozją. By zmyć z siebie ciało nielubianego mężczyzny, kobiecie nie wystarczy najmocniejszy prysznic czy najdłuższa kąpiel — trzeba tylko króciutkiego stosunku z lubianym mężczyzną. Żadne mydła i szampony od zewnątrz, tylko życiodajny wtrysk do wnętrza. Catalina chciała wessać Clinta niby ośmiornica falująca mackami. Meksykanki to ogień wulkaniczny, równikowa krew. A obiad stygł na stole, nie budził niczyjego apetytu.

Mniej więcej o tej samej porze, kiedy pułkownik Farloon zawracał, jak to mówią, sobie (i nie tylko sobie) dupę, choć nie w sensie przenośnym, ino dosłownym — jego koledzy też obracali kogoś, i też w sensie dosłownym jak najbardziej, chociaż ciut inaczej, bo spośród wszystkich anatomicznych członków zazwyczaj realizujących libido używali tylko rąk. Nie licząc butów. Tym obracanym biedakiem był Rodrigo Gonzales, który zjawił się u jubilera terminowo po odbiór *„pukawki"*. O tego rodzaju ludziach pisał swego czasu poeta Marian Hemar:

> *„Ludzie pewnego typu,*
> *Faceci z pewnej sfery,*
> *W nic tak nie wierzą — to bardzo*
> *Ciekawe — jak w rewolwery".*

Zabytkowy rewolwer, po który zgłosił się Rodrigo, był czymś, co się zwie *„cymelium"* — coltem *„Peacemakerem"* (*„Pacyfikatorem"*, *„Uśmierzaczem"*) mającym sto kilkadziesiąt lat (model 1873) i cenionym przez koneserów bardziej niż wielbiciele starych aut cenią forda Mustanga. Gonzales ukradł go kolekcjonerowi muzealnej broni podczas włamania, które sfinalizował okrutnie, mordując kolekcjonera kamiennym azteckim nożem tnącym gardło. Był dumny nosząc jako *„gnata"* cacko z XIX wieku, koledzy mu zazdrościli. Lecz cacko trzeba było przeczyścić i naoliwić, gdyż bębenek chodził ciężko, a i spust się zatarł, więc Rodrigo poprosił jubilera o przysługę. Kiedy „sanitariusze" zwinęli Rodriga razem z *„Peacemakerem"* do ambulansu — odurzyli bandytę tamponem i jadąc ku melinie, zachwycali się bronią.

— Fajna sztuka! — westchnął Gracewood.

— Czyja będzie? — spytał Forman.

— Losujemy!

— Dobra, rozegramy pokerka, misiu, we dwóch.

— Nie, we czterech!

— Proszę bardzo... Ale jak znam życie, to wygra *„Don"*, bo w karciochy jest lepszy od nas.

— Znasz coś, w czym jest gorszy od nas? — spytał retorycznie Nowik, patrząc nie na nich, tylko na porwanego bandytę. — Ten skurwiel wybudzi się niedługo... Czytałem ładne zdanie filozofa Lao Tse, w kwestii jednostek pływających...

— O czym ty pieprzysz, *„Pole"*?! — zdumiał się Gracewood.

— O okrętach. Chinol mówi, że facet, który wynalazł okręt, wynalazł także rozbitków. Z rewolwerami jest analogicznie. Wynajdując bębenek samoobrotowy, pan Colt wynalazł również multidziurawych pechowców. Ten chłoptyś ma pecha pierońskiego, bo uczestniczył w okaleczaniu brzdąca i przywozi zboczeńcowi kilkuletnie dziewczynki, jak dla mnie to trochę za dużo, señores. Dziurki trzeba mu zrobić jego klameczką bębenkową.

— Najpierw trzeba zeń wycisnąć wszystko co wie... — rzekł *„Husky"*.

— Ty wyciskaj, razem z *„Woodym"*, a ja będę później dziurkował, dacie mi chyba to czynić, por favor...

Gonzales ocknął się nim dojechali na miejsce. W półmrocznej piwnicy został ciężko skopany, rozebrany i przywiązany do krzesła. Gracewood poklepał go delikatnie dłonią po policzku i rzekł:

— Nie martw się, stary. Co prawda wyprzedziliście Afganistan, ale nie jesteście najniebezpieczniejszym państwem globu. Somalia zajmuje pierwsze miejsce, a wy dopiero drugie.

Gonzales splunął grudą krwi przez rozbite zęby i próbował skomleć błagalnie, zezując wokół:

— Pano... panowie... Ludzie!... Ja... ja nic... ja...

Teraz pochylił się nad nim *„Husky"*:

— My wiemy, że ty nic nie wiesz. Nic a nic, nul. Ten etap miejmy już za sobą, oszczędzimy czas. Ponieważ nic nie wiesz, od razu wystawimy akt II — zaczniemy cię męczyć nie rozruchowo, tylko dubeltowo. Będziemy cię katować póki ból nie zwiększy poziomu twej wiedzy od zera do stu procent, czyli do stopnia niepohamowanej wylewności, amigo.

— Boże miłosierny, zmi... zmiłuj się nade mną, prze... przebacz mi moje grzechy i zmi... zmiłuj się, zmiłuj!! — zapiszczał Gonzales.

— *„Bóg wybacza, Cracovia nie!"* — mruknął na to *„Pole"* językiem ojczystym.

— Co takiego? — zdziwił się Gracewood.

— Sepleni po polsku — objaśnił koledze Forman. — Pewnie jakieś polskie rynsztokowe wyrazy, tak cholerycznie obrzydliwe, iż wstydzi się je artykułować językiem zrozumiałym dla normalnych ludzi, mam słuszność?

— Nie masz, jak zwykle — odparł Nowik. — Zacytowałem mu tylko tekst o wybaczającym Bogu, hasełko, które w moim rodzinnym mieście kibice smarują na budynkach i płotach.

— Ale on tego nie zrozumiał, trzeba mu to przetłumaczyć po meksykańsku — rzekł *„Woody"*. — No, dawaj, katecheto, strzel chłopcu gładki spicz o miłosierdziu Bożym, zrób mu rekolekcje.

— Sam mu zrób! — burknął Polak. — Ja zaczekam aż wydusicie wszystko.

Gracewood zbliżył się do krzesła trzymając ciężki metalowy pręt, i przemówił:

— Daruj nam, stary, że wciąż tracimy dużo cennego czasu, ale musieliśmy rozstrzygnąć pewną kwestię teologiczną, problem tyczący istoty chrześcijaństwa. Chodzi o to, że według niektórych gnoić człowieka jest nie po chrześcijańsku. Ale ci, którzy tak mówią, zapominają, iż kodeksowa baza chrześcijaństwa to nie tylko lansujący wszechmiłosierdzie Nowy Testament, bo to jedynie pół fundamentu tej religii. Drugie pół, tak samo ważne doktrynalnie, to Stary Testament, gdzie czytamy dyrektywę *„oko za oko"*. Zwierzę ci się, chłopie, że ja jestem fanem Starego Testamentu. I za sprawą tej świątobliwości, która mnie w związku z tym przenika, proszę cię uprzejmie, byśmy porozmawiali o Ramírezie juniorze.

— O kim... o czym pan mówi?! — jęknął Gonzales.

— Kolega mówi i o czymś, i o kimś... — podpowiedział Forman. — Mówi o tym, że dobry chrześcijanin winien miłować każdego bliźniego swego, z wyjątkiem sukinsynów, i o dziecku noszącym imię Pablito.

— O tym chłopczyku bez palca i bez ucha — mruknął Gracewood. — Przypomnij sobie, stary...

Kiedy skończyli rozmawiać o wnuku Ramona Ramíreza, rozmawiali jeszcze o kartelu Familia Michoacána, o kłopotach kartelu Del Golfo, o generale Vázquezie, o *„Bliznobrodym"* bez blizny na brodzie, i o wielu innych sprawach tudzież figurach, co trwało długo i kosztowało Rodriga dużo bólu, sporo ulanej krwi i trochę pękniętych gnatów oraz ścięgien. Kiedy ten dialog dobiegł końca, przed mokrą karykaturą człowieka stanął Polak trzymający rewolwer model '73 i wygłosił epitafium:

— Tak, wiem, to bardzo niemoralne i jeszcze bardziej bezprawne. Samozwańczy sędzia nie powinien być samozwańczym katem, a samozwańczy mściciel nie powinien być samozwańczym sędzią. Kwadratura samozwaństwa. Ale cóż ja poradzę, stary, że mam taką wielką ochotę rozpierdolić cię sześcioma kulami, kawałek po kawałku, zaczynając od twoich kolan? Nie mam, kurwa, dość silnej woli, znaczy: siły charakteru, żeby powstrzymać tego brutala, który samozwańczo siedzi we mnie. Rozumiesz człowieka, amigo?

Chwilę później stali we trzech wokół trupa, milcząc, i każdy lustrował martwym wzrokiem półmrok za plecami kolegów. Wreszcie odezwał się *„Husky"*:

— Wiecie co jest w tym wszystkim najgorsze?

— Oświeć niekumatych, terapeuto — zgodził się Polak.

— Najgorsze jest, że zbyt dużo i zbyt luzacko, zbyt kpiąco gadamy do złapanych, jakbyśmy chcieli się przed nimi popisać feerią oprawczego humoru, lub jakbyśmy chcieli, prócz zadania bólu fizycznego, boleśnie im dosunąć drwinkami — nie tylko wydymać, lecz i wyśmiać. Skąd się to u nas bierze?

— Ze strachu — powiedział cicho Gracewood. — Zagłuszamy szyderstwami myśl, że pełnimy rolę oprawców i katów, którzy...

— Którzy krzywdzą niewiniątka!... — przerwał Gracewoodowi rozwścieczony Farloon, bo właśnie przyjechał, wszedł i usłyszał o czym mówią. — Zerknijcie do Chin, do Korei Północnej, do Iranu lub na Kubę, chyba już tylko tam praktykuje się wewnątrzpartyjną samokrytykę członka organizacji, kiedyś będącą w każdym komunistycznym reżimie świata rytuałem czerwonych partyjnych sabatów. Masochiści, psiakrew! Wypieprzać mi z Meksyku na kozetkę psychoanalityka, albo przestańcie się użalać, przestańcie się samobiczować, przestańcie się trapić swoim fachem i swoim losem, panienki! Nie będę tolerował mięczaków, mówię ostatni raz! Wiedzieliśmy po co tutaj jedziemy, i wiedzieliśmy, że wygramy tylko wtedy, gdy zastosujemy metody równie brutalne jak *„narcos"*. Lub brutalniejsze. To warunek sine qua non sukcesu. Kto chce chlipać i jęczeć *„mea culpa"*, niech wypieprza, zrozumiano?!

Odpowiedziało mu potrójne milczenie.

— Pytam czy zrozumiano?! — ryknął pułkownik. — Baczność, do cholery!

Odpowiedział mu stukot *„kopyt"* i trójgłos:

— Tak jest, panie pułkowniku!

Farloon jeszcze chwilę piorunował ich wzrokiem, po czym rzekł bardziej miękko:

— Nawet prezydent Bush zezwolił torturować alkaidowców, co niektórzy mu teraz wyrzucają, zapominając, iż tylko dzięki temu zezwoleniu nie powtórzył się 11 września. A dzisiejszy prezydent, mimo oczekiwań pieprzonych liberałów, jakoś nie ośmielił się ukarać chłopców, którzy przez całe miesiące torturowali w Gitmo.

— Bo mu zabroniono — wtrącił *„Husky"*.

— To prawda, ale fakt pozostaje faktem: nikt nie został ukarany i tylko lewackie media piętnują wyciskanie zeznań od terrorystów. Dyskusja skończona, boys. Posprzątajmy tę jatkę, ciało do bagażnika i wieczorem na jakiś trawnik lub śmietnik!

Właśnie tego wieczora zobaczył się z Serenickim, a gdy omówili bieżące sprawy, rzekł:

— Muszę się spieszyć, używać ryzykownych skrótów, bo chłopcy mi pękają, cholera! To twardziele, killerzy, dopierdzielali już różnym wrogom bardzo mocno, lecz w otwartym polu, a tu starczyło jedno dłuższe katowanie przesłuchiwanego, jedna dwugodzinna męczarnia, aby zaczęli się kruszyć. Co ciekawe — zrazu to ja nie chciałem jechać do Meksyku, wymusili tę misję na mnie, żeby łyknąć ramírezowski żołd. Wiedzieli, że to będzie raczej robota katów niż komandosów. A teraz się wewnętrznie biczują... Płacę koszty takiej, a nie innej selekcji. Tworzyłem *„Czwórkę”* z samych łebskich, eliminowałem mięśniaków troglodytów. A inteligentny zawsze może zostać skorodowany przez robactwo skrupułów, bo myśli zbyt dużo. Ich gnębi, że weszli w gówno przyjeżdżając tutaj. I nie mylą się, lecz już za późno na takie refleksje. Ojciec Damian ma słuszność, gdy mówi, że czasami *„łatwiej wejść niż wyjść”*...

* * *

Pod murem pawilonu handlowego stoi żebrak. Zatrzymuje się przy nim elegancki przechodzień i mówi:

— Czołem, Tadziu! Chciałem ci pogratulować. Wszyscy w biurze nie znajdujemy słów podziwu dla twojej odwagi. Wspaniale wygarnąłeś szefowi co o nim myślisz!

Jednym z bohaterów tego kawału był Szlomo Avider, *„katsa”* (oficer operacyjny) *„instytutu”*, który zwie się żargonowo Reszut, a fachowo Mossad le Alijah Beth oraz Ha Mossad le Modi'in Ule Tafkidim Mejuchadim (wywiad zewnętrzny Izraela). Szlomo robił świetną *„instytutową”* karierę, został nawet kierownikiem elitarnej Metsady, czyli Bardzo Tajnego Wydziału (zwanego *„mini-Mossadem w Mossadzie”*), lecz kiedy po paru wpadkach *„firmy”* wygarnął *„memunowi”* (dyrektorowi) co myśli o fatalnym nią dyrygowaniu — został zdegradowany do roli urzędasa w Meluckha (*„Królestwo”* — dział werbujący *„katsa”*), a później wywalony zupełnie, na tzw. bruk. Odwoływać się nie chciał, wiedząc, że *„ha-Zaken”* (*„stary”*) nie daruje człowiekowi uprawiającemu bezczelną prawdomówność. Pukał jeszcze do drzwi Shabacku (Shin Beth — bezpieka wewnętrzna i kontrwywiad Izraela) tudzież Amanu (wywiad wojskowy), lecz nie przyjęli *„rozrabiacza”* z Mossadu, został bezrobotnym outsiderem. Zostałby istotnie żebrakiem, gdyby szwagier (mąż siostry), rzutki biznesmen, eksoficer, nie zatrudnił go w biurach pracującej dla wojska wytwórni chipów. Szyldy i pieczątki tej fabryki mówiły o wytwórni chipsów.

Kiedy zbiedniały Szlomo zamieszkał przed 15 laty w dzielnicy Florentin (południowa część Tel Awiwu), była to strefa raczej uboga, dla ludzi biorących kiepskie pensje. Ale ni stąd, ni zowąd, coś się zmieniło: dzielnica Florentin przyciągała swym klimatem coraz większą liczbę snobów i groszorobów, remontowano domki jeden po drugim, i nim się kto obejrzał, zrobiła się modna, by wreszcie zostać dzielnicą ekskluzywną. Dlatego emerytowany major Avider zaprosił przybyłego z Ameryki kumpla do ogródka knajpki na parterze kamienicy, w której mieszkał od lat 15, dumny, że rezyduje tam, gdzie się widzi dużo celebrytów, telawiwski jet–set.

Tym kumplem był mecenas Lowa Abelman. Dawno temu, kiedy obaj byli młodsi, pracowali jako łącznicy CIA i Mossadu, załatwiając tajne kwestie finansowe. Nie widzieli się prawie 20 lat. A teraz (14 maja 2009) obydwu trawiła identyczna ciekawość: „Czy on się postarzał mniej, czy może bardziej niż ja, dałby Bóg!”. Ku obopólnej uldze wyszedł remis: w tych samych miejscach im ubyło (łysina) i przybyło (kałdun), tylko siwa bródka Avidera mówiła o jego starszeństwie. Uściskali się, usiedli i Szlomo powiedział:

— Ty również nie wyglądasz już jak milion dolarów...

— A na ile byś mnie wycenił?

— Wyglądasz jak pół miliona, tłuściochu, całkiem nieźle.

— Pół miliona czego, łysielcu? Szekli, rubli, dolców czy funtów?

— Jedna cholera, trzymasz się klawo.

— Ty też jeszcze nie spróchniałeś.

— Ja stawiam, prawem gospodarza. Co pijesz?

— Wszystko.

— To znaczy?

— Wszystko prócz mleka, tylko nie tu, upał zbyt duży na ciężki alkohol. Tu zawsze taka łaźnia?

— Nie zawsze, ale często, nie pamiętasz już?

— Fakt, zapomniałem, człowiek był młodszy i biegał półgoły. Cholera, wydaje się, że to było kilka miesięcy temu, Szlomo! Jak się ma ta... ta czarnulka... no ta, którą mi podsunęliście w Hebronie, żeby mnie zmiękczyła przed negocjacją o wysokość transferu?

— Rachela.

— Właśnie, Rachela! Co u niej?

— Dzisiaj nie polecam, miałaby kłopot z tymi fotelikami, są za wąskie, bo roztyło się dziewczynie, kolubryna! Doczekała się już dwójki wnuków.

— Jak ten czas leci!... — westchnął Lowa, wycierając chusteczką czoło, gdyż promienie słoneczne rykoszetujące od białych ścian knajpki zwiększały żar upału. — Macie tu pinacoladę?

— Nie, staruszku, tu nie Floryda.

— A zimne piwo?

— Do wyboru, do koloru, wszystkie gatunki. Kelner!

Przepłukując piwem gardła, wypytywali się wzajemnie o swój los. Szlomo spytał:

— Czym się zajmujesz?

— Pomagam *„służbom”* jako konsultant finansowy... — odparł Lowa. — Nudny fach, ale dobrze płacą. A co u ciebie?

— Wkrótce emerytura, odstawka, jesień życia. Pracuję u szwagra, na pół etatu, po robocie spaceruję, oglądam telewizję, czytam, normalna przedstarość.

— Słyszałem, że *„instytut”* już dawno cię zwolnił, tylko nie wiem za jakie grzechy. Przyłapali cię gdy szpiegowałeś dla Chińczyków?

— Nie. Dla Chorwatów.

— A serio?

— Serio, to polazłem do szefa, by wyrazić swoje zdanie. Wiesz *„jaka jest definicja «wymiany opinii»”*?

— Nie wiem.

— *„Kiedy idziesz do szefa ze swoją opinią, a wychodzisz z jego”*. Ja wyszedłem ze swoją. I to był *„esek bisz”*, nieudany interes, Lowa. Znam jeszcze drugą żydowską mądrość adekwatną wobec mojego krachu: *„Człowiek uczy się mówić bardzo wcześnie, ale milczeć — bardzo późno"*.

— Mam nadzieję, że nie jest zbyt późno, to znaczy, że wciąż nie umiesz milczeć, bo przyjechałem cię słuchać, chcę, byś gadał.

— O czym?

Lowa wyjął z kieszeni fotografię.

— O tej lali, Szlomo. To jest Luisa Lopez, ale pewnie nosi dzisiaj nazwisko zupełnie inne, bez latynoskiego brzmienia. Niedawno wyjechała z Urugwaju do Europy. Sądzimy, że może być w Izraelu.

— Dlaczego?

— Dlatego, że jej matka była Żydówką.

— Więc i córka jest Żydówką. Panieńskie nazwisko matki?

— Singer.

— Jak ten pisarz noblista?

— Uhmm. Dziewczyna ma tu z pewnością rodzinę.

— Tysiące rodzin, to bardzo popularne nazwisko. Igła w stogu siana.

— Ale ja nie przyszedłem do biura ewidencyjnego lub do biura osób zaginionych, tylko do asa tajnych służb.

— Do byłego tajniaka, chłopie! Owszem, mam jeszcze trochę kontaktów, trochę dawnych kumpli, którzy pracują w *„służbach"*, lecz myślę, że najlepiej będzie jak cię skontaktuję z moim synem.

— Też tajniak?

— Ano.

— Gratulacje. Dla której *„firmy"* robi?

— Zapomniałem, Lowa. Im człowiek starszy, tym pamięć ma gorszą.

— Jasne, staruszku. A więc pomoże mi tajny tajniak, twój syn?

— Miejmy nadzieję, przyjacielu. To młody buc, arogant, niewyparzona gęba, zbyt mało lałem go po dupie kiedy był gówniarzem, więc bezczelne gówniarstwo mu zostało, lecz...

— I kto to mówi! — prychnął Abelman. — Twoja krew, bo przecież wykopano cię z roboty za dobre maniery i za twój słodki dziób.

— Co racja, to racja, bracie — zgodził się Szlomo. — Baruch posiada rozległe kontakty. Jeśli dziewczyna jest w Izraelu, namierzy ją raz–dwa. I więcej: jeśli ona jest w Europie, choćby w Serbii, Bułgarii czy Skandynawii, kumple Barucha ją namierzą, to tylko kwestia czasu.

— Powiedz mi jeszcze coś, Szlomo. Równie dobrze mógłbyś sam tę sprawę synowi przekazać, obyłoby się bez randki między mną a nim, wolisz jednak, by Baruch Avider i Lowa Abelman mieli spotkanie w cztery oczy, chyba nie bez powodu...

— Mało rzeczy robię bez powodu, Lowa. Wolę, by on się targował z tobą, ja byłbym wobec ciebie zbyt miękkim handlarzem, byłoby mi głupio cisnąć starego kumpla.

— Cisnąć o co? O jakim handlu mówisz?

— O normalnym żydowskim geszefciarstwie, Lowa. W tym fachu i w tym etnicznym grajdołku żądanie darmochy jest brane za wyłudzanie lub za chorobę umysłową. Życie to biznes, więc nie strugaj wariata.

Nazajutrz pułkownik Baruch Avider powtórzył mecenasowi to samo — by nie strugał wariata:

— Konsultant finansowy! Dobre sobie!

— A co, nie wyglądam, pułkowniku?

— Powiedzieć panu na kogo pan wygląda?

— Jeżeli już pan musi...

— Wygląda pan na faceta z operacyjnego kręgu *„deep state"*.

— Co to jest *„deep state"*?

— Siedmiu krasnoludków, które przygrywają do tańca negroidalnej Śnieżce, a ta królewna wabi się Obama. Zezwolili motłochowi wybrać ją, uczynić z niej władczynię, bo jej poprzednik, zły król Krzak, był katastrofą dla wszystkich — dla *„deep state"*, dla społeczeństwa, dla kapitalizmu czyli dla biznesu, i w ogóle dla Ameryki, gdyż spowodował globalną izolację USA, wszędzie wieszano na Jankesach sfory psów, trzeba to było zmienić koniecznie. Ratunkiem mogła być charyzmatyczna gwiazdeczka typu hollywoodzkiego. Pardon: bollywoodzkiego. Więc wypromowano mulacką królewnę Śnieżkę, żeby grała rolę dobrej Wróżki. Ale tańczyć musi do rytmów, które biegną zza głębokich kulis. Wszystkie irackie oraz afgańskie działania tej Śnieżki są całkowitym zaprzeczeniem jej sztandarowego hasła *„We can change!"** z kampanii wyborczej: miast zmieniać politykę wojenną króla Krzaka, jak obiecała, kontynuuje ją skwapliwie, nawet wzmogła ją — oddawanie Iraku Irakijczykom wstrzymuje, a do Afganistanu wysyła coraz więcej żołnierzy! Czemu? Wskutek żądań krasnoludków siedzących na *„tylnym siedzeniu"*.

— Aż siedmiu się tam zmieściło? — zadrwił mecenas.

— Kiepski żart, panie mecenasie! Żarcikami nie da się wykasować realiów. Weźmy, spośród naprawdę bardzo wielu, tylko dwa świeżutkie, bieżące, majowe przykłady. Podczas kampanii wyborczej królewna ostro piętnowała specjalne trybunały wojskowe do sądzenia muzułmańskich terrorystów, twierdząc, że urągają one prawu amerykańskiemu i międzynarodowemu, więc jak tylko ona zdobędzie koronę, zostaną zlikwidowane bez zwłoki. I co? Właśnie Pentagon ogłosił, że Śnieżka jest tak trybunałami zachwycona, iż zwiększa ich uprawnienia! Ktoś jej wyperswadował dawny pogląd i obietnicę sprzed pół roku. Kto? Siedmiu krasnali, panie mecenasie! Albo taki generał Stanley McChrystal, dowódca 82. Dywizji Powietrzno–Desantowej, *„zbir"*, jego ludzie torturowali irakijskich więźniów w Camp Nama, czyli w Nasty Ass Military Area, Wstrętnej Dupie na Terenie Wojskowym. Zarzucano mu bestialstwo i niszczenie twardych dysków ze stenogramami przesłuchań, kandydująca Śnieżka była oburzona, i tylko jej ciemnobrązowa karnacja sprawiała, że nie było widać rumieńców gniewu. Tymczasem proszę, stał się cud: przedwczoraj królewna mianowała Chrystala dowódcą wojsk NATO w Afganistanie, dymisjonując poprzednie dowództwo, a wychwalając niedawnego *„komandosa–oprycha"*. Już nie jest oprychem — teraz jest pięknym księciem, *„prince charmant"*, królewna wybrała jego! Czemu? *„Szukajcie krasnoludków"*, mówią

---

* *„Możemy to zmienić!"*.

Francuzi, lub jakoś tak podobnie. Pański etat w *„co–co"* czyni pana dużą figurą, panie Abelman...

Mecenas Abelman wszystko rozumiał, i nawet podziwiał wiedzę bądź domyślność pułkownika Avidera, ciesząc się, bo taki cwaniak winien szybko znaleźć Luisę Lopez — jednakże tego *„co–co"* nie rozumiał ani ciut:

— O czym pan mówi, pułkowniku, jakie *„co–co"*?

— Mówię o konspiracyjnej korporacji krasnoludków, panie mecenasie, to akronim neologiczny mojego pomysłu dla określenia waszego *„deep state"*, eliminujący trzecie *„co"*, konsultacje finansowe będące domeną księgowych, maklerów i buchalterów, gdy pan jest kimś zupełnie innym, *„wire–pullerem"*, pan bezpośrednio rusza linkami na rozkaz krasnoludków. Być może linkami finansowymi również, tego nie wykluczam, a jeśli tak, to pańskim zapleczem musi być bank Goldman Sachs, który tasuje i rozdaje karty finansowe w waszym kraju. Kiedy wybuchł kryzys, co zrobił sekretarz skarbu, Paulson, notabene były szef Goldman Sachs? Zaklepał plajtę głównego konkurenta GS, banku Lehman Brothers, i wspomógł sumą 180 miliardów z kieszeni podatników ważnego partnera handlowego GS, koncern ubezpieczeniowy AIG. Mecenasie, mając takich szefów i sponsorów, pan nie zginie, pogratulować!

Lowa zrobił minę sarkastyczną:

— Czy pan mnie przecenia dlatego, że wasza cena będzie wysoka, pułkowniku?

— Będzie sprawiedliwa. Szukacie kogoś, kto jest dla was bardzo cenny, inaczej nie przyjechałby tu po prośbie duży macher, tylko drobny urzędas lub funkcjonariusz, albo prosilibyście nas faksem, internetem czy *„gorącą linią"*, albo przez *„rezydenturę"* waszej ambasady. Co znaczy, że chodzi o tajną operację pięciogwiazdkową. Supertajną! A jeśli tak, panie mecenasie, to trzeba bulić.

— Ile?

— Nie ile, tylko kto. Człowiek za człowieka. Wyciągnijcie z waszej puszki kogoś, kto kibluje, bo uprawiał szpiegostwo dla Izraela, takie będzie nasze honorarium.

— Pan zwariował, pułkowniku, to jest wykluczone! — uniósł się Abelman.

— Błędna diagnoza, prawniku, dubeltowo błędna, bo raz, że nie chodzi o kogoś, kogo pan ma na myśli, a dwa, że wykluczony jest mój obłęd, klepki mózgowe mi nie dolegają. Jak mówił Salvador Dali: „ — *Jedyna różnica między mną a wariatem to fakt, że ja wariatem nie jestem"*. À propos: przyznam się panu, że zawsze podejrzewałem, iż Dali, zważywszy jego geniusz, to Żyd, normalny hiszpański Żyd!

— Nie wyjmiemy Pollarda, opinia publiczna nie darowałaby nam tego!

— Pan mnie źle słuchał, wskutek nerwów — rzekł cierpko pułkownik. — Mówiłem, że chodzi o inną figurę. Jonathan Pollard to jest zbyt głośna sprawa, szczebel prezydencki i medialnie dudniący, a nam chodzi o figurę wobec publiki anonimową — o Rebekę Towler, urzędniczkę Pentagonu.

— Co zmajstrowała?

— Bezprawnie kopiowała tajne dokumenty dla jedynego bliskowschodniego sojusznika Stanów Zjednoczonych.

— Nie słuchałem rannych wiadomości, pułkowniku, i nie czytałem dziś gazet, pewnie dlatego nie wiem, że nocą Arabia Saudyjska przestała być sojusznikiem Stanów Zjednoczonych...

— Lecz słuchał pan wiadomości kilka lat temu. Arabia Saudyjska, wasz ówczesny sojusznik, finansowała po cichu Al–Kaidę, więc przyłożyła swą rękę do wyburzania Manhattanu, panie mecenasie. Ja mówiłem o jedynym waszym p r a w d z i w y m sojuszniku tutaj.

Lowa kiwnął głową i mruknął:

— Więc baba za babę?

— No.

— A jak nie?

— To nie, szukajcie sobie sami.

— Czy to pańska decyzja?

— Nie, to decyzja mojej *„góry"*, panie mecenasie, ja tu robię tylko za posłańca, dlatego jedyna różnica między mną a listonoszem to fakt, że ja listonoszem nie jestem, chociaż nosicielem–negocjatorem bywam często.

Abelman znowu kiwnął głową i spojrzał w bok, ku rozpalonej słońcem ulicy. Za ogródkiem knajpki przechodnie mieli półnagie torsy lub rozpięte koszule, jednak dojmujący upał nie przysparzał im wielkich cierpień, demonstrowali lokalną odporność na inwazję słonecznego żaru. Wytarł twarz chustką, która była już wilgotna, umazał wargi pianą piwa, i rzekł:

— Spytam kierownictwo mojej *„korporacji”*.

— Proszę to zrobić — powiedział Baruch, przypalając papierosa staroświecką zapalniczką wykonaną z gilzy naboju. — Niech pan wróci do siebie i, jeżeli pańscy bossowie wyrażą zgodę, niech pan da sygnał mojemu ojcu. Krótki telefon, jedno amerykańskie słowo: *„okay”*. Wtedy my zaczniemy szukać tej pani. Ile będziemy mieli czasu na to?

— Niewiele, to musi być szybka piłka. Dossier tej dziewczyny jest skromne, zostawię je panu.

— Czyli mocno wierzy pan w *„okay”*... — uśmiechnął się pułkownik.

— Wierzę, pułkowniku — przytaknął Lowa, podając tamtemu kopertę z danymi señority Luisy.

Spoza wzgórz oblepionych willami establishmentu izraelskiego nadbiegł grzmot dzwonów.

— Papież — domyślił się Abelman.

— Tak, mecenasie, papież. Przybył tu katolicki *„ojciec święty”*, dla Żydów goj zupełnie nieświęty, lecz formalnie to jest głowa państwa, więc nolens volens podejmujemy Niemiaszka z honorami należnymi prezydentom. Żydowska hierarchia cywilna i rabiniczna próbuje zmusić go do pokory i do przepraszania za Holocaust, za lefebrystów–negacjonistów, za obojętność Piusa XII, za wszystko, ale ten stary grzyb nie jest równie łatwy jak tamten, Polak, którego modelowaliśmy niczym plastelinę — jest twardy, ciągle robi grzeczne miny lub ciepło się uśmiecha, i na krok nie ustępuje, nie gnie karku.

— Kiedyś był zwany *„pancernym kardynałem"* — przypomniał Lowa. — Więc trudno się dziwić.

— Teraz już nie przemawia pancernie. Odkąd został *„papą"*, stara się być miły i brzęczeć słodko jak harfa anioła bożego. Newel!* My, Żydzi, wiemy, iż jego melodie to kłamstwa, patrząc nań widzimy kłamiącego Pinokia z długim nosem. Kiedy tu przyjechał, by zobaczyć Grób Chrystusowy, modne zrobiło się dowcipkowanie o Pinokiu. *„Pinokio siedzi przy Grobie Pańskim i się zastanawia: — Ciekawe... mój ojciec też cieśla, i poczęcie też niepokalane, ho, ho!"*. Dobry wic?

— Nie lubię religijnych kawałów.

— A ja nie lubię religijnych inkwizytorów z Watykanu!

Ta eksplozja wrogości przyprawiła Lowę o cierpki grymas:

— Skąd aż tyle nienawiści, pułkowniku? Ten stary człowiek powiedział wczoraj w Nazarecie, że *„nienawiść zabija duszę"*, i miał słuszność. Dziś wszystkie gazety cytują jego słowa.

— Chodziło mu o stosunki między Żydami a Palestyńczykami, ten grzyb gra swoją rolę polityczną. Nienawidzi Żydów. Haman!**

— Nie będę się z panem kłócił, pułkowniku, w demokracji każdy ma prawo mówić swoje, także przeklinać innych, na tym polega istota demokracji, równość.

— Gówno prawda, Abelman! Pan wie tak samo dobrze jak ja, że dziś jedyna demokratyczna równość panuje w ulicznym korku.

Dzwony znowu chóralnie rozbrzmiały, lecz Lowa nie wiedział czy chcą zagłuszyć słowa pułkownika, czy dudnią aplauzem, bijąc pułkownikowi spiżowe brawo.

* * *

Maskarada wojenna, szpiegowska, kryminalna lub przynajmniej hucpiarska (zabawowa) ma brodę sięgającą Antyku, a może jesz-

---

* Łotr, podlec; ale także po hebrajsku: harfa, co tutaj daje grę słów.

** Złowroga postać z **„Księgi Estery"**, wróg Żydów. Przenośnie: zły człowiek.

cze dłuższą, sięgającą Jaskini, lecz swoje personalne logo znalazła dopiero na początku XX wieku (1906), gdy niemiecki rzemieślnik Wilhelm Voigt ubrał bezprawnie mundur kapitana, aresztował burmistrza miasteczka Köpenick (przedmieście Berlina) i zarekwirował kasę miejską, słowem: rządził krótko tą mieściną, wykorzystując nimb wojskowego munduru. *„Kapitan z Köpenick"* zyskał status legendy i symbolu podobnych przebieranek, które winny nosić miano *„köpenickiady"*, tak jak bólodajne ekscesy erotyczne zwie się *„sadyzmem"*, w hołdzie dla ich francuskiego propagatora, markiza de Sade.

Bardzo różne bywają motywy *„köpenickiad"*. Czasami robi się maskaradę gwoli czystej hecy, exemplum: żart poznańskich studentów (głównym sprawcą był Romuald Gantkowski), którzy przebrali dwóch kumpli w wypożyczone z teatru szaty orientalne i zawieźli do stolicy Wielkopolski wynajętą luksusową limuzyną jako *„delegatów Beludżystanu"*, a ogłupione fałszywym telefonem (rzekomo z Warszawy) władze miasta (burmistrz, rada miejska, policja, wojsko) urządziły szumną fetę na cześć dwóch *„dyplomatów"*, honorując *„dostojnych gości"* przyjęciami, fanfarami i czym tylko się dało. Innym motywem jest fortel wojenny, czasami udany (mnóstwo ważnych obiektów lub punktów oporu zdobyto lub zniszczono, przebierając żołnierzy w mundury wroga), a czasami nieudany, bywa że wskutek drobiazgu, głupiego szczególiku, włosa (przebrani po aliancku niemieccy komandosi, którzy mieli zabić generała Eisenhowera, wpadli na stacji benzynowej amerykańskich wojsk, gdyż żądanie benzyny wyartykułowali oksfordzką angielszczyzną, miast rytualnym slangowym warknięciem). Do przebieranek strategicznych, dywersyjnych lub szpiegowskich służą zresztą nie tylko uniformy wojskowe, lecz także szaty płciowe, i panuje tu równouprawnieniowa obustronność: damy skutecznie przebierają się za mężczyzn (exemplum Kreolka Paulina Cushman, tajny agent wojsk Unii wśród Konfederatów), natomiast mężczyźni przebierają się za płeć piękną (exemplum Karol de Beaumont vel *„kawaler d'Eon"*, XVIII–wieczny szpieg francuskich Burbonów wśród Anglików).

Meksyk, jak każdy kraj, ma dużą tradycję przebieranek komediancckich, wojennych, szpiegowskich i kryminalnych, a ukoronowanie tych ostatnich nastąpiło podczas realizowania siłami *„Czwórki"* operacji *„Sandbox"*. 16 maja roku 2009 (sobota) do więzienia Cieneguillas w środkowomeksykańskim mieście Zacatecas przyjechał konwój 15 policyjnych i wojskowych samochodów, plus policyjny helikopter. Umundurowani funkcjonariusze wysiedli, a następnie sterroryzowali i rozbroili więziennych strażników, uwolnili 53 swoich kompanów (członków klanu Los Zetas z kartelu Golfo) i spokojnie odjechali. Wszystko trwało kilka minut. Władze dostały szału, a prasa amerykańska pisała, że ten incydent symbolizuje całkowity krach kampanii prezydenta Calderóna przeciwko narkotykowym kartelom.

Ale dzień później *„narcos"* też mocno oberwali, tylko nie ze strony rządu. Hierarchowie stołecznej filii kartelu Golfo lubili spotykać się w podmiejskiej hacjendzie nad jeziorkiem Bosque de Tláhuac, gdzie zabawiali się cały dzień pokerem, a całą noc panienkami. Panienki były tam przywożone dwie godziny przed północą, zaś przed południem, po południu i wieczorem przywożono bossom żarcie z luksusowej restauracji „La Luna Blanca", czemu służył specjalny furgon, mający podgrzewane blachy. Obsługa restauracji pakowała pojemniki pełne frykasów i mafijny szofer wiózł je do hacjendy, gdzie *„goryle"* hazardzistów pełnili okazjonalnie role kelnerów, serwując dania.

Dzień wcześniej restaurację nawiedziła kontrola sanitarna, trzech białofartuchowych laborantów, którym towarzyszyło dwóch mundurowych gliniarzy. Wszyscy mieli maski na gębach, nie odwołano bowiem jeszcze przeciwepidemicznego grypowego alarmu.

— Jaka kontrola, skąd?! — pisnął właściciel knajpy. — Tydzień temu mieliśmy inspekcję!

— No i za łapówkę wyszliście z tego cało, ale to była wasza inspekcja państwowa, a my jesteśmy z Międzynarodowej Sanitarnej Służby UNESCO i ONZ–u, jesteśmy gringos, pacanie, gringos, którzy dzięki prezydentowi Calderónowi mają uprawnienia kontrolne na cały Meksyk, a dzięki burmistrzowi Ebrardowi uprawnienia na całe Miasto Meksyk! Widzisz ten znaczek: SCV? To: Salud–Control–Vacunación*, inaczej mówiąc: Sanidad Contra Virus**. Zacznijmy od tego, że nie nosisz maski przeciw *„grypie świńskiej"*.

— Nie ma obowiązku.

— W zakładach żywienia zbiorowego jest obowiązek, a restauracja stanowi najbardziej typowy zakład żywienia zbiorowego, pacanie!

— Jakiego zbiorowego?! Odkąd jest ta grypa, wszystkie restauracje są zamknięte, nie przyjmujemy klientów!

— Nie wpuszczacie gości do środka, ale gotujecie furę żarcia na wynos, czyli knajpa cały czas pracuje. I cały czas może zarażać. Ciebie *„świńska grypa"* już dopadła, masz objawy.

— Jakie objawy?!

— Nie wiesz jakie są objawy *„świńskiej grypy"*? Są proste: leżysz i kwiczysz, niby świnia! Cha, cha, cha, cha, cha, cha, cha!

Widząc, że przybysz żartuje, restaurator zrozumiał, iż da się dogadać, zaczął więc stękać tonem koncyliacyjnym. Wtedy funkcjonariusze SCV zbadali świeżość potraw, czystość pomieszczeń (również czystość samochodów transportujących żywnościowe produkty), wzięli łapówkę za przymknięcie oka wobec paru brzydkawych spraw (czyli za niewystawienie mandatów), i poszli sobie do diabła, ku uldze właściciela knajpy.

Nazajutrz furgon z pojemnikami stanął przed bocznym wejściem do budynku rezydencjonalnego hacjendy, i bezzwłocznie eksplodował, zmiatając cały budynek plus grono hazardzistów. Takiej rzezi członków sztabu narkotykowego karteliada nie przeżyła od dawna — ten rodzaj zbiorowej masakry zwie się hekatombą.

Morderczy wybuch szerzył strach w całej okartelowanej narkotykowo Ameryce Łacińskiej, bo nie wiedziano kto spośród konkurentów dokonał tej rzezi. Jedni mówili, że kartel Juárez, drudzy,

---

* Zdrowie–Kontrola–Szczepienia.

** Siła Zdrowia Przeciw Wirusowi.

że Familia Michoacána, trzeci, że kartel Pacífico — wzajemna wrogość karteli sięgnęła zenitu i szybko padły trupy kolejne. A o to właśnie chodziło tym, którzy rozsiewali plotki na temat sprawców, mające jeszcze bardziej zaognić rywalizację różnych klanów *„narcos"*, wedle dewizy: *„Niech się wzajemnie wybiją, walcząc między sobą bez miłosierdzia!"*. Patriarcha Sanktuarium Guadalupe nie gratulował jednak Clintowi, przeciwnie, miał pretensje o ludzi niewinnych:

— Zapewniałeś, że padną tylko bandyci, pułkowniku!

— I tak się stało, ojcze Damianie.

— Wczoraj został rozstrzelany restaurator, właściciel „La Luna Blanca", a jego syna ciężko raniono w brzuch! Wyegzekwowano zemstę za to, że dali nafaszerować samochód materiałem wybuchowym! A przecież oni nie mieli o tym pojęcia, zrobiliście to bez ich wiedzy, bez ich udziału!

— To nie są niewinątka! — odparł Clint gniewnym głosem.

— To nie byli ludzie kartelu Golfo!

— Ale świadomie współpracowali z ludźmi kartelu, ojcze Damianie, byli przestępcami. Zupełnie mi ich nie żal.

Gangsterów rozpylonych eksplozją nie żal było również Janowi Serenickiemu, a dialogi, które musiał toczyć na temat owego wybuchu, były dużo cięższe niż dialog kapucyna–seniora z Clintem Farloonem. Fedoruk bowiem przybiegł do gabinetu Tiomkina gdy rezydowali tam Grynberg oraz Serenicki, i zawarczał od progu:

— A nie mówiłem, że już tu są?! Mówiłem, lecz agent *„Y"* mnie wyśmiewał, żądając dowodów! Dowodem jest eksplozja restauracyjnej furgonetki! Materiał wybuchowy włożyła fałszywa inspekcja sanitarna, trzech gringos mówiących jankeskim akcentem!

— Pan rozróżnia akcenty, pułkowniku? — spytał Tiomkin.

— Nie ja, tylko restaurator i ludzie restauratora. Jestem pewien, że tej masakry dokonali komandosi z Team One.

— Czy knajpiarz, gdyby to nie byli Jankesi, tylko na przykład Niemcy, rozpoznałby, że mają germański akcent, czy rozpoznałby jedynie akcent gringos? — spytał agent *„Y"*. — Pytam, bo jako poliglota i językoznawca, wbrew temu, że pan te moje zdolności wyśmiewa, rozróżniam narodowość po akcencie. Niemcy i Amerykanie gadają hiszpańskim trochę inaczej, lecz dla Meksykanina te akcenty nie różnią się zbytnio.

— Co on gada?! — prychnął Fedoruk. — Jacy Niemcy, skąd mieliby się tu wziąć niemieccy zabójcy, to brednie!

— Brednie? A czemu brednie? Kartele, wskutek wzajemnej eksterminacji i wojny z siłami prezydenta Calderóna, mają deficyt doświadczonych *„cyngli”*, stąd atak na więzienie w Zacatecas, gdzie wyjęto kilkunastu profesjonalnych egzekutorów, właśnie o nich chodziło. Ale kilkunastu to pryszcz, gangi muszą najmować killerów z zewnątrz, czemu nie z Niemiec?

— Panowie! — krzyknął rozwścieczony Fedoruk do Tiomkina i Grynberga. — Czy słyszycie jak ten kretyn mąci wodę, by osłonić swoją bezużyteczność i brak kompetencji?! Miał szukać Polaków, polskich *„TOmenów”*...

— Nie każdemu jest dane tropić Żydów — przerwał mu *„Y”*.

— Wypraszam sobie takie obelgi! — ryknął Fedoruk. — Ten palant nie dopadł żadnego *„TOmana”*, tylko zbija bąki w teatrzykach Chapultepec, a oni już tu od dawna są i działają!

— Wszystkie punkty graniczne były dzień i noc pilnowane przez naszych, więc pewnie tamci przypłynęli łodzią podwodną! — odszczeknął się *„Y”*. — A jeżeli tak, to czemu nie mieliby dopłynąć tu łodzią podwodną killerzy z Hamburga? Meksyk ma piękną tradycję U–Bootów. W roku 1917 rząd niemiecki sekretnie proponował rządowi meksykańskiemu kontramerykański sojusz militarny, obiecując pomoc przy odzyskiwaniu Teksasu, Nowego Meksyku, Arizony i kalifornijskiej ziemi utraconej. Chciał również wysłać flotyllę U–Bootów ku wybrzeżom Meksyku, gwoli wsparcia. Cała ta historia jest znana jako afera z *„depeszą Zimmermana”*, polecam panu pułkownikowi.

— Dlaczego pan zezwala, generale, by pański człowiek robił sobie kpiny kiedy mowa o sprawie, którą nasze władze traktują priorytetowo? — zapytał Tiomkina Grynberg.

— Bo lubię się pośmiać, pułkowniku — odparł Tiomkin zuchwale, gdyż postanowił nie przejmować się już Fedorukiem i kontrolerem z centrali, było mu coraz bardziej *„wsio rawno"*.

— Czyli ściągnął pan tutaj agenta *„Y"* z Warszawy, by dać mu etat nadwornego błazna w *„rezydenturze"*?

Tiomkin uśmiechnął się luzacko:

— Proszę nie zapominać, pułkowniku Grynberg, że drugą, obok rozbawiania władcy, rolą nadwornych błaznów było prawdomówstwo, a władca, otoczony zgrają klik, kamaryl dworskich, wrogów i pochlebców, często tylko od nadwornego błazna słyszał prawdę.

Grynberg też się uśmiechnął:

— Czy kiedy monarchę detronizowano, jego błazen bywał wieszany?

— Nie wypadało wieszać błazna, wypadało wieszać spiskowców, gdy detronizacja nie udała się im, pułkowniku, chyba że zdążyli spieprzyć U–Bootem.

Serenicki, otrzymawszy wsparcie ze strony *„rezydenta"*, bezczelnie kontynuował robienie sobie *„jaj"* podwodnych:

— À propos U–Bootów. Znacie, towarzysze, najnowszy moskiewski kawał o flocie podwodnej? *„Czy to prawda, że rosyjskie łodzie podwodne biją rekordy zanurzenia? Tak, to prawda. Kilka ciągle jeszcze zostaje w zanurzeniu od roku 1957"*.

Nikt się nie roześmiał. Tiomkin powiedział spokojnie:

— Koniec żartów. Pułkowniku Fedoruk, czy oprócz domysłów ma pan jeszcze coś?

Fedoruk wyjął z kieszeni rysunek i wręczył *„rezydentowi"*:

— To jest portret pamięciowy szefa grupy *„TOmenów"*, którzy od co najmniej paru tygodni są w Meksyku. Dał mi to major Miranda.

— Skąd Kubańczycy wzięli tę fizjonomię?

— Nie wiem, ale dla mnie stanowi ona dowód, że *„TOmeni"* są już tutaj, działają w Meksyku! I tyle. Nie będę wszakże przeszkadzał, jeśli pański agent *„Y"* opowie nam jakiś kolejny żarcik o germańskich lub słowiańskich łodziach podwodnych, albo zaśpiewa

„Yellow Submarine" Beatlesów. Prawem błazna prawdomówcy, generale!

Tiomkin skrzywił wargi jak pies, który lekko odsłania zęby, by pokazać, że może ukąsić lada chwila, i wycedził chłodno:

— Dziękuję, pułkowniku Fedoruk, możecie odejść do swojej roboty, a my będziemy wykonywać swoją.

— Jeżeli będziecie ją wykonywać tak samo źle jak wcześniej, to będzie tylko strata czasu! — powiedział hardo Fedoruk, któremu przydawała animuszu obecność Grynberga w gabinecie i ćwiartki Smirnoffa w organizmie. — Moim zdaniem, Igorze Pietrowiczu, trzeba twardo kierować *„rezydenturą"*, powinien was zastąpić ktoś młodszy, energiczniejszy, lepiej motywowany!

— Młodszy, mówicie? — uśmiechnął się generał. — Wiem, że roi się to wam już od dawna, jednak nie wy będziecie decydować, Iwanie Mykołowiczu. Macie rację, że młodsi są zdrowsi. Szybciej biegają. Lecz starsi znają skróty, więc często dopełzają prędzej niż dobiegają biegacze, którzy rozum mają w nogach. A teraz paszoł won!

Fedoruk spojrzał na Grynberga jak na arbitra, szukając ratunku, lecz twarz tamtego była nieporuszona żadną emocją, zdawało się: nieobecna, więc purpurowy z gniewu i wstydu wybiegł, nie domknąwszy za sobą drzwi.

Dwa dni później Serenickiemu udało się zgubić *„ogon"* w dzielnicy sprośnych uciech, gdzie *„gringos"* są zaczepiani przez naganiaczy niedyskryminujących żadnej orientacji, żadnej płci i żadnego wieku *„towarów"*:

— Mexican girl, señor? Mexican boy?

Spotkali się w chłodnych bez klimatyzacji podziemiach Museo Franz Mayer. *„Wieża"* pokazał Clintowi jego konterfekt, mówiąc:

— Udany, świetna robota! Wiesz kto doradzał rysownikowi, przystojniaku?

— Wiem.

— Masz pewność?

— Mam.

— Musisz zmienić buzię. Peruka, wąsiki, te rzeczy. A bródka do kosza. *„Świńska grypa"* już wam nie pomoże, zaczyna wygasać, mój drogi.

— Szkoda — mruknął Farloon.

— Tak, maseczki trzeba będzie zdjąć.

— Miałem na myśli coś innego, to, że zmniejszy się liczba ludzi, z których ust nie wychodzą kłamstwa, bo mówili przez nosy zagrypione.

Serenicki skomentował ten żart analogiczną manierą:

— Jeśli twoi płaksiwi podwładni dalej będą się rozczulać swym losem bezlitosnych oprawców, to rzeczywiście możesz mieć problem ze zmuszaniem tubylców, aby z ich ust nie wychodziły same kłamstwa. Jednak znając ciebie, zaryzykuję sąd, że koniec końców poradzisz sobie na ringu wydłubywania prawdy z czarnych dziur nieprawości.

— Tak, będę agitował przesłuchiwanych cytując im właściwy fragment Biblii, słowa Chrystusowe: *„ — Mowa wasza ma być prosta, jest, jest, nie, nie, cała reszta przynależy diabłu"*.

— Czy już wiemy komu przynależy Luisa Lopez?

— Nie, Żydzi jej szukają, Abelman czeka.

— No to i ja muszę czekać, rozgrywając *„rewizora"* przeciw Ruskom.

— Lowa sądzi, że winieneś już zacząć finałową rozgrywkę.

— Nie dał mi takiej dyspozycji.

— Bo zerwałeś radiowy kontakt.

— Ciągle mnie śledzą, coraz trudniej gubię *„ogon"*, nie mogę ryzykować częstych kontaktów.

— Przystąp do gry finałowej, już czas.

Kubańska DGI działająca w Meksyku też uważała, iż czas najwyższy dorwać *„TOmenów"* i zrobić z nimi porządek metodą Fidela Castro. 20 maja kapitan Raul Gorito zakomunikował pułkownikowi Fedorukowi:

— Wiemy już kim jest gość z pamięciowego portretu. To nie Polak, lecz Amerykanin, czołowy oficer zespołu Team One, pułkownik Clint Farloon, ksywki *„Amber”* i *„Don”*. Tu ma pan kopertę z jego dossier.

— Rozumiem, że w kopercie jest wszystko co trzeba, oprócz aktualnego numeru komórki i adresu w Mexico City... — powiedział Fedoruk.

— I oprócz konstatacji, że gdyby tego faceta niespodziewanie napadło nocą kilku pierwszorzędnych bandziorów, to trzeba byłoby pytać: jak duży uszczerbek ponieśli napastnicy w trakcie tej nierównej walki? — dodał Gorito.

* * *

Zdobyty przez Kubańczyków konterfekt pamięciowy pułkownika Farloona, oraz zdobyta przez pułkownika Fedoruka pewność, że ludzie Team One działają na terenie Miasta Meksyk, były aspektami negatywnymi dla *„4”*, wszelako okazały się czynnikami bardzo pozytywnymi dla rosyjskiego agenta *„Y”*, który jako agent amerykański nosił kryptonim *„Wieża”*. Wszystkie bowiem rosyjskie, kubańskie i wenezuelskie siły w 20-milionowym grodzie stołecznym rzucono alarmowo do przeczesywania miasta, czyli do węszenia/tropienia, co jednak stanowiło dużą trudność ze względu na szczupłość tych sił. *„Ogony”* Jana Serenickiego, tak długo bezproduktywne, zostały zdjęte (właśnie jako bezproduktywne), i zasiliły małą armię tropicieli *„TOmenów”*. Dzięki temu agent *„Wieża”* przestał mieć problemy z poruszaniem, *„urywaniem się”* i kontaktowaniem. 26 maja o zmierzchu wyczekiwał Clinta Farloona w podziemiach Museo Nacional de Arte, i ku swemu zaskoczeniu, miast tamtego, zobaczył rodaka, majora Nowika. Spytał, jeszcze nie przestraszony:

— Clintowi coś się stało?

— Niestety — rzekł major smutnym głosem.

Serenickiemu mignął przed oczami portret pamięciowy przyjaciela, jęknął więc, zaciskając pięści:

— Namierzono go?!

— Niestety tak.

— Kurwa nędza, hell on the wheels, fuck!!* — zgrzytnął John Seren. — Szlag by trafił!!

— To z Szekspira? — zapytał major.

— Jest ci do śmiechu?! — zdziwił się Janek.

— Nie, ale... próbuję odreagować... Też jestem zdołowany... Szczerze mówiąc: przerażony.

— Zwijacie interes, ewakuacja?

— Centrala nie dała jeszcze takiego rozkazu.

— Kto Clinta namierzył?

— Baba.

— Jaka baba? Agentka DGI?

— Nie, panna Catalina, *„Violetta"*. Uprosiła go, żeby ją wziął na miasto dziś wieczorem. Wybrali się do kina, pan z peruką i pani z peruką, więc kiedy oni mają tę perukową randkę, ja muszę mieć służbowe rendez–vous z tobą, zamiast niego. Facet wpadł po uszy, to gorsze niż DGI, brachu.

Przez dłuższą chwilę panowała zła cisza, bo John S. piorunował Johna N. wzrokiem, a później obaj eksplodowali śmiechem od ucha do ucha. Serenicki siadł na zabytkowym kolonialnym zydlu, otarł czoło z potu i wygłosił:

„W dziewczynie się kocham
w niebieskich pończochach,
co dzień po zachodzie
na miasto wychodzi".

— Nie co dzień, nie co dzień... Opuściła klatkę pierwszy raz. Jeszcze kilka dni, a opuści Meksyk, Hatterman chce ją ewakuować do Stanów.

— Już jest w Stanach — rzekł Serenicki.

— Jak to?

— Meksyk to też Stany Zjednoczone. Los Estados Unidos Mexicanos, tak brzmi formalna nazwa Meksyku.

---

* ... piekło na kółkach, kurestwo!!

Nowik kiwnął głową:

— Ty pięciu minut nie możesz przeżyć bez popisu lingwistycznego, lub bez żonglerki grą słów, lub bez cytowania Szekspira.

— To nie był cytat z Szekspira.

— A co to było?

— Początek miłosnego wiersza w stylu miłosnych sonetów Szekspira.

— Czyj? Twój?

— Nie wytwarzam wierszy, ja je tylko, kiedy mi mocno wejdą w ucho lub w serducho, zapamiętuję i cytuję. To był rym naszego rodaka, Konstantego Ildefonsa.

— Ildefonsa?... Nie znam faceta... — wzruszył ramionami Nowik.

— Znasz, Jasiu, znasz. W szkole za PRL–u uczyli cię o Gałczyńskim. Uczyli, bo to był komuch.

— Więc pewnie Słowacki i Mickiewicz też byli komuchami, bo uczono mnie wtedy o tych dwóch.

— Dobra, punkt dla ciebie... Gałczyński był polityczną mendą i artystyczną gwiazdą, to czerwony propagandzista, lecz bardzo rasowy poeta, zdarzały mu się śliczne kawałki. Zupełnie jak Szymborska, stalinistka, lecz poetessa klasy pierwszej.

— Cytujesz i ją?

— Nie, wolę jego kawałki. Nic nie pamiętasz?

— Tych kawałków nie, ale przypominam sobie nazwisko, i że pisał też dla jakiegoś kabaretu...

— Nie dla kabaretu. Pewnie myślisz o **„Teatrzyku «Zielona Gęś»"**.

— Tak.

— To był cykl miniatur satyryczno–scenicznych, które Gałczyński drukował w **„Przekroju"**.

— Kurczę, człowiek tyle zapomina! — westchnął Nowik.

— Cóż, demencja przedstarcza lub wczesny alzheimer.

— Ten sam, przez którego zapomniałeś, że nie wolno nam tutaj gadać po polsku?

— Nie było zakazu recytowania polskich rymów, chodziło o dialogi służbowe.

— W ruskiej ambasadzie też recytujesz rymy?

— Owszem. Czasami Szekspira, czasami Puszkina, jak wypadnie. Lub Byrona.

— Po co?

— To mi pomaga zgrywać pięknoducha, a równocześnie ustawia mi rozmówców, gdyż jedni doznają kompleksów, innych bierze zachwyt, jeszcze innych bierze złość. W takich subtelnych grach przewagę zdobywa ten, kto rozstroi instrumenty psychiczne rywali lub partnerów, kto ich wkurzy lub osłabi intelektualnie, kto im zdekoncentruje uwagę i rozreguluje rutynę — erudycja i estradowa pamięć to cudowna broń.

— Czyli znasz na pamięć całe tomy poezji światowej, setki wierszy i wierszyków?

— Bzdura, znam tylko kilkadziesiąt drobnych kawałków, pysznych fragmentów, to wystarcza, by mądrale głupieli, i by głupcy głupieli jeszcze bardziej niż dotąd, szukając właściwej reakcji, udając oczytanych, albo bezsensownie się pieniąc. Ta garść rymów, plus garść aforyzmów La Rochefoucaulda, Chamforta i Woltera, plus garść mniej lub bardziej strawnych wiców, kawałów, stanowi błazeński trójząb, którym umiem fechtować, ranić, dziurawić, gniewać, rozkojarzać, słowem: manipulować, denerwować, dyscyplinować głupców. Głupców jest dokoła dużo, dlatego taka gra się udaje. *„Wszyscy, którzy wyglądają na głupców, są nimi w istocie, a spośród mądrych tylko połowa"*. Jednak mądrych znamy mało, więc pół to bardzo mało.

— Ładnie powiedziane, o tych *„wszystkich, którzy wyglądają na głupców"* — rzekł z uznaniem Nowik.

— Ładnie zacytowane — poprawił Serenicki. — Zacytowałem aforyzm hiszpańskiego La Rochefoucaulda czy może hiszpańskiego Chamforta, XVII-wiecznego mnicha Baltasara Graciána. Takie bon moty to jedno z ostrzy mojego trójzęba cytatów.

— A twoje neologizmy i inne gierki słowne?

— To mój sztylet do podrzynania gardeł prawem *„coup de grâce”**. Dla was też bym znalazł coś odpowiedniego. Na przykład jakiś samobiczujący lament płaczków...

Rysy majora stężały.

— *„Don”* ci wykablował?

— Nikt inny nie mógł, bo innych świadków nie było. Miał was za twardzieli...

— Torturowałeś kiedyś człowieka przywiązanego do krzesła, twardzielu? — spytał chrapliwie major.

— Ja nie jestem *„fizyczny”*.

— Pewnie, ty jesteś od cytacików i bon motów! Zacytować ci bon moty rzężone przez katowanego człowieka?

Ponownie zrobiło się cicho. *„Wieża”* przerwał milczenie łagodnym głosem:

— Stary, nie dręczycie baranków, tylko ewidentnych bestialców, skurwysynów. I nie robicie tego dla przyjemności, tylko dla wydobycia zeznań, które pozwolą ukarać wielokrotnych morderców, kidnaperów, co bez wyrzutu sumienia obcinają małym dzieciom palce i uszy. A także dla wydobycia zeznań, które pozwolą zmiejszyć przepływ do Stanów tego białego proszku, co morduje miliony nieszczęsnych istot. Jako tacy zasługujecie na wielkie brawa, na powszechną wdzięczność, na błogosławieństwo, nie na przekleństwo, bądźcie z siebie dumni! Jesteście aniołami zemsty, aniołami sprawiedliwości, a tymczasem, całkowicie bezsensownie, uważacie się sami za diabłów. Możecie i mnie dopisać, bo przecież współpracujemy, jestem piątym muszkieterem, trybikiem waszego zespołu, lecz nie dopisujcie mnie do wcielonych diabłów, tylko do anielskiej kompanii, bo my jesteśmy a n i o ł o w i e. Rozumiesz, stary? A n i o ł o w i e! Przyszliśmy tu czynić Boży ład, a więc, według waszej branżowej grypsery, *„zamiatać”* po Bożemu. Zamiatamy brud, uprawiamy kontrgangsterską dobroczynność, karcimy łotrów, eliminujemy zwyrodnialców, prostujemy kręte ścieżki, *„nastrajamy, po-*

* Sztych dobijający rannego, *„cios łaski”*.

prawiamy, otwieramy trudne bramy". To znowu z mistrza Konstantego Ildefonsa, czyli z Gałczyńskiego. Słuchaj:

„Kołyszemy, pochylamy,
całujemy, oddalamy —
Aniołowie.

Nastrajamy, poprawiamy,
otwieramy trudne bramy —
Aniołowie.

Przebaczamy, istniejemy,
usypiamy, miłujemy —
Aniołowie.

Deszcz pijemy, nic nie jemy,
kwiaty w lustrach, szafir niemy —
Aniołowie".

— Śliczne! — rzekł Nowik.

— Prawda? *„Usypiamy, miłujemy"*... Miłujemy przyzwoitość, a usypiamy, lub winniśmy usypiać gdy trzeba, naszą wrażliwość, nie rozczulajmy się losem bandziorów. Oni dzięki nam dostają to, na co zasłużyli. Jednego tylko nie akceptuję, że *„deszcz pijemy"*, bo wolę tutejsze drinki z porcją rumu, jak pinacolada czy mojito. Gałczyński też był trunkowy.

Nowik uśmiechnął się:

— Pamiętasz całą jego twórczość, cytatniku?

— Cytatniku? Nie ma w polszczyźnie takiego słowa.

— A jakie jest?

— Chyba nie istnieje taki rzeczownik. Już prędzej: cytatolog.

— Okay, czy pamiętasz całą jego twórczość, cytatologu?... Do aniołów, diabłów, bandytów i do każdej innej sprawy znajdziesz pasujący rym Ildefonsa?

„Nie do każdej" — pomyślał Serenicki. — „Ale do twojej sprawy znajdę coś jeszcze, kując gorące żelazo. Trzeba ci balsamiczną liryką humor nareperować, braciszku...". I rzekł:

— Nie do każdej. Pamiętam tylko trzy drobne fragmenty Gałczyńskiego. Ten trzeci to malutka baśń:

„O zielony Konstanty, o srebrna Natalio!
Cała wasza wieczerza dzbanuszek z konwalią;
Wokół dzbanuszka skrzacik chodzi z halabardą,
broda siwa, lecz dobrze splamiona musztardą;
widać podjadł, a wyście przejedli i fanty —
o Natalio zielona, o srebrny Konstanty".

— Tyż piknie! — westchnął major po góralsku.

— Sam mi wytknąłeś, że wbrew zakazowi gadam mową ojczystą! — przypomniał *„Wieża"*.

— Bo godołeś po polskiemu. A jo godom po górolskiemu, ceprze!

Raz jeszcze zachichotali niby konspiratorzy. „Rozanieliłem cię, rozgrzeszyłem, wykąpałem kaskadą Wód Oczyszczenia, przywróciłem ci spokój duszy, zacerowałem dziurę perforującą twoje sumienie, kolego! Jestem królem terapeutów!" — ucieszył się Serenicki, lecz poniechał gorylego walenia kułakami w dumny tors.

— Przynoszę rozkaz Dereka Hattermana — rzekł major, wchodząc wreszcie na merytoryczny grunt. — Żydzi znaleźli trop Tiomkinowej panienki. Wyjechała z Izraela, wiedzą już gdzie jest. Abelman rusza za parę dni do Tel Awiwu... Rozpoczynaj Tiomkinadę, bezzwłocznie, choćby jutro.

— A jeśli Lowa nic z laleczką nie wskóra?

— To mnie tatrzańska trawa wyrośnie o tu! — powiedział Nowik, wskazując swą otwartą dłoń. — Żyd, który nie umie dobić interesu, byłby jak góral, który nie umie dobić cepra ciupagą, nie ma takich górali.

— Mówisz o ciupagowym *„coup de grâce"*?

— Mówię jedynie to, co mi kazano. Zaczynaj rozgrywkę, nie trać czasu!

Nie chcąc tracić czasu, *„Wieża"* zaczął rozgrywkę jeszcze tego samego dnia. Wrócił bowiem do ambasady przed północą i usłyszał chóralny śpiew z piętra Fedoruka, więc ruszył po schodach ku górze. Naprane towarzystwo świętowało urodziny małżonki ambasadora, rycząc niezbyt składnie i niezbyt czysto, ale za to głośno, tradycyjną pieśń biesiadną carskich oficerów:

„Kopernik, on wies' swoj wiek trudiłsia,
Sztob dokazat' Ziemli wraszczienije!
Durak! Zacziem on nie napiłsia?
Takda by nie było samnienija,
*Takdab jemu wies' mir krutiłsia!"**.

Zapukał i zajrzał.

— Czego?! — warknął pijany Fedoruk.

— Usłyszałem dumkę o moim rodaku astronomie... — wytłumaczył się Serenicki.

— Paszoł won!

Zamknął drzwi i ruszył na kolejne piętro, do swojego pokoju. Gdy mijał drzwi pokoju Grynberga, te się rozwarły.

— Wraca pan służbowo o tak późnej porze? — spytał *„rewizor"*.

— Wracam relaksowo, pułkowniku.

— Jest pan pijany, agencie *„Y"*?

— Jestem trzeźwy jak świnia.

— To proszę wejść, mam do pana słówko.

— A ja mam dwa słówka do pana, pułkowniku Grynberg. Dwa bardzo ważne słówka.

— Słucham.

— Zmieniamy kurs — rzekł Serenicki, wchodząc.

— Który kurs?

— Uprzedni.

---

* *„Kopernik trudził się cały swój wiek,*
By dowieść, że Ziemia wciąż obraca się!
Dureń! Dlaczego on sobie nie wypił?
Wtedy wątpliwość by wszelką utracił,
Bo cały świat by mu się bez przerwy kręcił".

— To znaczy?

— To znaczy, że od dziś nie będziemy salwować generała Tiomkina, tylko będziemy gnoić generała Tiomkina.

— Dopiero co pan go chronił, agencie *„Y”*.

— Ale dzisiaj przyszły odwrotne dyspozycje, panie pułkowniku.

— Skąd?

— Z Moskwy.

— Jakim kanałem? Jak pan się kontaktuje z Moskwą?

— Nie pańska sprawa. Pańska sprawa to gnoić teraz *„rezydenta”* niczym wesz. Zmieniamy kurs.

— W Moskwie zmienił się kurs?

— W Moskwie często zmienia się frakcyjny układ i *„służbowy”* kurs, nie ma na to silnych. Dopiero co, w końcu kwietnia, padł szef GRU, generał Korabielnikow, a o jego następcy, generale Szlachturowie, też się mówi, że minister obrony, Serdiukow, zdejmie go rychło ze stanowiska. Pański wódz, szef SWR, Fradkow, jeszcze się trzyma, ale wiatr zmian może...

— Póki on się trzyma, słucham jego rozkazów! — syknął Grynberg.

— Czy on wie, że pański ojciec, będąc wiceministrem Związku Sowieckiego, pracował dla CIA po cichu?

— To kłamstwo! — ryknął pułkownik.

— Ci, którzy mnie rozkazują, twierdzą, że to prawda. Ale zostawmy przeszłość. Pójdę do siebie po pisemną instrukcję dla pana w sprawie generała Tiomkina, którego trzeba wykończyć za wolnomyślicielską herezję tyczącą *„służb”*.

Minutę później przyniósł kartkę mieszczącą kilka zdań. Grynberg spojrzał i wybałuszył oczy:

— Co to jest?!

— To fragment instrukcji dla wielkorządców, pióra chluby rosyjskiej literatury XIX–wiecznej, Michaiła Sałtykowa–Szczedrina. Radzi on kogo trzeba tępić przede wszystkim.

Tekst brzmiał następująco: *„Złodiejem możiet byt' wor, no eto złodiej, tak skazat', trietiestiepiennyj. Złodiejem nazywajetsa ubij-*

*ca, no i eto złodiej lisz wtaroj stiepieni. Nakaniec złodiejem może byt' wolnodumiec — eto uże złodiej nastojaszczij, a pritom zakorieniełyj i nieraskajannyj"**.

* * *

Pułkownik Baruch Avider (Avider junior), funkcjonariusz izraelskich tajnych służb, nie miał dobrego humoru, kiedy pierwszy raz rozmawiał z mecenasem Abelmanem w Tel Awiwie, co wszakże nie było efektem jego przyrodzonego usposobienia (nie był gburem genetycznym), tylko aktualnego stanu samopoczucia, który zafundowały mu dwie osoby najbliższe: żona i serdeczny przyjaciel, kumpel ze studiów i bojów (obaj służyli kiedyś jako członkowie elitarnej–legendarnej jednostki komandosów, Sayeret Matkal), Levi Kadol. Gdyby Jan Serenicki dowiedział się o tej historii, vulgo: o traumie izraelskiego tajniaka, pewnie skomentowałby to po swojemu, jakimś celnym cytatem — chociażby dwuwierszem Mariana Hemara, całkowicie à propos:

„Bałamut cudzej żony,
Uwodziciel–łakomca,
Póki nie jest w przyjaźni
Z jej mężem — nie wiarołomca.

Wiarołomcą się staje,
Gdy swemu przyjacielowi
Żonę — jeśli tak wolno
Powiedzieć — uzmysłowi".

Prawdę o *„uzmysłowieniu"* pani Aviderowej przez majora Kadola uzmysłowił Abelmanowi porucznik Hatterman, w przeddzień

---

* *„Złoczyńcą może być złodziej, ale to złoczyńca, by tak rzec, trzeciego stopnia. Złoczyńcą nazywają też zabójcę, jednak to również złoczyńca ledwie drugiego stopnia. No i złoczyńcą może być wolnomyśliciel — a to jest już złoczyńca prawdziwy, przy tym zatwardziały i nieokazujący skruchy".*

kolejnego wyjazdu Lowy do Tel Awiwu. Dał mu również teczkę z bulwersującym dossier majora Kadola, mówiąc:

— Zagraj tym, a jak się nie uda, to trudno, wypuścimy Rebekę Towler.

— Jest już zgoda *„góry"*?

— Jest. Czyli wszystko gra.

— Oby, chłopie...

— Czegoś nie wiem, staruszku?

— Tylko tego, że Avider junior to świr. Próbował mnie napuścić na Watykan, kilka minut szczekał przeciw papieżowi, musiałem robić uniki, takie pieprzenie w bambus. To fanatyk, a fanatycy to bestie nieprzewidywalne — on może nam wykręcić każdy numer, wszystko. Niby mamy układ, a wcale bym się nie zdziwił, gdyby oni wrócili do sprawy Jonathana Pollarda, próbując szantażu.

— Wtedy dasz mu kopa. Ale myślę, że ta teczka zdziała cuda, staruszku, jestem tego prawie pewien. Dużo mnie kosztowało, by ją wyciągnąć.

— Dzięki — rzekł kwaśnawo Abelman. — Fajnie, że wbrew pozorom czasami umiesz się przyzwoicie zachować, to miło, ale mniej miło, że ja będę musiał szantażować rogacza bazując na jego porożu.

— Zejdź z drzewa, dupku, i całuj rękę dobroczyńcy, miast pluć mu na głowę! — prychnął Hatterman. — Kupiłem dobry francuski koniak, rozpijmy za powodzenie twojej misji, niech ci się szczęści, mimo wszystko.

— Mimo wszystko? Znaczy: mimo co?

— Mimo że jesteś upierdliwy żydowski dupek, *„myszygene"* po żydowsku.

Drugie spotkanie z pułkownikiem Aviderem miało miejsce w innej części grodu Tel Awiw — wśród niemieckich klimatów architektonicznych ulicy Ben Jehuda, na skwerku, gdzie starsze panie wyprowadzały swych czworonożnych amantów. I nos Lowy nie pomylił się jako prorok — przełożeni pułkownika kazali mu ruszyć kwestię: Pollard za adres uciekinierki.

— Szkoda słów! — rzekł Abelman. — Jeżeli ten warunek jest sine qua non, to nasze spotkanie właśnie się skończyło, nie będę gadał o Pollardzie. Proszę wreszcie zrozumieć, panie pułkowniku, że tego się nie da załatwić!

— Wszystko można załatwić.

— Jasne, uwielbiam porzekadła Żydów.

— Moi bossowie twierdzą, iż z waszym nowym prezydentem dużo można załatwić, starczy leciutko Mulata nacisnąć — rzekł Baruch A. — Wczoraj Obama zrobił ministrem wojsk lądowych republikańskiego kongresmena Johna McHugha, republikańskiego, mecenasie!

— To są wewnętrzne waszyngtońskie gry, lecz Pollard nie wyjdzie łatwo, pułkowniku. Obama wie, iż ten facet to śmierdzące jajo. Radzę pańskim szefom: nie forsujcie sprawy Pollarda, ten facet oznacza same kłopoty, musicie uważać. Polacy zresztą też.

— Co mają do tego Polacy? — spytał *„katsa"* Mossadu.

— Czytałem, że bankrutujące polskie stocznie zostały właśnie wykupione przez firmy United International Trust i Sapiens International Corporation. Sztaby obydwu tworzą dawni pracownicy waszych tajnych służb i waszej armii, przy czym fundusz Sapiens należy do konsorcjum Emblaze Limited, gdzie dyrektorem jest były szef Mossadu, Nahum Admoni, *„handler"* Pollarda. Admoniego zdymisjonowano 20 lat temu, bo Jonathan Pollard został wykryty przez nasze *„służby"*. Jeśli Admoni będzie miał równie szczęśliwą rękę do polskich fabryk okrętów co do swojego superagenta szpiegującego sojuszników, to...

Resztę słów zagłuszyły ryki i gromkie śpiewy kibiców, których horda przemaszerowała obok skweru, machając transparentami i butelkami z alkoholem.

— Bydło! — zagrzmiał pułkownik.

— Po jakiemu oni wrzeszczą? — spytał Lowa. — Przecież nie po hebrajsku.

— Po rusku.

— Przyjechał do was grać jakiś zespół ruski?

— Nie, to są nasze Ruski, panie Abelman... Przyjechał do nas kilkanaście lat temu wielotysięczny postsowiecki zespół delegatów diaspory sowieckiej... Chodźmy stąd, nie chcę słuchać tych głupich wrzasków, tu blisko jest fajna knajpka ogródkowa, mają tam klawe piwo.

Przenieśli się, lecz zmiana lokalizacji nie zmieniła tematu, pułkownik dalej chłostał swych izraelskich braci, byłych obywateli Sojuza:

— Kiedyś myśleliśmy, że rodzima dzicz to *„żydowskie czarnuchy”*, imigranci z Tunezji, Algierii, Etiopii, Somalii, Maroka, ale Ruscy przebili to wszystko. W latach 90-ych zalali Izrael, setki tysięcy wyemigrowały z byłych Sowietów. Teraz mają tu nawet własną reprezentację polityczną, która współrządzi jako koalicjant, partię Avigdora Liebermana. I pielęgnują tradycje swej kultury, czyli rytualne ruskie chamstwo, barbarzyństwo, totalne zdziczenie, syf! W XVI, XVII, XVIII wieku carskich dyplomatów jeżdżących na Zachód rozpoznawano z dużej odległości, po smrodzie, bo się nie myli i szczali, srali, rzygali wprost na pawimenty komnat, które im dawano. Wszędzie — w Rzymie, Madrycie, Londynie czy Paryżu. Zasypiali nie zdejmując butów, cuchnęli jak capy, zostawiali kupy na środku sal lub obok łóżka. Dzisiejsi ruscy turyści są całkiem podobni — w eleganckich hotelach ograbiają jak szarańcza szwedzki stół, upychając co tylko można do kieszeni, za pazuchę lub do toreb. Z pokojów kradną wszystko: mydełka, ręczniki, lampy. Pchają się wszędzie łokciami, charkają, klną, wrzeszczą i ubierają się bogato po prostacku. Taka kultura. Mamy już XXI wiek, a Rosjanie to dalej żenująca dzicz.

— To wszystko się nagrywa, pułkowniku... — przypomniał mu mecenas. — Nie boi się pan, że za takie ksenofobiczne teksty będzie pan miał służbowy wygawor?

— Le kol aruchot*, pieprzyć prawosławnych! — warknął Baruch.

---

* — Do wszystkich diabłów!

Odpędził muchę, która dobierała się do piwa, i wygłosił tonem człowieka robiącego drugiemu człowiekowi łaskę będącą synonimem prezentu:

— Okay, zostawmy Pollarda, wystarczy Rebeka Towler. Uwolnicie ją?

— Nie — mruknął zimno Lowa.

Pułkownik aż zakrztusił się piwem i wykrztusił przez cierpiące gardło:

— Nie?!... No to nie robimy geszeftu!

— Nie robimy.

— Więc sami sobie poszukajcie!

— Taki mamy zamiar. I już wiemy, że uda się nam bez waszego udziału.

— No to czemu pan przyjechał do Tel Awiwu? Mogliście przez telefon pokazać nam *„wała"*.

— Przyjechałem napić się żydowskiego piwa, jest pyszne — cedził dalej Abelman, bawiąc się szklanką.

Zamilkli obaj — jeden wściekły, drugi gotowy do decydującego szturmu.

— Ponieważ już wiecie, że tego interesu nie ubijemy, może pan, pułkowniku, wyłączyć aparaturę podsłuchową, magnetofonik i co pan tu jeszcze ma, szkoda taśm, niepotrzebnie się marnują.

Mówiąc to, Abelman otworzył lewą dłoń, z której zjechała na stolik mała karteczka, zasłaniana od strony ulicy przez szklankę, więc jeśli ktoś ich filmował lub fotografował, nie mógł dostrzec tego świstka wielkości wizytówki. Tekst wypełniający karteluszek brzmiał: *„Żadnej elektroniki, rozłącz wszystko, będziemy gadać o majorze Kadolu"*.

Wcześniej Avidera dopadło wkurzenie. Teraz dopadło go osłupienie, nie wierzył własnym źrenicom. Lecz karteluszkowy tekst był klarowny. Baruch pojął, że Jankesi wiedzą o rogach, które małżonka posiała mu na głowie za pomocą przyjaciela, i że tym będą grać. Jednym ruchem wyłączył aparaturę elektroniczną, pytając:

— O co wam chodzi?

— Dalej o to samo, o adres panienki Luisy, który ty już znasz, pułkowniku. W zamian dajemy głowę majora Kadola.

— Nie chcę śmierci, ani nawet jakiejś rany Kadola, bo gdy przytrafi mu się coś, moja żona oskarży mnie o zemstę, władza zrobi śledztwo, i bez względu na rezultaty śledztwa moja kariera wyląduje w śmietniku. Zostanę skrzywdzony drugi raz.

Lowa pokręcił przecząco głową:

— Zostanie pan nagrodzony. Medal bądź order, premia i bezzwłoczny awans, pułkowniku. To władze urwą łeb Kadolowi, a pan będzie bohaterem, który zdrajcę zdemaskował. I nie będzie pan musiał kryć, że inwigilował go pan z zazdrości albo zemsty. Niuchał pan jako zazdrośnik, i przypadkowo wyniuchał pan nie tylko zdradę małżeńską. Damy panu dokumenty, które są sznurem wisielca dla majora Kadola. Jako honorarium chcemy adresik Luisy Lopez.

Baruch rozumiał, że Amerykanin mówi serio. Zastanawiał się krótko, gdyż nienawiść mająca źródło w zranionej męskiej pysze genitalnej jest siłą ogromną. Spytał:

— Szpiegostwo, agent waszych *„służb"*?

— Nie, duuużo gorzej. Mamy układ, pułkowniku?

— Tak. Czy papiery, o których pan mówił, są w tej teczce?

Teczka Abelmana leżała na pustym krześle między nim a *„katsą"*. Lowa przysunął ją bliżej siebie i powiedział:

— Są tutaj. Lecz odbieranie mi ich siłą chybiłoby celu, bo jeden mój ruch i cała zawartość teczki zmieni się w nieczytelną maź.

Umilkli ponownie. Baruch lustrował drobne obłoczki wiszące na firmamencie niebieskim, tłumiąc odgrzaną właśnie gorycz klęski płciowej. Raptem, jakby ktoś użył klucza do otwarcia mu serca pełnego bólu i gniewu, powiedział cicho:

— Przed paroma dniami widziałem w bulwarówce tekst o tym, że dzisiaj kobiety zdradzają częściej, że to już właściwie moda. Był tam spis rad dla facetów, jak rozpoznać, że się jest zdradzanym. Punkt 1: ona traci chęć na uprawianie seksu. Punkt 2: ona ciągle wywołuje kłótnie bez powodu, aby mieć pretekst dla częstego wychodzenia z domu, rzekomo, by *„wyżalić się przyjaciółce"*. Moja kobieta codziennie przed wieczorem robiła mi piekło i znikała, a ja byłem ślepy...

Lowa nie chciał dyskutować o rogach pułkownika, lecz musiał coś powiedzieć, więc palnął „filozoficznie”:

— Takie są baby, to biologia, hormony, geny, Darwin, pułkowniku. Zadręczanie się niczemu nie służy. Mój kumpel, gdy się dowiedział, iż żona go zdradza, reagował kpiąc. Pamiętam, że sprzedawał taki dowcip: *„Jak brzmią dwa najgorsze słowa, które można usłyszeć podczas uprawiania seksu? «Kochanie, wróciłem!»”.*

Nie rozśmieszył, i ani trochę nie rozluźnił atmosfery, być może tamten nawet nie słyszał dowcipu, zasłuchany we własne myśli. Z ust pułkownika wypłynęły lunatyczne słowa:

— Prędzej czy później...

— Że co? — zdziwił się Abelman. — Co prędzej czy później?

Nie było odpowiedzi. Baruch miał akurat w głowie prehistorię: pierwszy pocałunek z przyszłą żoną, którą obejmował, chcąc rozebrać i posiąść bez zwłoki. Wiedział wtedy, że to nastąpi prędzej czy później, dlatego szepnął: „ — *Prędzej czy później...*”, zaś ona świetnie zrozumiała sens tych słów i odszepnęła: „ — *Wolę prędzej!*”. Amerykanin spytał jeszcze raz:

— Panie pułkowniku, co prędzej czy później?

„Katsa” się ocknął:

— Nic. Dam panu adres tej dziewczyny. Dla kogo robi Kadol?

— Dla Chińczyków.

— Ma pan dokumenty, które bezspornie dowodzą zdrady Kadola?

— Dokumenty plus dyski z nagraniami, wszystko jest w teczce. Gdzie mieszka dziewczyna?

— W La Valetta, stolicy Malty. Uciekła stąd, bo familia jej rodzicielki chciała ją przekręcić na judaizm, a ona jest dewocyjną katoliczką kultu Maryjnego, po ojcu.

— Kultu Najświętszej Marii Panny z Guadalupe?

— Tak.

— Jaki ten świat jest ciasny! — westchnął Lowa.

Teraz „*katsa*" nie zrozumiał o co chodzi:

— Że co, mecenasie?

— Nic istotnego. Czy jesteśmy obserwowani przez waszych, pułkowniku?

— Nie, może mi pan spokojnie dać teczkę, a ja dam panu kopertę z adresem, zdjęciem domu gdzie mieszka, i zdjęciem knajpki, w której pracuje.

Nim się pożegnali i rozeszli, Avider otworzył teczkę i przeglądnął zawartość. Usatysfakcjonowała człowieka, któremu wieńczyły czaszkę chwasty libidycznej nienawiści.

Lecąc nad Morzem Śródziemnym ku Malcie, Abelman nie był pewien sukcesu. Po głowie biegała mu szowinistyczna samcza konstatacja, którą celnie sformułował żydowski noblista Isaac Bashevis Singer („*Kobiety mają naturę perwersyjną; nie znajdziesz takiej obrzydliwości, której kobieta by nie popełniła*"), lecz bał się, że Luisa Lopez nie da się nakłonić do obrzydliwości planowanej przez szefostwo. Zaczepił dziewczynę rano, gdy wychodziła z kościoła Il Gesù, będącego chlubą La Valetty. Modliła się tam codziennie przez kwadrans, i stąd szła do pracy w knajpce portowej. Trzęsła się ze strachu, kiedy usłyszała:

— Que tal, señorita Lopez? Hace un día estupendo*.

— Nie nazywam się Lopez! — krzyknęła. — Nazywam się Madriana, Laura Madriana!

— Przestań chrzanić, dziewczyno! — skarcił ją Abelman. — Jeżeli my, biurokraci CIA, znaleźliśmy cię tutaj, to cyngle kartelu też cię znajdą, nie umkniesz im.

— Czego ode mnie chcecie?!

— Prostej wymiany przysług. My zapewnimy ci bezpieczeństwo i dostatek, a ty zrobisz coś dla nas. Jednorazowo. Jedna przysługa i będziesz wolna, będziesz potem mogła robić co zechcesz. Jak zażądasz, obejmie cię program ochrony świadków i bandziory nigdy cię nie namierzą.

---

* — Jak leci, panno Lopez? Piękny dzień dzisiaj mamy.

Dwie godziny perswadował, przekonując dziewczynę, wabiąc, strasząc, grożąc i szantażując — robił co mógł. Wreszcie przekonał, że każde inne wyjście będzie dla niej fatalne, gdyż w tej loterii życiowej tylko jeden numer skutkuje premią. Zapytała:

— Przysięga pan, że nie więcej niż pół roku?

— Powiedzmy: rok, dziecinko. Rok, i decyzja będzie należała do ciebie, wyfruwasz lub zostajesz. We wszelkim układzie będziesz bardzo sytą damą, przysięgam! A Kanada, zwłaszcza prowincja kanadyjska, to kraj piękny... Teraz idź do swojego pracodawcy, powiedz, że rodzina cię gwałtownie wzywa, bo matka zaznała udaru mózgu, i wsiądź do srebrnego renaulta stojącego przy księgarence. Pracownik mojej ambasady zawiezie cię gdzie trzeba, a jutro wylecisz do Stanów. I już się nie troskaj. Na zgryzoty bezkonkurencyjna jest lektura Biblii, weź to ze sobą.

Podał Luisie małe grubachne Pismo Święte, owinięte papierem dekoracyjnym i przewiązane wstążką.

— Ile razy dopadnie cię smutek, w tym tomiku znajdziesz pociechę, moja droga.

Gdy godzinę później Luisa Lopez rozpakowała prezent, zobaczyła, że przy wszystkich świętych obrazkach (łącznie 60) rolę bibułek ochronnych pełnią kanadyjskie banknoty tysiącdolarowe, to jest o nominale rekordowym wśród aktualnych zachodnich dolarów.

* * *

Anno Domini 2009 czwartkowe święto Bożego Ciała przypadło 11 czerwca. W każdym arcykatolickim kraju tego świątecznego dnia ulicami ciągną duże oraz małe procesje wiernych. Nic więc dziwnego, że stołeczną ulicą Tacuba ciągnęli ku Katedrze Metropolitalnej *„santamuertyści"*, tradycyjnie przebrani za kościotrupy — mieli efektowne maski–czaszki i białe szkielety wymalowane na długich wielobarwnych płaszczach. Zbliżając się rytmicznie/melodycznie do świątyni, musieli minąć opancerzoną limuzynę, której strzegło kilkunastu strażników. I właśnie wtedy, gdy ich mijali, zachowali się bardzo brzydko.

Świat chamieje. Jeśli nie wierzycie — otwórzcie telewizor lub idźcie do pubu czy klubu. Wszystko się zbrutalizowało, zwulgaryzowało, zesrało. Nawet wymiana ognia. Gdzie te czasy, kiedy pod Fontenoy (1745) stanęły przeciwko sobie szeregi Anglików i Francuzów! Francuzami dowodził marszałek de Saxe, zaś Anglikami książę Cumberland. Wpierw oficerowie brytyjscy pozdrowili Francuzów, zdejmując kapelusze. Oficerowie francuscy uczynili to samo. Później lord Hay zawołał do przeciwników: „ — *Moi panowie, zechciejcie wystrzelić salwę jako pierwsi!"*. Riposta Francuzów brzmiała: „ — *Ależ nie, wam, panowie, oddajemy ten honor!"*. Dopiero wówczas Anglicy wystrzelili, Francuzi tuż po nich, i dalej już rozstrzeliwano się wzajemnie bez przerw ceremonialnych, choć przy zachowaniu wszelakich rycerskich reguł. Tymczasem dzisiaj jedyna reguła brzmi: *„Kto pierwszy, ten lepszy"*, więc gdy spod obszernych płaszczy *„santamuertystów"* plunęły lufy karabinów maszynowych, *„goryle"* pilnujący limuzyny pancernej nie mieli szans. Granaty dopełniły reszty, a cuchnący gaz petard dymnych rozpędził przechodniów i pątników. Kierowca limuzyny usłyszał:

— Otwieraj, lub spalimy tę brykę, amigo!

Na karoserię lunęła benzyna, więc otworzył. Dzięki temu przeżył. Z wozu ukradziono mu tylko pracodawcę, szychę *„federales"*, generała Bartolomé Vázqueza. Generał został wepchnięty do innego samochodu, zaś kilka ulic dalej przeniesiony do furgonu, którego wnętrze wymateracowano. Tam, związany na krześle jak tłumok transportowy, ujrzał fizjonomie ludzi, którzy go porwali. A to — zdjęcie masek — mogło znaczyć, że nie porwali dla okupu, lecz dla egzekwowania wyroku. Jeden klepnął go przyjacielsko:

— Cześć, stary! Wiesz, że życie bywa dla uczciwych okrutne jak cholera. My bywamy okrutni dla nieuczciwych.

— Jesteście z amerykańskich *„służb"*? — zapytał tonem demonstrującym fałszywie brak lęku.

— Tak — rzekł ten sam gość, który pierwszy przemówił (Nowik). — Ja jestem młodszym bratem Baracka Obamy, a kolega jest siostrą Hillary Clinton, prawda, że podobny, generale?

— Jesteście z Team One?

— A co, nie widać? To pewnie ten półmrok. Nas się łatwo identyfikuje, bo wszyscy jesteśmy przystojni.

— To wy rozwalacie *„golfistów"*?

— Zaraz *„rozwalacie"*! Raczej rozgrywamy. Rozegraliśmy partyjkę golfa łbami chłopców z kartelu Golfo. Wszystkie piłki wpadły do dołków za jednym uderzeniem, to jest klasa, przyznasz!

— Czy to wy...

— Chwileczkę! — wtrącił drugi mężczyzna (Farloon). — To my mieliśmy przesłuchiwać, a nie odwrotnie, generale! Nie plątajmy ról. Mamy dużo pytań i niezbyt dużo czasu, rozumie pan?

— No hay derecho!*

— Oczywiście, że nie mamy prawa. Mamy to samo co wy: bezprawie. Krańcowe bezprawie. Dlatego będziemy grać bardzo ostro. Ja wiem, że była kiedyś taka wojna, podczas której Konwencja Genewska dawała jeńcowi prawo do odmowy zeznawania, lecz tutaj mamy zupełnie inną wojnę, inne reguły. Wasze reguły.

— Zabijcie szybko!

— Chciałbyś! — uśmiechnął się Forman.

— Zeznam co tylko potrzebujecie.

— Tak sam, żadnego bicia? *„Violetta"* twierdzi, że lubisz być batożony, sadomasoszku...

— Powiem wam wszystko bez oporu, panowie.

— Jasne, że powiesz, z oporem lub bez oporu...

— Bez oporu!

— By uniknąć prawdziwych mąk?

— Zgadza się, nie chcę być męczony. To robi z człowieka szmatę, oszczędźcie mi tego.

— A ty oszczędzałeś ludzi? — spytał Farloon. — Oszczędzałeś wszystkie te *„szmaty"*, które *„Bliznobrody"* dla ciebie wykańczał? Nie darowaliście nawet dziecku, tnąc mu palec i ucho.

— To się stało wbrew mojej woli, Jimenez się tego dopuścił...

---

* — Nie masz prawa!

— Daruj sobie te bzdety, niczego nie użebrasz — wyjaśnił mu Farloon. — Tak naprawdę, generale, my tylko was kopiujemy. Wy zamknęliście Nowy Testament w ciemnej szufladzie, i my również. Wy pyrgnęliście Dekalog do głębokiego rowu, i my również. Wy na karcie słownika zamazaliście słowo l i t o ś ć, i my również. Trzy razy to samo. Sin misericordia!*

— Czy pan nie pojmuje, że to tylko interesy?... — zdumiał się Vázquez. — Tylko kasa, więc może się dogadamy, gringo?

— Wszystko co mogę panu ofiarować, to skrócenie mąk, jeśli nie będzie pan łgał, generale. Wycisnąłem już furę zeznań z paru ludzi, choćby z Rodrigo Gonzalesa, Enrique Orduza i Miguela Cisnerosa, dlatego wiem bardzo dużo. Każda niezgodność między pańską odpowiedzią na moje pytanie a moją dotychczasową wiedzą będzie pana straszliwie bolała. Wystarczy, że raz zauważę taką niezgodność, a przestanę ufać we wszystko co pan mówi. Wówczas będzie pan torturowany o wiele dłużej i o wiele boleśniej. Niech pan powie swemu sprytowi, by rozważył takie ryzyko kłamstwa. Zaczniemy od lądowisk łodzi kolumbijskich zatoce Tehuantepec.

Vázquez podjął ostatnią próbę dobycia się z opresji:

— Setki glin to moi ludzie, setki federales. Wytropią was i rozerwą!

Siedzący przy kierownicy Gracewood złapał się oburącz za głowę, po czym jęknął ze strachu:

— Madre de Dios! Buena la hemos hecho!**

— Dogadajmy się, jeszcze można to wszystko odkręcić! — zaproponował Vázquez.

— Odkręcać chcesz przy pomocy twoich *„psów"* z policji, czy przy pomocy twoich *„żołnierzy"* z kartelu, amigo?

— Nie jestem członkiem kartelu!

— Więc tę wyjętą przez nas z twojej kieszeni platynową figurkę Santa Muerte, inkrustowaną brylancikami i będącą signum dy-

* Bez litości!
** — Matko Boska, aleśmy się urządzili!

gnitarzy gangu, znalazłeś przy drodze, kiedy uprawiałeś codzienny jogging?

Dalszej części dialogu między generałem Vázquezem i aniołami zemsty nie będę relacjonował, gdyż nie bawi mnie twarda pornografia podszyta bólem. Wolę już dialog z innym generałem, rosyjskim, prowadzony 15 czerwca przez Jana Serenickiego. *„Wieża"* bowiem ujawnił wreszcie Tiomkinowi, że służy komuś innemu. Zaczął tak:

— Nie tęskni pan do Kanady, Igorze Pietrowiczu?

— A wiesz, że tęsknię — odparł Tiomkin.

— Łatwo było zgadnąć.

— Pewnie, że łatwo. Tam czułem się bardziej wolny, miałem skrzydła. I ta przyroda, te polowania, te biwaki na śniegu... Tu też są polowania, tylko że to ja jestem zwierzyną. Dość już mam pieprzonych Grynbergów i Fedoruków, tutaj się duszę!

— A oni mają dość pana i chcą pana zadusić, bo takie dano dyrektywy z Moskwy. Polecam Kanadę, Igorze Pietrowiczu.

— Urlop? Wykorzystałem już prawie cały tegoroczny urlop, zostało mi jakieś pół tygodnia.

— Myślę o urlopie dużo dłuższym, generale.

Tiomkin spojrzał zdziwiony, nie wierząc własnym uszom:

— O czym ty mówisz, Poliak?...

— O emigracji do Kanady.

— Mam zwiewać do Kanady, bo jakaś moskiewska *„służbowa"* frakcja chce mnie odstrzelić i wysłać na emeryturę?! Trudno, chcą wysłać, no to wyślą, na Sybir nie wyślą.

— Na Sybir może nie, lecz na osiedle z wielkiej płyty, gdzie rano będzie pan stawał w kolejce po śmierdzącą kaszankę, Igorze Pietrowiczu. Wokoło betonowa pustynia, trochę inaczej niż w tym luksusowym kanadyjskim domku pośród puszczy.

Mówiąc to, Serenicki wyjął kolorowe zdjęcie i podał je generałowi, którego zatkało. Tudzież zachwyciło, bo willa była obszerna i luksusowa, ergo bajeczna. Na ganku ktoś stał, lecz skala ujęcia nie zezwalała rozpoznać osoby.

— Kto stoi na tym ganku?

— Luisa Lopez, generale.

— Luisa?!...

— Tak, Luisa, nie przesłyszał się pan. Wyczekuje pana, tęskni bardzo. Jak bardzo, niech pan sam zobaczy, mam tu list od niej do pana.

Generałowi drżały ręce gdy czytał list kaligrafowany na odwrocie drugiego zdjęcia, ukazującego ten sam ganek i Luisę w dużym zbliżeniu.

— Pismo można podrobić... — mruknął.

— Głos też można podrobić, ale pan chyba uwierzy kiedy pan usłyszy.

Z głośniczka dyktafonu popłynął czuły głos Luisy Lopez, zwracającej się do generała pieszczotliwą ksywką łóżkową.

— Wtedy uciekła ode mnie, zwiała, a teraz...

— Uciekła nie od pana, lecz dlatego, by schronić się przed kartelem, który ją panu wypożyczył, Igorze Pietrowiczu.

Tiomkin wbił się wzrokiem w twarz Polaka i zapytał:

— Ty się nie boisz?

— Czego?

— Że cię wydam.

— Trudno, *„na wojnie, jak na wojnie"*. Nie przeżyłby pan miesiąca od mojego zejścia, generale, nie opuściłby pan żywy Meksyku. Moi koledzy są dobrzy w tej robocie, właśnie skasowali generała Vázqueza, a wcześniej kilku bonzów kartelu Del Golfo. Waszyngton nie wysłał amatorów, nie pracuję z dupkami.

— Jak długo już pracujesz z tymi niedupkami, Poliak?

— Czy to teraz ważne, generale? Ważne jest czy pan się zgadza na to co proponujemy panu. Proponujemy luksusowe życie z ukochaną kobietą. Żadnych trosk, złota jesień życia, realna wersja raju arkadyjskiego, czegoż trzeba więcej?

— Przysięgałem! — szepnął generał.

— Przysięgał pan sowieckim zbrodniarzom, kagiebowcom!

— Ale przysięgałem!!

Oddychał coraz bardziej ciężko, jakby rytmem spazmu. Serenicki pojął, iż konieczne jest relanium, czy nawet morfina, zaczął więc recytować łagodnie:

„Kiedym, wbrew sercu, postanowił
Już jej nie kochać — na com liczył?
Kres wyznaczyłem bezkresowi,
Miłość bez granic — ograniczył.

Na jedną chwilę, przeniewierca,
Wzgardziłem straszną jej potęgą —
I dowód mam, że pragnień serca
Nie wstrzymasz wolą ni przysięgą.

Że nic mym więzom nie podoła,
A spokój, który mnie dziś mami,
To głos przelotny — pieśń anioła
Nad uśpionymi demonami" *.

Skończył i czekał aż tamten powie coś, lecz Tiomkin milczał, oddychając równie nerwowo jak przedtem.

— Rozpoznał pan te rymy, Igorze Pietrowiczu?

— Tak, to Lermontow.

— Pański ukochany Lermontow.

— Celowo się tego wyuczyłeś?

— Celowo. Zna pan tytuł wiersza?

— Tytuł brzmi: **„Do siebie"**.

— No właśnie, proszę to wziąć do siebie, generale, iż *„pragnień serca nie wstrzymasz przysięgą"*. Zwłaszcza przysięgą kagiebowską, Igorze Pietrowiczu. Pan nie ma wyjścia. Kocha pan Luisę, a kiedy ja zwieję lub zostanę zdemaskowany, urwą panu łeb, bo był pan moim protektorem przez długie lata. Nie będzie nawet żelbetowej pustyni i osiedlowej kaszanki, będzie łagierna miska, i to przy dużym szczęściu...

---

* Tłum. Julian Tuwim.

— A jak mimo tej groźby odmówię?
— To media podadzą szczegóły pańskiej współpracy z kartelami, przerzut narkotyków.
— Taki miałem rozkaz.
— Kogo to będzie obchodziło, że wypełniał pan służbowe zadania, Igorze Pietrowiczu?
Tiomkin pokiwał głową:
— Wszystko macie skalkulowane?
— Wszystko, nie uprawiamy amatorszczyzny.
— Nie uprawiacie też filantropii. Jaka jest cena?
— *„Kret"* w NCS. Może pan go wskazać już po zainstalowaniu się na terenie Kanady u boku Luisy.
Chmurną twarz generała rozjaśnił raptownie uśmiech:
— A mówiłeś, że skalkulowaliście wszystko! Błąd, cwaniacy! Ja nie znam danych tego *„kreta"*, nie wiem kto nim jest. I nie wiem jak mógłbym się dowiedzieć kto nim jest. Klapa, plan się wam nie udał, gospodin Serenicki!
— To się dopiero zobaczy, generale. Ponawiam ofertę za niższą cenę, za drobiazg. Niech pan nam przekaże treść ostatniego szyfrogramu *„kreta"*, a właściwie tylko jedno słowo. O jakim państwie jest mowa w tej depeszy, Igorze Pietrowiczu?
— O żadnym.
— Nie chce pan Arkadii kanadyjskiej?
— Naprawdę o żadnym. Mowa tam jest o propozycji zmian waszych kodów. Miałeś pewnie na myśli nie wczorajszy, lecz przedwczorajszy szyfrogram, sygnalizujący nową akcję CIA w Hondurasie...
— To wszystko! — ucieszył się Serenicki. — Właśnie wygrał pan bilet do ukochanej Kanady, Igorze Pietrowiczu. W NCS zastosowano *„papkę kontrastową"*. Wytypowano sześciu podejrzanych, sześciu kandydatów na *„kreta"*. Każdy z nich zyskał „przypadkowo" informację o tajnej misji CIA, ale każdy inną, adresy były różne. Ekwador, Honduras, Kolumbia, Gwatemala, Wenezuela i Peru. Już wiemy kto jest *„kretem"*.

— A ja wypaplałem przed zasiedleniem domku w puszczy, więc możecie mnie teraz olać, nic mi nie dając.

— Pierniczy pan bez sensu, generale! Po pierwsze: my dotrzymujemy umów. A po drugie: chłopcy z CIA i z reszty jankeskich *„służb"* będą chcieli przepytać wieloletniego rosyjskiego *„rezydenta"* bardzo szczegółowo. Będziecie dialogowali kilka miesięcy.

— Po pierwsze i po drugie?

— Właśnie.

— Tylko kolejność ci się przestawiła, Poliak. Czy dialogowanie z generałem Vázquezem zajmie tyle samo czasu?

— Mówiłem panu, generale, że jemu się umarło. Został przepytany i skasowany. Leży na wysypisku. Sic transit hijo de puta![*]

— Ładnie wymyślasz te gry słów, agencie *„Y"*...

— Nie tym razem, Igorze Pietrowiczu. Tak powiedział Hemingway o Fulgencio Batiście, dyktatorze Kuby. Jeśli woli pan gorącą Kubę, a nie mroźną Kanadę, damy tam panu wyjechać z Luisą.

— Bardzo dowcipne, to już chyba pańska własna gra słów, gospodin Serenicki! Chcę operacji plastycznej, zmiany nazwiska, programu ochrony i domku kanadyjskiego!

— Klient nasz pan — zgodził się werbownik.

— Chcę też amerykańskiego lub kanadyjskiego obywatelstwa, czyli papierów! Jak mówi stare ruskie porzekadło: *„Bez bumażki ty bukaszka"*[**].

Nazajutrz Clint Farloon pochwalił werbunek, kadząc kumplowi:

— Pięknie to rozegrałeś, chłopie.

— Nie zaprzeczę, przez skromność. Rzymianie nazywali takie robótki *„opus magnum"*[***].

— A Aztecy lub Majowie?

— *„Pelotazo"*, piłeczka, celne uderzenie piłeczką, w meksykańskim slangu: chwyt, numer, manewr, który daje duże zyski.

---

* Tak oto przemija skurwiel!

** Bez papierka jesteś robaczkiem.

*** genialna robota.

— Powiedziałeś mu jak krótki będzie jego zysk? Że ona zostanie przy nim tylko rok?
— Nie, wolałem niczego nie zepsuć.
— Więc humor zepsuje mu się po roku.
— Nie bądź taki pewny. Wszystko zależy od niego. A konkretnie: od jego *„ptaka"*. Być może ona przywiąże się do niego.
— Do *„ptaka"*?
— Właśnie to mówię.
— Więc winien odbyć poważną rozmowę z *„ptakiem"*, jeżeli od *„ptaka"* zależeć będzie trwałość ich związku.
— No. Jak mówią Polacy: *„Teraz wszystko w rękach konia"*.

* * *

Adres *„Bliznobrodego"*, uzyskany od generała Vázqueza, zezwolił *„4"* śledzić tę melinę dzień i noc. Minęły ledwie dwa dni inwigilacji, gdy do Jimeneza przybył Metys Herrera, *„cyngiel"* działu operacyjnego *„rezydentury"* rosyjskiej, a wkrótce po człowieku Fedoruka duet Kubańczyków z DGI, major Miranda i kapitan Gorito. Zawiadomiony przez Nowika Farloon nie wahał się ni sekundy:
— Duża gratka, tyle rekinów w jednym worku! Mają zebranie. Przyłączę się na piątego.
— Sam?
— Sam. Przyłączę się do tej konferencji, tej burzy mózgów.
— Wodzu, sam nie dasz rady! — krzyknął *„Pole"*.
— Jeśli nie dam rady, to będzie znaczyło, że niewiele byłem wart. Macie czekać na ulicy, boys.
— Aż dasz znak?
— Owszem.
— Jaki?
— Ludzie będą spadać z nieba, pikując.
— Jak to: z nieba?
— Normalnie. Nie widziałeś spadochroniarzy? Musicie czekać, i już!

Wszedł do budynku przebrany za kapucyna. Na trzecim piętrze dwaj *„goryle"*, zmyleni widokiem habitu, mieli *„opóźniony czas reakcji"*, więc umarli bezgłośnie dzięki tłumikowi na krańcu lufy pułkownika. Kopnięciem wyważył drzwi i podziurawił ołowiem czoła Kubańczyków. Metys i *„Bliznobrody"* też nie zdążyli wyjąć *„klamek"*, lecz ich nie zastrzelił.

— Rozbierać się, amigos! Już!

Zdejmowali łachy nerwowo, zerkając po bokach, jakby w poszukiwaniu czegoś, co zezwoli im odmienić sytuację.

— Do naga? — spytał Metys.

— Nie dzisiaj, amigos. Dzisiaj nie kręcimy kamasutry, możecie zachować slipy oraz koszulki, skarpetki też są wasze.

Gdy zdejmowali dżinsy, ostrzegł ich:

— Nie hazardujcie spluweńkami goleniowymi, kropnę was szybciej, nie warto! Cały czas filujecie na mnie, cały czas!

Odpięli kabury przygoleniowe wolno, patrząc mu w twarz wedle rozkazu.

— Teraz idziemy na górę, chłopcy. Bez głupstw, bo to grozi śmiercią.

Podest czwartego piętra miał drabinę prowadzącą do klapy sufitowej. Otwarli klapę i wyszli na płaski, kryty kamiennymi płytami dach. Wokół jego krawędzi biegł niski attykowy murek, a ze środka wyrastał komin. Farloon rzucił w otwór komina dwa swoje pistolety (podpachowy i goleniowy), odpiął kabury, cisnął je na bok, zdjął habit i buty, wreszcie rzekł:

— Teraz macie przewagę, amigos. Możecie zeskoczyć lub walczyć. Doniesiono mi, że obaj wyraziliście chęć skręcenia mi karku. Konkretnie: *„skopania mi dupy"*, jak mówiłeś ty, Herrera, i *„rozsmarowania mnie palcem"*, jak mówiłeś ty, Jimenez. Użyj którego chcesz palca, lub wszystkich palców, proszę bardzo.

Osłupienie dwóch zbirów przerodziło się w rozluźnienie/rozbawienie:

— Ale kogut! — sapnął z podziwem Herrera. — Widziałeś kiedyś podobnego, Pancho, widziałeś, przyjacielu?

— Widziałem — rzekł *„Bliznobrody”*. — Nazywał się Gary Cooper. Pusta main–street, on sam przeciwko całej bandzie, lonely cowboy!*

— Pieprzysz, tamten miał colta, a ten ma tylko świra!

— O, przepraszam, pomyliło mi się, to nie Cooper, to Chuck Norris.

— Jaki, kurwa, Chuck Norris? To van Damme! Albo Seagal...

— Tutaj ty pieprzysz, bo on mi raczej przypomina komika od kung–fu... Te, Bruce Lee, czego ty chcesz, po co ci to?

— Naoglądałem się filmów — rzekł spokojnie Clint.

— On naoglądał się filmów... A serio?

— Serio, to kończymy zamiatać.

— A zupełnie serio?

— Zupełnie serio, to chcę, żebyście zdychali bezzębni, posiniaczeni, upokorzeni, pikując, czyli żebyście konali nie za szybko, nie tak szybko jak się umiera od kuli. Żebyście mieli pełną świadomość i mokro w gaciach. Popuścicie nim wylądujecie, amigos...

— Musi być dobry, jeśli tak szczeka.

— Fakt, w gębie jest dobry. Sprawdzimy czy jest dobry nie tylko w pysku.

Sprawdzili. Pierwszy pikował Herrera. Jimenez rozbił się o asfalt dwie minuty później. Winowajca tych dwóch lotów podszedł do murku flankującego dach, wychylił się za attykę i spojrzał w dół na leżące ciała, rzucając refleksję osobistą:

— Nie dość, że nie wygrywacie, kurwa, to jeszcze przegrywacie!

I tak racja została przy nich — był istotnie nieźle wyszczekany, celnie pytlował.

Zdjęcia trupów (tych oraz wcześniejszych) zawiózł Ramírezowi. Wręczając je, rzekł:

— Winienem, wedle tutejszego zwyczaju, przywieźć panu łby Gonzalesa i Jimeneza, bo to oni porwali małego Pablito. I głowy

---

* ... samotny kowboj!

Kubańców, którzy zamordowali *„Chico"*. Ale nie mam talentów prosektoryjnych, brzydzi mnie kawałkowanie zwłok.

— Rozumiem, pułkowniku. Pomścił pan mojego wnuka i mojego bratanka, jestem panu bardzo wdzięczny. Za ile głów płacę?

— Dziewięć, señor. Dziesiątą musi pan zdjąć sam.

— Dziesiątą? Czyją?

— Pańskiej siostry. Doña Maria współpracowała z kidnaperami, członkami kartelu Golfo.

— Pan oszalał, lub stroi pan sobie głupie żarty, pułkowniku!

— Jak to błazen, señor. *„Matachín"* znaczy także: błazen, pajac. Gdy pierwszy raz się widzieliśmy, tłumaczył mi pan rozmaite znaczenia słowa *„matachín"*, ale o tym znaczeniu nawet się pan nie zająknął...

Ramírez zdawał się nie słyszeć pretensji Farloona. Wycharczał, ocierając dłonią pot z twarzy:

— Czemu miałaby to robić, pułkowniku?!

— Nie wiem po co to robiła, może dla pieniędzy, może dlatego, że jest brzydką starą panną, a może dlatego, że ma od dziecka kompleksy wobec starszego brata, to zadanie Freudów, ja nie jestem psychiatrą ani psychoanalitykiem. I nie chcę grzebać ołowiem wewnątrz pańskiej familii, señor. Niech pan to załatwi sam.

Grzebać ołowiem, czyli pogrzebać kogoś, chciał już tylko w jednym meksykańskim domu, dalekim od ranczo milionera — w stołecznym domu przy ulicy Orizaba. Serenickiemu wyznał:

— Zostawiłem go na deser, później wracamy do mamy, y sanseacabó*.

Zajechali przed ów budynek o wczesnym zmierzchu, lecz nim weszli — z bramy po drugiej stronie ulicy rozbrzmiała broń automatyczna. Czekano tu na nich wiele dni — czekała bojówka kartelu Juárez. Nowik, który oberwał w pierś i w brzuch, upadł. Lekko ranni byli Gracewood i Farloon. Zasłaniał ich wóz, któremu gumy dziurawiły kule. Posadzili Nowika opartego o tylne koło i strzela-

---

* ... i na tym koniec.

li ku morderczej bramie, lecz dopiero rzucony granat Formana stłumił na chwilę ogień stamtąd. Wtedy pułkownik i *„Husky"* skoczyli do wejścia i ruszyli schodami do mieszkania, które było celem, a *„Woody"* został przy Polaku.

— Ty też wypierdalaj, bo cię rąbną... — szepnął plujący krwią Nowik. — Ja już się kończę, nie ma sensu, byś ginął dla trupa.

— Nie będę wypierdalał, kiedy kończy się Polak, zawsze chciałem to zobaczyć, dobrze wiesz jak nie lubię Polaczków — mruknął *„Woody"*, zmieniając magazynek. — Mój dziadzia nie wybaczyłby mi, że mnie przy tym nie było.

Nowik próbował się uśmiechnąć wargami pełnymi krwi:

— Wyrywaj stąd, *„Woody"*, płyń stąd, a jak już znajdziesz się w piekle, nie mów dziadkowi tego.

— Mam spieprzać przed Meksykami, kurwa?! Nie boję się ich! Fucking fags!* Zostaję, brachu, doczekamy przybycia glin, zaraz tu będą. Nie damy się, tylko wytrzymaj, *„Pole"*! Nic nie mów, leż spokojnie, nie dam się zbliżyć gnojom ani o cal! Wezmę twój granat, zrobimy im małe kuku... Nie zamykaj powiek, nie zamykaj, wytrzymaj, stary!!...

Tymczasem Clint i Hank weszli do mieszkania inspektora Cisnerosa, kazali mu usiąść i przemówił Farloon:

— Witaj, Miguelu, jak zdrowie?

— Dziękuję, nie narzekam — odparł drżącym głosem inspektor.

— Z tym różnie bywa, czasami ludzie zupełnie zdrowi raptownie umierają. Ci hałasujący na ulicy to twoi przyjaciele?

— Ależ skąd, nie znam tych ludzi!

— No tak, zapomniałem, że twoi przyjaciele to skrajna lewica, a nie szumowina kartelowa. Przy okazji: winieneś czcić inną mumię, amigo.

— Mumię?...

— No. Czcisz mumię Lenina wystawioną w przykremlowskim mauzoleum, a powinieneś czcić mumię Julii Pastrany leżącą w sar-

---

* Pieprzone pedały!

kofagu norweskiego Szpitala Narodowego. Oslo, a nie Moskwa. Wiesz czemu? Bo Pastrana była Meksykanką. I dziwolągiem, tak jak Lenin. Lenin był czerwony od stóp do głów, a Julia była gęsto owłosiona na całym ciele, jej skórę porastało długowłose futro. Uczeni głosili, że jest córką orangutana lub niedźwiedzia. Sto pięćdziesiąt lat temu wożono ją jako dziw natury po całym świecie, a gdy zmarła, zabalsamowano...

— Szefie, mamy niewiele czasu! — przypomniał *„Husky"*.

— Już kończę — rzekł Farloon, odbezpieczając glocka. — Miguelu, słyszałeś chyba, że *„każdy idzie do piekła własną drogą"*? Ty szedłeś nikczemną drogą, drogą zdrady, więc trafisz do piekła rurą ściekową zdrajców. Wiesz kiedy zrozumiałem, iż jesteś zdrajcą? Gdy ukazano mi mój portret pamięciowy zrobiony przez Kubańczyków. Miałem na nim *„hiszpańską bródkę"*, którą sobie przykleiłem tylko raz — wtedy, gdy wizytowaliśmy ciebie. A później generał Vázquez wyznał mi, nie bez bólu, że to ty wydałeś *„narcosom"* wszystkich tutejszych agentów DEA, wszystkich ludzi Grahama, co do jednego.

Cisneros osunął się z krzesła na kolana i złożył ręce modlitewnie:

— Ja... ja nie chciałem... ale oni...

Strzał w skroń przerwał te błagania. Na zewnątrz rozległ się potężny huk eksplozji, która wysadziła szyby okienne — to samochód, za którym kryli się Nowik i Gracewood, eksplodował, gdyż kula skrzesiła iskrę przy benzynie cieknącej z dziurawego baku. Ciała obydwu uniosło i rzuciło o ścianę, razem ze szczątkami karoserii. Gęsty dym wypełnił ulicę, co przeszkadzało wozom policyjnym. Słysząc ich syreny, Forman krzyknął:

— Nie uciekniemy dołem, musimy się wydostać po dachach!

— Dachy to moja specjalność — mruknął Farloon. — Na nich łatwiej zauważam, iż tamci, nie dość, że nie wygrywają, to jeszcze przegrywają!

— Wygrałeś? — spytał go *„ojciec Damian"* przy pożegnaniu.

— Zamiotłem jak chciano.

— Pytam czy wygrałeś!
— Wszystko co wygrałem nie jest warte życia dwóch moich ludzi.
— Właśnie to starałem ci się powiedzieć przez cały czas, synu, ale ty źle słuchałeś, gdyż kowboje twojego rodzaju mają zły słuch zewnętrzny i jeszcze gorszy wewnętrzny. Gdybyś umiał dobrze wysłuchać siebie samego, zmieniłbyś swą drogę życia. Dzisiaj to jest droga siły zewnętrznej, a tobie trzeba wewnętrznej siły prowadzącej ku krainie spokoju. Trawi cię choroba.
— Jaka choroba, mnichu?
— Niepokój wewnętrzny.
Zakonnik wyjął z szuflady biurka kopertę i podał pułkownikowi, mówiąc:
— Tu jest recepta. Przeczytaj ją kiedy już wrócisz do domu, chłopcze.
W samolocie wojskowym, który ich zabrał z Meksyku, Farloon i Serenicki byli zbyt zmęczeni, żeby długo ze sobą gadać. Gadali tylko na początku, przez kilkanaście minut:
— Wywiozłeś już żonę i dzieciaki z Warszawy?
— Kilka dni temu, są teraz w Londynie.
— A twoja partia?
— Formalnie: *„zawiesiła działalność"*. Eurowybory stały się jej gwoździem do trumny. Tiomkin mówił, że dublerką będzie jakaś inicjatywa irlandzka, ale zdaje się, że ta inicjatywa również zainkasowała kopa od eurowyborców, kagiebowskie fundusze nie pomogły, i teraz czuć tylko smrodek. Ciekawe, iż tylu moich rodaków uwierzyło, że pucybut może zostać milionerem dzięki interesom kręconym bez udziału *„służb"* na terenie Łotwy i Estonii za czasów władzy sowieckiej. Przyjeżdża irlandzki golas z Zachodu i łaskawy ZSRR zezwala mu tłuc miliony bez dawania dupy! Ciekawe też, że media o tym nie informują.
— À propos informowania, chociaż nie medialnego: poinformuj rodziców Nowika — rozkazał Clint.
— Dlaczego ja, do cholery?!

— Jesteś Polakiem, będzie ich mniej bolało kiedy usłyszą po polsku. Tylko im nie mów, że był takim samym jak ty *„Polaco loco”**.

— Uświadomię im, że jego dowódcą był *„Yankee loco”***.

— Skończ już z tymi grami słów!

— To nie jest gra słów. Gra słów to coś innego, choćby ta subtelna różnica między *„Polaco poco loco”*, czyli *„Polak nie jest głupi”*, a *„Polaco un poco loco”*, czyli *„Polak jest trochę walnięty”*, wystarczy dodać rodzajnik *„un”*, by znaczenie zmieniło się radykalnie.

— Komu przeszkadza czy Polak jest trochę walnięty, czy bardzo mocno? Mnie przeszkadza tylko gdy ma nazwisko zbyt łatwe do wymówienia. Jak Nowik albo Serenicki.

— Winienem chrzęścić w zębach, panie pułkowniku?

— Dokładnie. Winieneś się zwać, powiedzmy... Krzysztofeczko***, lub coś w tym rodzaju.

— Bezbłędnie wymawiasz to nazwisko, jakbyś ćwiczył wymowę długie lata! — zdumiał się Serenicki.

— Ćwierć wieku to rzeczywiście długie lata, prawie ćwierć wieku... — szepnął Clint, odwracając głowę ku owalnej szybie, za którą pęczniały sylwetki ciężkich chmur, gotowe do ulewnego łzawienia.

Kopertę seniora Sanktuarium Guadalupe otworzył wówczas, kiedy Serenickiego zmorzył Morfeusz. Wyjął kartkę złożoną dubeltowo i gęsto zapisaną. Tytuł brzmiał: **„Desiderata (anonimowy tekst z 1692 roku, znaleziony pośród piwnic starego kościoła Świętego Pawła w Baltimore)”**. Tekst brzmiał:

„Krocz bez pośpiechu przez hałas i zamęt, pamiętając jaki spokój można znaleźć wewnątrz ciszy. O ile to możliwe, bez wyrzekania się siebie, bądź na dobrej stopie ze wszystkimi. Wypowia-

---

* szalonym Polakiem.

** szalony Jankes.

*** Patrz W. Łysiak, **„Konkwista”**.

daj swą prawdę jasno i spokojnie, i wysłuchaj innych, nawet tępych i nieświadomych, oni też mają swoją opowieść. Unikaj głośnych i napastliwych, są udręką ducha. Porównując się z innymi, możesz stać się próżny lub zgorzkniały, zawsze bowiem znajdziesz gorszych i lepszych od siebie.

Niech twoje osiągnięcia, jak i plany, będą dla ciebie źródłem radości. Wykonuj swą pracę sercem, jakkolwiek byłaby skromna; ją jedynie posiadasz przy zmiennych kolejach losu. Bądź ostrożny w interesach, na świecie bowiem pełno oszustwa, niech ci to jednak nie zasłoni prawdziwej cnoty. Wielu ludzi dąży do wzniosłych ideałów i wszędzie życie jest pełne heroizmu.

Bądź sobą, zwłaszcza nie udawaj uczucia, ani nie podchodź cynicznie do miłości, albowiem wobec oschłości i rozczarowań ona jest wieczna jak trawa. Przyjmij spokojnie co ci lata doradzają, z wdziękiem wyrzekając się spraw młodości. Rozwijaj siłę ducha, aby mogła cię osłonić w nagłym nieszczęściu. Nie dręcz się tworami wyobraźni. Wiele obaw rodzi się ze znużenia i samotności.

Obok zdrowej dyscypliny bądź dla siebie łagodny. Jesteś dzieckiem wszechświata nie mniej niż drzewa i gwiazdy. Masz prawo być tutaj. I czy to jest dla ciebie jasne czy nie, wszechświat jest bez wątpienia na dobrej drodze. Tak więc żyj zgodnie z Bogiem, czymkolwiek się trudnisz i jakiekolwiek są twoje pragnienia.

W zgiełku i pomieszaniu życia zachowaj przymierze ze swą duszą. Bez względu na całą złudność, na cały znój i na wszelkie rozwiane marzenia — jest to piękny świat. Bądź rozważny. Dąż do szczęścia".

K O N I E C

Posłowie

Dwa tygodnie po opuszczeniu przez pułkownika Farloona Meksyku wydarzyła się tam typowa straszna rzecz: w niedzielę 12 lipca roku 2009 kartel Familia Michoacána zaatakował frontalnie koszary wojska i komendy policji dziesięciu miast stanu Michoacán, mordując wielu funkcjonariuszy, wielu raniąc i kilkunastu uprowadzając. Nazajutrz zwłoki uprowadzonych (kobieta i 11 mężczyzn), których bestialsko torturowano, zostały znalezione przy jednej z górskich dróg. Kartel ogłosił, że to zemsta za niedawne aresztowanie 7 burmistrzów i 20 urzędników samorządów lokalnych, którzy pracowali dla *„narcos”*. Dzień później rozeszła się wśród dziennikarzy wieść, iż prezydent Felipe Calderón (notabene pochodzący ze stanu Michoacán) chwycił się środka ostatecznego: dał wojsku i policji cichą zgodę na łamanie prawa — na brutalne, pozaprawne metody działalności, w tym skrytobójcze eliminowanie członków kartelu:

— Nie patyczkować się, nie aresztować, tylko bezwzględnie odstrzeliwać! Zabijajcie, tak jak ci komandosi amerykańscy, którzy tu byli kilka tygodni temu!

14 lub 15 lipca rozeszła się kolejna pogłoska: iż rząd Meksyku ściągnie z USA grupę operacyjną superkomandosa noszącego pseudonim *„El Ámbar”* (*„Bursztyn”*), zlecając mu likwidację bossa kartelu Familia Michoacána. Nazajutrz (16 lipca) lokalny kanał telewizyjny stanu Michoacán wyemitował apel tego herszta, Servando Gomeza, do prezydenta Meksyku. *„La Tuta”* proponował Calderónowi *„rokowania pokojowe”* między kartelem a państwem i zawarcie *„paktu narodowego”*. Mówił:

— Wojna między nami jest przekleństwem Meksyku. Nie trzeba się zabijać. My kochamy ojczyznę, szanujemy jej władze, cenimy trud wojska i policjantów, jesteśmy sumiennymi obywatelami, którzy ciężko pracują i respektują wymogi honoru. Niech pan nas wysłucha, panie prezydencie! Podajmy sobie ręce, bo inaczej ta wojna nigdy się nie skończy!

Rząd Meksyku nie odpowiedział, informując media, że negocjacje ze zbirami są wykluczone.

W Meksyku dalej trwa piekło wojny.

Spis treści

LISTA KSIĄŻEK WALDEMARA ŁYSIAKA

1. **„Kolebka”** (Poznań 1974, Poznań 1983, Poznań 1987, Poznań 1988, Warszawa 2003/2004).
2. **„Wyspy zaczarowane”** (Warszawa 1974, Warszawa 1978, Kraków 1986, Chicago–Warszawa 1997).
3. **„Szuańska ballada”** (Warszawa 1976, Warszawa 1981, Kraków 1991, Warszawa 2003).
4. **„Francuska ścieżka”** (Warszawa 1976, Warszawa 1980, Kraków 1984, Chicago–Warszawa 2000).
5. **„Empirowy pasjans”** (Warszawa 1977, Warszawa 1984, Poznań 1990, Chicago–Warszawa 2001).
6. **„Cesarski poker”** (Warszawa 1978, Kraków 1991, Warszawa 2007).
7. **„Perfidia”** (Warszawa 1980, Kraków 1991).
8. **„Asfaltowy saloon”** (Warszawa 1980, Warszawa 1986, Warszawa 2005).
9. **„Szachista”** (Warszawa 1980, Kraków 1982, Kraków 1989).
10. **„Flet z mandragory”** (Warszawa 1981, Kraków 1983, Warszawa 1996, Warszawa 2009).
11. **„Frank Lloyd Wright”** (Warszawa 1982, Chicago–Warszawa 1999).
12. **„MW”** (Kraków 1984, Kraków 1988, Warszawa 2004).
13. **„Łysiak Fiction”** (Warszawa 1986).
14. **„Wyspy bezludne”** (Kraków 1987, Warszawa 1994).
15. **„Łysiak na łamach”** (Warszawa 1988).
16. **„Konkwista”** (Warszawa 1988, Warszawa 1989, Chicago–Warszawa 1997).
17. **„Dobry”** (Warszawa 1990, Chicago–Warszawa 1996).
18. **„Napoleoniada”** (Warszawa 1990, Chicago–Warszawa 1998).
19. **„Lepszy”** (Warszawa 1990).
20. **„Milczące psy”** (Kraków 1990, Chicago–Warszawa 1997).

21. **„Najlepszy”** (Warszawa 1992, Chicago–Warszawa 1997).
22. **„Łysiak na łamach 2”** (Warszawa 1993).
23. **„Statek”** (Warszawa 1994, Warszawa 1995, Chicago–Warszawa 1999).
24. **„Łysiak na łamach 3”** (Warszawa 1995).
25. **„Wilk i kuglarz — Łysiak na łamach 4”** (Warszawa 1995).
26. **„Old–Fashion Man — Łysiak na łamach 5”** (Chicago–Warszawa 1997).
27. **„Malarstwo Białego Człowieka”**, tom I (Poznań 1997,Warszawa 2009).
28. **„Malarstwo Białego Człowieka”**, tom II (Chicago–Warszawa 1997).
29. **„Malarstwo Białego Człowieka”**, tom III (Chicago–Warszawa 1998).
30. **„Malarstwo Białego Człowieka”**, tom IV (Chicago–Warszawa 1998).
31. **„Poczet *«królów bałwochwalców»*”** (Chicago–Warszawa 1998).
32. **„Malarstwo Białego Człowieka”**, tom V (Chicago–Warszawa 1999).
33. **„Napoleon fortyfikator”** (Chicago–Warszawa 1999).
34. **„Malarstwo Białego Człowieka”**, tom VI (Chicago–Warszawa 1999).
35. **„Cena”** (Chicago–Warszawa 2000, Chicago–Warszawa 2001).
36. **„Malarstwo Białego Człowieka”**, tom VII (Chicago–Warszawa 2000).
37. **„Stulecie kłamców”** (Chicago–Warszawa 2000, Chicago–Warszawa 2001).
38. **„Malarstwo Białego Człowieka”**, tom VIII (Chicago–Warszawa 2000).
39. **„Wyspa zaginionych skarbów”** (Chicago–Warszawa 2001).
40. **„Piórem i mieczem — Łysiak na łamach 6”** (Chicago–Warszawa 2001).

41. **„Kielich”** (Warszawa 2002).
42. **„Empireum”**, tom I–II (Warszawa 2003/2004).
43. **„Rzeczpospolita kłamców — SALON”** (Warszawa 2004).
44. **„Ostatnia kohorta”**, tom I–II (Warszawa 2005).
45. **„Najgorszy”**, (Warszawa 2006).
46. **„Alfabet szulerów — SALON 2”**, tom I–II (Warszawa 2006).
47. **„Talleyrand — droga «Mefistofelesa»”** (Warszawa 2007).
48. **„Lider”** (Warszawa 2008).
49. **„Historia Saskiej Kępy”** (Warszawa 2008).
50. **„Mitologia świata bez klamek”** (Warszawa 2008).
51. **„4”** (Warszawa 2009).

Nowele w antologiach:

1. **„Z korca maku”**, Czytelnik (Warszawa 1977).
2. **„Gość z głębin”**, Czytelnik (Warszawa 1979).

Duże przedmowy wydawnicze do następujących dzieł:

1. Kajetan Wojciechowski, **„Pamiętniki moje w Hiszpanii”** (Warszawa 1978).
2. Wacław Gąsiorowski, **„Huragan”** tom I–III (Warszawa 1985).
3. Wacław Gąsiorowski, **„Rok 1809”** (Warszawa 1986).
4. Wacław Gąsiorowski, **„Szwoleżerowie Gwardii”** (Warszawa 1985).
5. Reprint **„Albumu Królów Polskich”** z roku 1910 (Chicago–Warszawa 1999).